JN307167

ナラタージュ

島本理生

角川文庫
15030

ナラタージュ

まだ少し風の冷たい春の夜、仕事の後で合鍵《あいかぎ》と巻き尺をジャケットに入れ、もうじき結婚する男性と一緒に新居を見に行った。

マンションまでの道は長い川がずっと続いている。川べりの道を二人で並んで歩いた。流れていく水面に落ちた月明かりは真っ白に輝く糸のようにどこまでも伸びていて、水の行く先を映していた。

靴の先で細かな砂利を蹴《け》りながら、真っ正面から風の吹き抜けてくる、広々とした暗闇の先に目を向けていた。時折、漏れる会話は他愛ないものばかりだった。私たちは仲が良かった。

「ずっと、川のそばに住みたかったの」

私がそう漏らすと、彼は軽く相槌《あいづち》を打った。

「水辺の近くが好きなんだって、たしか前にも聞いたよ」

「水の上にはなにもないから。視界が広くて良いでしょう。高校生のときには近くの川沿

い の道が好きで、よく歩いた」

そのとき、彼が私に訊《き》いた。

「君は今でも俺と一緒にいるときに、あの人のことを思い出しているのか」

以前からずっと用意していたのをようやく棚の奥からそっと出してきたような尋ね方だった。

「そんなふうに見える?」

「見えるよ。君に彼の話を聞いた夜から、俺は君を見ていてずっと思っていた」

「それならどうして私と結婚しようと思ったの」

足元でまだ生まれたばかりの雑草がかさかさと揺れている。ふと立ち止まって、風の吹くほうに導かれたように川のほうを見た。水の中から立ち上がってくる匂いは、胃の奥まで突っつかれるような死んで腐った生き物に似た気配を抱いている。軽く息を止めながら顔を上げると、川に切り分けられた遠い対岸では巨大な高速道路の上を、ゆっくりと右から左にテールライトの群れが移動していく。視界が広すぎて、時間の感覚が曖昧《あいまい》になる。過去と未来が混ざる。広い川べりでは記憶がほんの数秒前の現実のように思い起こされる。

じっと立ちすくむように川を見ていると、ふいに、となりで黙っていた彼が口を開いた。

「きっと君は、この先、誰と一緒にいてもその人のことを思い出すだろう。だったら、君といるのが自分でもいいと思ったんだ」

今でも呼吸するように思い出す。季節が変わるたび、一緒に歩いた風景や空気を、すれ違う男性に似た面影を探している。それは未練とは少し違う、むしろ穏やかに彼を遠ざけているための作業だ。記憶の中に留《とど》め、それを過去だと意識することで現実から切り離している。

正直なところ、そうでもしないと私は今でも彼に触れた夜を昨日のことのように感じてしまうのだ。

だけど実際は二人がまた顔を合わせることはおそらく一生ないだろう。私と彼の人生は完全に分かれ、ふたたび交差する可能性はおそらくゼロに近い。

I

大学一年の冬、年が明けてすぐの頃に父の海外転勤が決まった。

父は大学時代にドイツに留学していたこともあり、その経験が買われてベルリンの支社へ転勤の話が出たのだ。

夕食の後でお茶を飲みながら、母は私にそのことを告げた。

「私はお父さんについていこうと思って。あの人、仕事はよくても生活のことなんて、一人だったらなにもできないでしょう」

「いいけど、私は一緒には行けないよ。大学もまだ三年間あるし、ドイツ語なんてさっぱり分からないし」

私は濡《ぬ》れたティーカップの縁を親指で拭《ぬぐ》いながら答えた。

「だけど、あんた、子供の頃に一度ウィーンに行ったことがあったじゃない。滞在してたホテルの近くにあったチョコレート屋のおばさんに気に入られて『ありがとう』はダンケシェーン、『どういたしまして』はビッテ、なんてくり返し教えられてたの」

「覚えてるよ」

というよりも、それが私の知る唯一のドイツ語だった。

「今から思えば、小さなときにお父さんから教わっていれば良かったのにねえ」

「それだけの問題じゃなくて、今からまったく環境の違う場所では暮らせないよ」

分かったわよ、と母はあらかじめ予想していたように短いため息をついた。

「まあ、泉《いずみ》だったらしっかりしているから、一人でも大丈夫だと思うけど」

母は困ったときに頼れる親戚《しんせき》の名を挙げ連ねて、今度は私のほうがあらかじめ分かっていた答えを追うように何度か相槌を打ったのだった。

春には両親が旅立ってしまうため、それより先にアパートを探して私だけが引っ越すことになった。

日曜日の午前中に引っ越し業者がやってきて、暮らし慣れたマンションからどんどん荷物を運び出してしまった。感傷の入り込む隙もないうちに作業は終わり、トラックは大学から三つほど離れた駅のそばのアパートに向かった。

新しい部屋で母と二人で日が暮れるまで片付けをしてから、夕飯のためにアパートを出て駅前のファミリーレストランに向かった。

駅までの道は幅が広いわりに人通りが少なく、夜になると車の往来だけが目立つ。そのことになんとなく無機質な印象を受ける。夜中に歩くと無人の町のようだ。

明かりの消えた小学校の前を通りかかると桜の樹にはまだ小さな蕾《つぼみ》が出来たばかりだった。真っ暗な大きな門の先にさらに大きな校舎がたたずんでいた。

校門の前をゆっくりと通り過ぎながら、

「そういえば高校生のときは泉、いつも楽しそうだったわね。同じ演劇部だった子たちは今どうしてるの？」

ふと母が尋ねた。

「みんな大学に通ってるよ。ほとんど会うことはないけど。志緒《しお》とはたまに連絡を取ってる」

「時々、高校のほうに顔を出したりはしてないの」

首の後ろが寒くなってきて私はマフラーをきつく巻き直した。

「最初はしてたけど、後輩のほうが上手《うま》いから、とくに指導することもなくて」

本当は一度も顔を出してはいなかった。母は相槌を打ってから、ふいに思い出したように
「顧問の葉山《はやま》先生も、まだいるの？」

「うん、まだいるよ。しばらく会っていないけど」

「あんたは一時期あの先生の話ばっかりしてたわね。正直、毎日のように聞かされて飽きてたけど、話してるときの泉が楽しそうだったから黙って聞いてたのよ。もう連絡を取ったりはしていないの？」

私は首を横に振った。

「卒業したら、そんなに先生に用事なんてないから」

「私は泉があの先生のことを好きなんだと思ってたわよ。まだ年齢もけっこう若かったし

見た目も素敵だったじゃない。それにほら、高校生ぐらいの頃ってとくに年上に憧《あこが》れるから」

そう言って母はほほ笑んだ。私は母のそういう感覚が好きだ。年齢は関係なく、近くにいるとすっきりと良い香りが立ちのぼってくるような瑞々《みずみず》しさを感じる。

私はじっと夜空を見上げた。真っ暗な中をゆっくりと横切る、赤い光が点滅していた。

「あれに乗って、一週間後はドイツかあ」

思わずしみじみと呟《つぶや》くと

「本当に困ったときには言ってよ、すぐに帰ってくるから」

「大丈夫だよ」

そう言って私は笑った。

それから二週間後、バイトから戻ったときに郵便受けを覗《のぞ》くと、大学の成績表と母からの初めてのエアメールが届いていた。

「ドイツビールを楽しみにしていたのに、寒くてそれどころではありません。お父さんは日々、言葉の壁を乗り越えるのに必死です。そして、たしかにとてもすごい速さで学生時代からのブランクを取り戻しています。今ほどあの人のプライドの高さが功を奏しているときはないかも知れませんね」

彼女自身のことよりも父について多く語られた手紙を、私は机の引き出しにしまった。

次第に暖かくなってきて周辺の景色も徐々に色づき始めた。桜が咲く頃には大学が始まり、キャンパスには新入生をサークルに勧誘する学生の姿が溢《あふ》れた。風に舞う桜の中で途絶えることのないにぎやかさはお祭りのようだった。

ゴールデンウィークの少し前、ひさしぶりに大学の友達とごはんを食べてからアパートに戻った夜のことだった。

部屋でテーブルに頬杖《ほおづえ》をついて、テレビを見ていると携帯電話が鳴った。

「ひさしぶり。元気にしていましたか」

電話ごしに彼の声が聞こえてきたとき、昨夜みた夢が現実に飛び込んできたような気がして、私はすぐに返事ができなかった。しばらく言葉を失っていると彼も戸惑ったように黙り込んだ。しばらくして、ようやく口を開き

「こちらこそおひさしぶりです、葉山先生」

相手の名前を口にした瞬間、自分の心拍数が上がったような気がした。

「良かった、返事がないから間違えてかけたのかと思ったよ」

「あんまり突然だったので、びっくりしたんです。どうしたんですか、急に」

うん、と彼は相槌《あいづち》を打った。

「じつは演劇部のことで相談があるんだ」

葉山先生は私が所属していた演劇部の顧問だった。彼の話によると、三年生がこの春に卒業して部員がわずか三人になってしまったという。

全員で勧誘に励んでみたものの、大した成果は上がらなかったらしい。

「工藤《くどう》の一つ下の代のときには、人数も多くて大作にも挑戦できたけど、その子たちが今年一気に卒業して急に淋《さび》しくなったよ。三人でも芝居はできるけど、彼らももう三年で引退の年だし、もう少しにぎやかにやりたいと思って」

「そうなんですか」

彼の言わんとしていることが分からずに、私はとりあえず相槌を打った。

「それで、私に相談っていうのは」

「うん。だから君さえ良かったら、週一回ぐらい、時間のあるときに様子を見に来てくれないかな。……と遠慮がちに言いたいところだけど、本当は練習に参加してほしいんだ。夏休み明けの始業式の後、吹奏楽部と合同で小体育館を使わせてもらえることになったから、そのときに発表する芝居を作りたいんだ」

「発表って、文化祭じゃないんですか？」

「うちの高校はほかの高校よりも文化祭の時期が遅いだろう。それまで部活をさせるのだけはやめてほしいって、部員の親御さんたちから言われているから、こっちを最後にしようと思って」

彼の提案に私は複雑な気持ちで答えた。

「それはいいですけど。私は入部したのも二年の半ばからで、しかも初心者だったから同級生の中でもダントツで下手だったじゃないですか。それでもいいんですか」

「そんなことはないよ。それに工藤はもともとの声の質がいいじゃないか。遠くまでよく通るし、舞台に立つと妙に目立つところがあるから」

「そんなこと」

「それにほら、自宅が高校から近い子じゃないと来てもらうのも大変だろう。だからなるべくそういう子にだけ声をかけているんだけど、みんなサークルだ、勉強だって忙しそうなんだ。黒川《くろかわ》が、工藤ならサークルにも入っていないし用事はバイトだけだから暇に違いないって断言するから」

そんなことだろうと私は少しがっかりした。

「葉山先生、黒川の言うことなんか信じないでください」

そう訴えると彼は低い声で笑った。

「そういえば、うちの両親が今、転勤でドイツに行っているんです。だから大学の近くで一人暮らしをしていて」

「そうか。だけど、それなら高校までは少し遠いかな」

「そんなには違いはないですけどね」

「うん。だったら黒川と山田《やまだ》も参加してくれるって約束してくれたし、どうかな。本当に考えてみてくれないかな」

「葉山先生」

私は少し迷ってから、言った。

「本当にそれだけの理由ですか」

そう尋ねると、次の言葉まで間があった。電話の向こうで言葉を選んでいる気配が伝わってくる。

いや、と彼は呟いた。

「ひさしぶりに君とゆっくり話がしたいと思ったんだ」

なぜか、こんなふうに電話がかかってくることが分かっていたような気持ちになった。

「そうですね。私もひさしぶりに話したいです」

一年前には四六時中ずっと胸の中を浸していた甘い気持ちがよみがえりそうになったので、すぐに感傷だと思い直し、次の土曜日に行くという約束をして電話を切った。

携帯電話を頰から離すと、右耳がぼんやりと熱くなっていた。

2

私が高校三年生のときに、葉山先生は世界史の教師として赴任してきた。

三年生の新学期が始まる前日の日曜、私は部活の練習のために午後から学校へ来ていた。集合時間が迫っていたので、できるだけ速足で廊下を歩いていた。朝から雨が降っていて窓ガラスの上を絶え間なく水滴が流れていた。明かりのついていない校内は昼間とはいえ、とても薄暗かった。

そのとき廊下の反対側から先生らしき人影がやって来るのが見えた。私は歩く速度を緩めて、軽く会釈をした。相手も一瞬だけこちらを見て会釈を返した。

よく見ると見覚えのない先生だった。グレーのスーツの下には薄い水色のワイシャツを着ていた。ネクタイは結んでいなかった。

いったん視線を外した後でふたたび気になって顔を上げると、今度ははっきりと視線があった。背の高い人だと思い、ふと床のほうを見ると彼の長い影が伸びていて、もう一度、やっぱり背の高い人だと感じた。当然だが、お互いに交わす言葉もないのでそのまますれ違った。

教室に着くとすぐに部長の黒川から遅いという怒声が飛んだ。散々謝ってなんとか許してもらった後、台本を鞄《かばん》から出しながら、さきほどの先生らしき男性のことを思い出していた。

翌日の始業式で、新しく世界史を担当する葉山先生だという紹介があった。最初の授業が終わった後で彼は数人の生徒から話しかけられていた。その群れには混ざらずに遠くのほうからじっと彼を見ていたら、一瞬だけ不思議そうにこちらを向いたものの、すぐに違うことに気を取られたような顔で教室を出て行った。

だいぶ後になって尋ねたら、彼は私と廊下ですれ違ったことを覚えていなかった。

私のほうだけが彼のことを覚えていた。

約束の土曜日、自宅で遅めの昼食をすませてから高校へ向かった。

ひさしぶりに訪れた高校は少し雰囲気が変わっていた。建物のところどころに黄色いシートが被《かぶ》せられ、数台のトラックが校庭に駐《と》まっている。もともと古い校舎がなんだかよけいに雑然として見えた。ごちゃごちゃしているのにどこか殺風景な印象があるのは、長い時間を経て白から灰色に変色した壁のせいだろう。創立してから何十年もの時が流れているこの高校は、校舎全体がくすんだ色をしている。にわかに華やぐのは桜の季節だけで、その時期もすでに終わっている。花をすべて散り落とした校庭の桜の枝には代わりに新緑が生まれ、青空の下で瑞々《みずみず》しい光を揺らせていた。

来客用の出入り口でスリッパを借りて葉山先生のところへあいさつに行った。職員室の扉を開けると彼はプリントや教科書の積み重なった机で書き物をしていた。

「ひさしぶり、本当に来たね」

本当に来ました、と私は答えた。

以前はもっと短かった前髪が眉《まゆ》にかかるぐらいの長さになっていた。彼を実際の年齢よりも若く見せている、はっきりとした目元の感じも変わっていない。以前は細い銀縁だったメガネが、茶色いべっ甲の物に変わっていて、そのメガネの色と、一年前よりも顔立ちに少し年齢を重ねたことで、よけいに彼の顔の中でその目の強い印象が際立ってきたように思えた。

懐かしく思えてじっと見つめていたら、それよりもさらにじっと見られたため、先に目線をそらしてしまった。この人はまったくためらうことなく他人と視線を重ね合わせるので、こちらが照れてしまう。

後輩は三階の空き教室で待っていると告げられ、私はほかの先生たちにも軽くあいさつをしてから職員室を出た。

いろんなことを思い出しながら廊下を歩いていたら、ふと背後から足音が近づいてきた。

「あいかわらずぼうっと歩いてるな、工藤は」

振り返ると、あきれたような顔で黒川博文《ひろふみ》が立っていた。

「後ろから来たのに、私がぼうっと歩いていたかなんて分からないでしょう。後ろ姿にまで文句をつけられても困るよ」

そう反論すると、黒川はとなりに並びながら
「いいや。おまえは絶対にぼうっとして歩いてた。もう見るからに、背中がそういう雰囲気を出してた」

「そんなむちゃくちゃな」

彼は紺色のシャツを着て、ベージュとグレーのストライプジーンズを穿《は》いていた。顔の輪郭から首にかけてのラインが以前よりも若干大人びてシャープな印象になっている。

「まだ日焼けするには早いよね」

横顔を眺めながら呟《つぶや》くと、彼は右目のまぶたの上を軽く掻《か》きながら
「おととい、まで家族で沖縄に行ってたんだよ」

「おととい？　けど、まだゴールデンウィーク前だったでしょう」

「当たり前だろう。旅費が高いからわざとこの時期を外したんだよ。そうしたらちょうど出発前夜に葉山先生から電話があってびっくりした。一体どういう勘をしてるんだ、あの人は」

「それはタイミングが良いんだか悪いんだか」

「本当だよ。俺は卒業してまで工藤の粗野な顔なんて見たくないよ」

　あいかわらず失礼な男だと思いつつ、もう反論する気も起きなかった。二人で適当なことを喋《しゃべ》りながら空き教室のドアを開けると、なぜかバースデーソングの合唱が聞こえてきた。

　長方形のケーキを机に載せて、二人の後輩が椅子に座っていた。グレーの長いプリーツスカートから細い足首を覗《のぞ》かせながら柚子《ゆずこ》ちゃんがこちらを見て驚いたように立ち上がり、おひさしぶりです、と素早く会釈をした。

「誰かの誕生日なの？」

「はい。正確には昨日だったんですけど。新堂《しんどう》君の十八歳のお祝いです」

　柚子ちゃんはぽってりと厚くて小さな唇をきゅっと横に引き、笑顔を見せた。

「そうなんだ。それで、肝心の新堂君は」

「体調が悪くて午前中に早退しちゃいました。だけどこのケーキ、明日まで学校に置いておけないので」

柚子ちゃんは笑顔のままそう答えた。

「葬式じゃないんだから本人不在で誕生日パーティをするなよ。それよりおまえら、ちゃんと練習してるの？」

黒川が尋ねた。

「いやあ。正直、全然していません」

即答したのは伊織《いおり》君だった。彼はとても体が大きく、毎朝剃《そ》らないと追いつかないほど濃い口元のヒゲのせいか、高校生らしからぬ風貌《ふうぼう》をしている。しかし中身はいたって無邪気で、いつもおそろしいことを平気な顔で言う。

そんなことを威張るなとさっそく黒川に叱られた彼は、すみません、とまったく反省の色がない調子で謝っていた。

私が椅子を運んでくると、柚子ちゃんがケーキを切り分けてお皿に載せてから、冷たい紅茶を紙コップに注いでくれた。

黒川は適当に空いた机に腰掛けながら
「そもそも、どうして教室で誕生日パーティをやっていて誰も叱りに来ないんだ」

「なに言ってるんですか、黒川先輩。このケーキはもともと朝のうちに買って来て、さっきまで社会科準備室の冷蔵庫に入れておいたんですよ。そのほうが傷まないからって、葉山先生が」

「なんで社会科準備室に冷蔵庫なんて置いてあるんだよ」

「たしか地理の先生が夏場に持ってきたらしいよ。ほとんど飲み物専用の小さいやつだけど。普段は先生たちがお茶やジュースを冷やすのに使ってる」

そう説明した。私もその冷蔵庫の麦茶を飲ませてもらったことがあったので、記憶は鮮明だった。

「ベテランとか、ある程度えらい先生ならともかく、まだ若い葉山先生がそんなに好き勝手していて大丈夫なのか」

「大丈夫じゃないですか。あの人、スキーのインストラクターかなにかの資格も持っているみたいだし、いざとなれば」

「そういうのは大丈夫って言わないんだよ」

伊織君と黒川が言い合っている間、私はケーキを食べていた。トップスのチョコレートケーキはクリームの中にクルミが入っていて、噛《か》むと甘さの中に香ばしさが広がってとても美味《おい》しかった。

ふと気付くと、柚子ちゃんがケーキにまったく手をつけていなかったので

「柚子ちゃんは食べないの」

ちょっと食欲がないのだと彼女は言った。

「大丈夫？」

そういえば最後に彼女に会ったのは一年ぐらい前だったが、そのときからだいぶ痩《や》せたように感じた。もともと少しふっくらした頬や手足から愛嬌《あいきょう》のある可愛らしい雰囲気を滲《にじ》

ませていたのだが、今は着ている白のカーディガンの肩や袖《そで》のところがかすかに余ってい
てその体形の変化は歴然だった。

「柚子ちゃん、なんだか痩せたよね。もしかしたらすごく体調が悪いんじゃないの」

「ちょっとダイエットしていたんです。だけど今は風邪気味なだけですから」

と答えた彼女の笑顔が以前と変わらないものだったので、私は少しほっとした。

「それよりも、そろそろ本題に入りましょう」

そう言って柚子ちゃんは黒川のほうを見た。

「とりあえずメンバーは在校生三人と、俺、工藤、山田志緒の卒業生の三人。俺たちが平日に来るのは難しいから、土曜日だけが全員でそろう日になると思う。だから早めに台本を決めて稽古《けいこ》に入ります。台本をどうするかは後で葉山先生とも相談してみる」

「そういえば志緒は？」

思い出して尋ねると、黒川は首を横に振った。

「大学のほうで用があるから今日は無理だって。あいつ、今、声楽のサークルに入ってるから、けっこう忙しいみたいなんだよ」

「そういえば、そうだったね。てっきり大学内の劇団に入るかと思ったのに」

「俺もそう思ってたけど、もともと本人は前から歌がやりたいって言ってたから。そんなことよりも俺はおまえのほうが心配だよ。一年以上、ろくに発声もせずにすっかり体がなまってるだろう。さっき廊下で後ろ姿を見たら姿勢が悪かったぞ」

「私だって一応、大学の劇団には見学に行ったんだよ。だけど激しい体育会系の雰囲気に溶け込めなくて。高校のときは葉山先生の影響で、なんとなくみんなゆるい感じだったでしょう。黒川だけがまるで生徒指導の先生みたいにきびしかったけど」
「当たり前だろう。だいたい、あの先生は好き勝手にアイデアを出しておいて、細かいところはこっち任せなんだから。一度ボールを投げたら、投げっぱなしのあの人にすべてを任せていたら本番までたどりつけるか」
そう一刀両断した後、黒川は話をまとめるように
「それじゃあ、次回のミーティングはゴールデンウィーク明けの土曜日に。本日はこれで解散」
伊織君がもごもごとケーキの入った口を動かしながら、はい、と相槌《あいづち》を打ったので、また黒川の機嫌が少し悪くなった。そんな黒川を連れて私は伊織君と柚子ちゃんに別れを告げ、教室を出た。
日が落ちかけた階段を下りていると来客用のスリッパがぺたぺたと音をたてて鳴った。高校生のとき、この音を聞いていつも部外者の音だと感じていたことを思い出した。
黒川は少し前を歩いていたが、昇降口の近くまで来ると振り返って
「そういえばおまえはどうして、また部活に来ることにしたの」
唐突にそんなことを言われて私が黙っていると
「まあ、工藤は見るからに暇そうだもんな」

「うるさいな。葉山先生に頼まれたから来ただけだよ」

「やっぱり。おまえは本当にあの先生に弱いなあ」

「弱いというのがどういう意味か分からないよ」

「二人で話しているところを見ると、なんとなくいつも工藤が上手《うま》く言いくるめられてる印象がある」

「言いくるめられてるって、あんまり良い言葉じゃないね」

私はため息をついた。

「まあ、上手いことコントロールされてるっていうか、ある意味では意思の疎通が誰よりもスムーズに出来てるとも言えるよ。だからあの人の指導が入るとじつは工藤が一番伸びるんだよな。俺がガンガン突っ込んでも、困っておどおどしてるだけのくせに」

私は曖昧《あいまい》に相槌を打ったが、本当はたしかにそういう関係かも知れないと心の中では思っていた。

それにしてもひさしぶりに会った黒川は以前となに一つ変わっていないので感動してしまう。日常から早口言葉の練習でもしているような喋り方もあいかわらずで、それだけで高校のときに戻ったような、懐かしい気持ちにならずにはいられなかった。

昇降口で靴を履き替えて外へ出ると、長い帯状の夕焼けが遠くのほうまで広がっていた。

「黒川は志緒とあいかわらずなんでしょう」

「まあな。最近は向こうが忙しくて、あんまり会ってないけど」

「そういえば黒川はどうして大学で演劇を続けなかったの」

学校から駅までは長い上り坂が続いている。歩いていると少し息が上がってきた。

「俺、今年の秋に留学するんだ」

驚いて聞き返すと、アメリカに行くのだとはっきりした口調で彼は告げた。

「それって志緒は知ってるの？」

尋ねたら黒川は眉《まゆ》をひそめて
「当たり前だろう。なんで俺がそんなに大事なことを志緒よりも先におまえに話すんだよ」

「まあ、それもそうか」

私にはとても感じの悪い彼だったが、高校のときから付き合っている志緒にはいつも優しかった。そんな二人を見ているのが好きだった。

「だけど黒川がいなくなったら志緒も淋《さび》しいだろうね」

「どうだろうな。前から決めていたことだったし、反対されたことも一度もないから」

いつの間にか透明な月が夜空に浮かんでいた。踏切の鳴る音が近づいてきた。

駅で黒川と別れ、ホームで電車が来るのを待ちながら、明日の日曜日はひさしぶりに昔使った台本を引っ張り出して少し声を出してみようと思った。

深夜、暗闇の中で目覚めた。背中や肩の節々がひどく痛かった。どうやら毛布だけを掛けて古い台本を読み返しているうちに眠ってしまったらしい。

このままベッドに行こうか迷ったが、なんとなく目が覚めてしまったので、机に向かって電気スタンドを点《つ》けると手元だけが明るく照らされた。引き出しから便せんを取り出し、ボールペンを手に取った。

母への手紙には、大学のサークルの勧誘で新入生に間違えられたことや、駅前に新しく出来た本屋でバイトを始めたこと。そして高校の演劇部に顔を出し始めたことなど、できるだけ明るい出来事にばかり焦点を当てて書いた。そうしているうちに、本当に自分の日常には良いことばかり起きている気がしてきた。

母がこの手紙を読んで安心すればいいなと思いながら封をした後、出し忘れないように机の下に置いたカバンから手帳を取り出して、その間に挟んだ。

手帳に手紙を挟むのは私の癖で、そこには母へのエアメールよりも先に、もうずっと前から、葉山先生に宛てた手紙が挟んである。書いたときには青くてきれいだった封筒の表面にはだいぶ皺《しわ》が寄ったり汚れたりしていた。

最初に廊下ですれ違ったときから、私はおそらく葉山先生のことが好きだったのだろう。

今になって振り返るとよく分かる。教壇に立つ彼の細かな仕草の一つ一つまで見落とすまいと必死になっていた。そのくせ視線が合うことは気恥ずかしくて、彼がこちらを見たときにはかならず黒板を見ているふりをして目線をそらした。

それまで演劇部の顧問だった先生が違う高校へ異動になったため、赴任してすぐに葉山先生が演劇部の新しい顧問になった。

一度、部活で遅くなった帰りに定期を出そうとして財布がないことに気付いた。青ざめて学校に戻ると、ちょうどまだ残っていた葉山先生と廊下でばったり会った。どうしたのかと訊《き》かれて相談をしたら、彼がすぐに校内中を捜そうと言い出したのだ。

それまで葉山先生と私は、部活に所属しているほかの生徒たちと複数でいるときにちらほらと言葉を交わす程度だったが、彼は夜の校内を一緒に一時間以上も捜してくれた。結局、財布は見つからなかったけれど、歩き回っていた間にかなり長い会話をした。

葉山先生が自分の若い頃の恋愛まであまりにためらいなく話すので、学校の先生からそんな話をされたのは初めてだと少し驚いて言ったら、僕も生徒にこんなことを話すのは初めてだと返された。そう言ったときの彼は、自分自身に対してとても不思議そうな顔をしていた。

それから私が新しいクラスでの人間関係に悩んでいたときにも、葉山先生は担任よりもずっと親身になって相談に乗ってくれた。その合間にはよく趣味の話もした。お互いの趣味が合うことが分かると、自分の好きな本や映画のビデオを貸してくれるようになった。

それらはいつも新しい紙袋に入れられて手元に届いて、湿気でページが縒《よ》れたりビデオが巻き戻っていなかったことはなかった。私は返すときにいつも感想の手紙を書いて一緒に入れておいた。その手紙に対しての返事が来たことはなかったけれど、一度だけ手紙を付け忘れたときに、僕は工藤からの感想をけっこう楽しみにしているのだと漏らしていた。

最後に貸してもらった『エル・スール』のDVDは今でも私の手元にある。彼はビクトル・エリセが好きで、あの監督の静けさに触れたときだけは日常の雑事や悩みが遠ざかって違う場所へ運ばれていくのだと話していた。

告白するつもりだった。今も手帳に挟んである手紙を持って、卒業式の少し前、社会科準備室へ行った。そして、葉山先生には恋人がいますか、と質問した。準備室の中は閉め切っているはずの窓から隙間風が吹き込んで、とても寒かった。

葉山先生は私の質問にいつまでも黙っていた。あんまり長いこと黙っていたのでこちらが不安になって、自分の足元を見たりスカートのポケットに手を出したり入れたりしていると、やがて彼はすっと顔を上げた。そして、僕は誰よりも君を信用している、と静かに告げた。だから本当のことを言う。その代わりにこのことは誰にも言わないでほしい、と。

3

空き教室は窓の外がちょうど銀杏《いちょう》の樹に隠れていて日当たりが悪く、晴れた日でもどこかしっとりと湿った空気が漂っている。

机に置いたはずのジャケットが床に落ちていたため、肩や袖《そで》に付いた埃《ほこり》を払っているとドアが開いた。

高校時代は肩に触れるぐらいだった真っ黒な髪がすっかり伸びて、胸の位置まである。

赤いチャイナカラーのシャツを着てぴったりと腰の形に沿った黒のロングスカートを穿《は》いた彼女は、長いまつげに縁取られた大きな目をぎゅっと細めてこちらを睨《にら》み、いやに迫力のある目付きで私の姿を見るなり
「じつはコンタクトを忘れて自宅からここに来るまでほとんどなにも見えてないの。そこに立ってるのは泉だよね」

「よく死なずにここまで来れたね」

「大丈夫、ふらふら歩いていれば向こうから避けてくれるから」

「おひさしぶりです、山田先輩。あいかわらずきれいですね」

ちょうどトイレから戻ってきた伊織君が飛び込んできて嬉《うれ》しそうな声を上げた。伊織君は入学したての頃に舞台で志緒を見て以来、彼女のファンだ。それが理由でこの演劇部に入部したくらいである。

「うっ。一瞬、新しい体育の先生かと思ったら伊織君か。そろそろ成長期も終わるだろうに、どうして前よりも大きくなってるの」

彼女は渋い顔で呟《つぶや》いたが、伊織君はさらに嬉しそうな顔で
「横に広がっただけです」

などとちっとも自慢にならないことを言った。

そのうちに廊下を駆けてくる音がして、ドアが開いたかと思うと
「前回の打ち合わせに参加できなくてすみませんでした」

新堂君が軽く呼吸を整えながら早口に言った。彼の斜め後ろには柚子ちゃんの姿もあった。

「大丈夫、先週はそんなに重要なことはやっていないから」

と私は答えた。

本当にすみませんと謝る新堂君の頭は、となりに立っている柚子ちゃんと同じぐらい小さい。そもそも彼は男の子にしてはちょっと心配になるくらい線が細くて小柄だ。顔の造作が小さくまとまって整っているためにさほど気にならないが、女の子でも大柄な子と比べたらさほど体格の差を感じない。

そんなふうに他愛のない会話をだらだらと続けていると、葉山先生と黒川が一緒に教室にやって来た。それから知らない男の人が黒川の後に続いて入ってきたので、あれ、と思っていると

「葉山先生と相談して、台本はこの『お勝手の姫』という作品が今いるメンバーでやるのにちょうど良いのではないかということになりました。本当は台本決めの段階から全員で話し合いたかったけど、今回は半分が卒業生ということもあって、練習時間を取るのが難しかったから」

そう言いながら黒川はきちょうめんな教師のように白墨《チョーク》を手に取り、黒板にいびつで大きい、本人の性格をそのまま表したような字で台本のタイトルを書いた。

「上演時間は一時間弱ぐらい。以前に文化祭なんかでやっていたときに比べれば短いと感

じるかも知れないけど、今回は吹奏楽部の定期演奏会と合同なので。登場人物は男四人で女が三人。で、そこで問題なのが、話の都合上、ダブルキャストができません。なので男の人数が一人足りない。そこで助っ人を俺の大学から連れてきました。こちら、小野《おの》玲《れい》二《じ》」

黒川に紹介された彼は、こちらを向いて軽く会釈をした。耳に軽くかかる程度の髪からのぞく額や首が白く、穿いているベージュ色のパンツ以外は寒色系に統一された服装や、まっすぐな立ち姿から、すっきりと清潔感のある人だという印象を抱いた。となりに立った黒川よりも小野君のほうが少しだけ背が低いため、黒川がなんだかよけいに尊大に見えると思って心の中で笑っていると、なんで意味のない薄笑いを浮かべてるんだ、とすかさず叱られて恥をかいた。

「小野はこの前まで大学の劇団にいて、一年の中で一番上手《うま》いって先輩たちから言われてたのに、わけあって先月に辞めたんだよな」

黒川の言葉に、小野君はなぜか困ったように笑った。

「そこを俺がすかさずスカウトしたわけだ」

「だけど、大学のほうもあって大変じゃないの」

私が尋ねると

「たしかに学科のほうの勉強は忙しいけど、まだ芝居はやりたいと思っていたから、ちょうど良かったんだ」

と小野君が言った。彼の声を聞いて私はちょっと感動した。アナウンサーのように整って発音に淀《よど》んだところのない、明瞭《めいりょう》な声だったからだ。

「だけど小野は自分の専門以外にも教職の授業まで取ってるだろう。今回は無理に頼んで悪かったかな」

「ふうん。そういえば小野君って、クロちゃんの友達として今まで一度も紹介されたことないよね。そんなお願いをできるほど大学で仲が良いの？」

「いや、ほとんど。学部自体が違うから」

黒川があっさり答え
「小野君は文学部の学生じゃないの？」

と志緒がさらに尋ねた。彼は首を横に振った。

「俺は理系で、専門は生物だから。共通の友達がいたから何度か話したことはあるけど、正直いきなり誘われてびっくりした」

「なるほど。それを考えると黒川ってけっこう、ずうずうしいね」

「ずうずうしいってなんだよ」・

憮然《ぶぜん》とした黒川の横で、小野君は遠慮がちに笑っていた。

「せっかく小野君が来てくれたから、自己紹介でもしようか」

葉山先生が新学期の先生のような提案をした。

「そうだな、じゃあまず、今さらだけど俺から。黒川博文、大学二年生。専攻は英米文学です。……葉山先生、今さらあんまり喋《しゃべ》ることもないんですけど」

「近況報告とか好きなものとか、なんでもいいよ。ひとまず小野君が全員の顔と名前が一致すればいいから」

「今年の秋には語学留学でアメリカに行く予定です」

「ええ？　黒川先輩、留学するんですか」

伊織君だけが驚いたように声をあげた。知らなかったのはおまえだけだよ、と黒川はあきれたように言い返した。

「本当に伊織はひとの話を聞いてないなあ。じゃあ、次、工藤」

「はいはい。工藤泉、大学二年生です。専攻は国文学です。好きなものは映画で、黒川にはいつも覇気がないとか、ぼうっとしているとか叱られます」

葉山先生が押し殺したように笑ったので、まさかこの人の目にもそういうふうに見えているのではないかと訝《いぶか》しんでいると、志緒がよく通る高い声で、次に続いた。

「山田志緒、大学二年です。専門は心理学」

「塚本《つかもと》柚子、高校三年生です。好きなことは絵を書いたり本を読んだりすることとです」

「新堂慶《けい》です。三年です。あとはとくにありません」

無駄もサービス精神もない新堂君の自己紹介が終わり、最後に伊織君の番になったとき小野君がいきなり噴き出した。

笑われた伊織君はあっけに取られたように

「僕、まだなにも言ってないっすよ」

小野君はうつむいて困ったように笑いながら
「ごめん。じつは、もう一人、顧問の先生がいるんだと思ってた」

「失礼なっ」

「ごめん。本当にごめん」

「気にすんな。伊織の老け顔が悪い」

伊織君は一瞬だけショックを受けたような顔をしてから、またすぐにけろっとして
「僕は金田《かねだ》伊織です。高校三年生です。て、今ここで初めて学年を言う意味がありましたね。さっきから大学二年とか高校三年とか当たり前のこと言ってるなあと思ってたけど」

と言って、しめくくった。

全員が名前を言い終わると、最後に葉山先生が小野君のほうを向いて
「顧問の葉山貴司《はやまたかし》です。演出と舞台監督は僕が担当します。小野君が来てくれて本当に助かりました。これから本番まで、よろしく」

こちらこそ、と言って小野君はまた軽く頭を下げた。

それから、みんなの手元に印刷された台本が配られた。新しい台本はいつも気持ちを昂《こう》揚《よう》させる。しばらく無言の時間が続いた。

あらすじはこんな感じだった。

レストランでお見合いをしている男女が二人。彼らの会話はどこか嚙《か》み合わず、強引に

結婚を迫る女に男が辟易《へきえき》していると、ちょうど男が大学時代に講義を受けた教授が女性連れでやって来る。男はその教授に助けを求めるが、教授の対応はそっけない。一方、自分は「姫」だと名乗る連れの女性に、見合い中だった女は興味を抱いてちょっかいを出す。その後、お見合いを仕切る叔母《おば》やレストランのシェフまで登場して、事態は思わぬ方向に動くというのが話の筋だった。

読み終えてしばらく経ったとき、様子を見ていた黒川が、はい、と大きな声をかけた。

「そろそろ読み終わったと思うので配役の相談に」

「まだです」

伊織君が真顔で返した。黒川は時計を軽く見上げて、あと五分、と無表情に呟《つぶや》いた。ようやく伊織君が開いていた台本を閉じると同時に黒川が右の手のひらを上げた。

「読んだとおり、最初にレストランでお見合いをしている『男』と『女』が一人ずつ。それから大学教授である『七ッ森《ななもり》』とその連れの女性、通称『姫』。それに後から出てくるシェフの『健太《けんた》』とお見合いを仕切る『叔母』。最後に、ずっと舞台に登場していて場面転換の鍵《かぎ》となるのが『ギャルソン』。登場人物は以上」

と指折り数えながら黒川は明瞭な声で告げた。

「配役だけど、できれば現役に台詞《せりふ》の多い役をやってもらいたいと思う。ただイメージの問題もあるので、これから基礎稽古《げいこ》を軽くやった後で、ちょっと交互に役を変えて読み合わせをしてみよう」

そして私たちはそれぞれトイレで練習着に着替え、発声やストレッチなどをやった。
それから男女の組み合わせを変えつつ、最初に二人がお見合いをしている場面の読み合わせをすることにした。

《場面》
レストランで一方的に結婚話を進める女、反論しつつもその勢いに圧倒されている男。

女：「会場の手配はあなたの担当ね」
男：「僕のこと、ずるい人って……」
女：「だってずるいじゃない」
男：「なのに結婚するんですか？」
女：「どんな人と結婚しようとあたしの自由でしょ？」
男：「僕の自由はどうなるんです？」
女：「無職でもずるくても、結婚する自由はあると思うけど？」
男：「失礼で勝手なのはあなたの方だ！」
女：「似た者同士。お似合いじゃない」
男：「僕は結婚する気なんてないんです！」
女：「……この話に反対なのね」

男：「そういうことです……」
女：「(楽しげに) 反対を押し切って結婚するなんてかっこいい」
男：「本人の反対を押し切ってどうするんですか！　押し切るんなら周囲の反対でしょう、普通は！」
女：「だから『フツウ』ってなに？」

何度か男女を入れ替えてみて、違う場面の登場人物もそれぞれ組み合わせを変えて、一通りやってみた。

ひとまずお見合い相手の『女』は志緒が良いのではないか、と葉山先生が言った。

「たしかに。このちょっとキツい感じや、強引なところが志緒の雰囲気に合ってるよな」

「それなら相手役は黒川かな」

「だけど、山田先輩に結婚を迫られたら、僕なんか五秒で印鑑を押しますけどねえ」

「勝手に妄想するな。だけどこのお見合いの男は俺じゃないほうがいいんじゃないの。もっと線が細いっていうか、気の弱そうな」

「そうですね、黒川先輩はもっと全体の雰囲気が堂々としていますよね」

柚子ちゃんはものすごく好意的な言い方をしたが、すぐに志緒が
「というか、クロちゃんは雰囲気がうるさい」

などと言ってだいなしにしていた。

「後半の、お見合いを仲介する叔母さん役もちょっと悩みますよねえ。正直、先輩たちも柚子も、イメージが違いますよね」

伊織君が呟いたとき、葉山先生がふと彼のほうを見て
「ちょっと新堂、そこのお見合いの男の台詞を途中から読んでみて。その後に伊織が叔母さんの台詞を頼む」

などと言った。新堂君はすぐに頷《うなず》いて
「『来なくていいって言ったじゃないか』」

伊織君は怪訝《けげん》な顔をしながらも、言われた通りに
「『だってやっぱりまみちゃん一人じゃ叔母さん、心配で心配で』」

「『その呼び方、やめてって言ったろ？』」

「『この子、「まさみ」っていうでしょ？　だから真ん中の「さ」をはぶいて、まみちゃん』」

「『一文字ぐらいはぶかないで呼んでくれたっていいじゃないか！』」

聞いていた私たちがゲラゲラ笑うと、葉山先生が途中でストップさせた。

「伊織のやつ、似合いますね。カツラなんて被《かぶ》ったら、おせっかいな叔母さんそのものですよ」

まだ台本を開いたまま感心したように新堂君が呟いた。

「嬉《うれ》しくない、僕は全然、嬉しくないです」

「合うと思ったんだけどなあ」

と真顔で葉山先生が自分の頬を撫《な》でながら言った。

「そりゃあ、やれって言われたらやりますけど、今度は女性の役が足りなくなりますよ」

「だれか男性役を女性に変えられないかな」

そこで慌てたように黒川が口を挟んで
「いや、葉山先生、それはできなくはないけど、そうすると今度はほかの役とのバランスがおかしくなりませんか」

黒川の言葉に同意はしたものの、葉山先生はまだあきらめていない様子だった。

「じゃあ、『姫』を柚子か工藤のどっちにするか。それで叔母の役を」

「だったら柚子ちゃんがいいんじゃないかな。叔母さんの登場は後半からだし、やっぱり在校生の柚子ちゃんがメインのほうが。それにさっき読み合わせてみた感じだと、姫と教授のコンビは、柚子ちゃんと黒川が一番しっくりきていた気がする。黒川はこういう教授みたいな重々しくてえらそうな役が似合うよ」

「一言多いけど分かったよ。それから俺、ギャルソンは小野が良いと思うんだけど」

「ああ、それは私も思ったのよね」

志緒が顔を上げた。まだ遠慮があるのか、一歩引いた感じでみんなの話を聞いていた小野君は頷いた。

「うん、分かった。それじゃあ俺はギャルソンの役で」

それぞれ仮の配役を決めてから、また読み合わせてみた。そして、結局、配役はこういうふうに決まった。

大学教授の『七ッ森』：黒川博文
七ッ森の連れの女性『姫』：塚本柚子
お見合いをしている『女』：山田志緒
お見合いをしている『男』：新堂慶
お見合いの仲介役の『叔母』：工藤泉
レストランのシェフ『健太』：金田伊織
レストランの『ギャルソン』：小野玲二

部が活動できる六時までに最終的な配役を決めた後、私たちはそれぞれに帰る支度をして教室を出た。

近くにいた小野君から、もう一度名前を教えてほしいと言われたので
「工藤泉です。次の練習からはよろしくお願いします」

こちらこそよろしく、と感じの良い笑顔で言われた。全身から優しさや柔らかい雰囲気が滲《にじ》み出ている人だと感じた。

「工藤、ちょっと渡すものがあるから帰りに社会科準備室に寄ってくれないか」

背後から来た葉山先生にいきなり声をかけられ、驚いているうちに彼は先に歩いて行ってしまった。

私は志緒たちに先に帰るように告げてから、後を追うようにして一人で準備室にむかった。

明かりの点《つ》いた準備室のドアを開けると、古びて色あせた二枚の日本地図と世界地図が貼《は》られた壁の横で、葉山先生は戸棚を開いて中を覗《のぞ》き込んでいた。

しばらく私が扉のところに立ち尽くしていると、ふいに振り返った彼が
「もし時間があるなら、少し話していかないか。コーヒーぐらい奢《おご》るよ」

そう言って静かに笑った。


葉山先生が校内の自販機で缶コーヒーを買って戻ってくるまで、私は落ち着かない気持ちで社会科準備室の椅子に座って待っていた。

彼は温かい缶コーヒーをこちらに手渡すと、近くの椅子を引き寄せて、私から斜め向かいの位置に腰掛けた。

缶コーヒーのプルリングに指をかけたままお互いにじっと黙っていた。夕暮れの室内に明かりが灯《とも》っていると窓や廊下の暗さが逆に強調されて染み込んでくるようだった。

いただきます、と一言告げてから缶コーヒーを開けて口を付けると、熱い液体は濃いミルクと砂糖の香りがした。

「最後に顔を合わせたのはいつだっけ」

葉山先生が切り出した。口を開きかけて、ふと私は眉《まゆ》を寄せた。

「どうしたの」

「私、葉山先生にどんな喋《しゃべ》り方をしていましたっけ」

本当に思い出せずに困ってしまった。彼は軽く苦笑して
「二人でいるときは敬語と砕けた喋りが混じっていたよ」

「そうだった。ずいぶん会っていなかったからとっさに思い出せなくて。そんなことも忘れてしまうものなんですね」

「君は元気にしていましたか」

彼は笑いながら尋ねた。

「それなりに元気だったかな。葉山先生はどうしていましたか」

「それなりに元気にしていたよ、僕も」

「最近、なにかおもしろい映画はありました？」

「いや、しばらく映画を見に行く時間がなかったから。だけど昔、大学生の頃に見たものをもう一度、見たりしていた。『真夜中のカーボーイ』なんて、あれを見て憧《あこが》れてアメリカに一人旅に行ったようなものだから懐かしかったよ」

「あれは私も見ましたよ。たしか足の悪い友達が最後にバスの中で『太陽の国、サンフランシスコだ』て叫ぶんですよね。あれが印象的でした」

「あれ、そんな場面はあったかな。僕は記憶にないけど」

「そうでしたっけ」

私が首を傾げると、葉山先生は余裕のある表情で笑った。

「だけど黒川が留学するのには驚きました」

彼はコーヒーの缶を机の上に置いた。あまり柔らかいところのなさそうな骨張った大きな手だ。

「そうか。僕は、去年の秋に筆記と面接の試験に通ったっていう報告を受けていたから。春からは講習会に行ったり、なにかと準備で忙しいのに、今回のことは快く引き受けてくれたんだよ」

渋々という様子だった黒川の横顔が浮かんできたが、それは言わずにただ相槌《あいづち》を打った。

「君は、卒業したらどうするつもり？」

「私は一般企業に就職したいです。理想は小さくても映画の配給会社が良いけど、ちょっと難しそうだから、普通に事務とかになるのかな。ただ、むしろ今は就職できるかどうかも危うい時代だから、そんな贅沢《ぜいたく》なことを言っていられる立場じゃないんですけどね」

「だけどもしも配給会社なんかに就職できたら、いつか君が選んだ映画を僕が劇場へ見に行ったりすることもあるわけだ」

「それで自分が笑える映画だと思っていたら誰も笑わずに、葉山先生にしか受けなかったりするわけですね。そう考えると、なんだかなあ」

想像しながら笑って言うと、葉山先生も小さな声で笑った。

ふと腕時計を見てそろそろ帰ることを告げたら、彼は残っていた缶コーヒーを飲み干して立ち上がった。私も隅にあったゴミ箱に空き缶を捨てた。目線を少しだけ上げると、その目の前には教員用のロッカーがあり、その扉の下、ちょうど足のつま先の当たりそうな部分がへこんでいた。まさか先生の誰かが蹴《け》ったのだろうかと考えていると、明かりを消すという葉山先生の声に呼ばれた。

「葉山先生、そういえば渡すものって」

ドアの真横のスイッチのところに立っていた彼の元へ近づいていって呼びかけると
「そうだ。卒業前に借りたビデオを返しそびれていて。長い間ごめん」

そう言って茶色い紙袋を自分のロッカーから取ってきた。私はそれをしまいながら
「もう一年以上たつんですね」

彼が電気を消すと準備室内は完全に暗闇に包まれた。すぐ近くに立った彼の背広は皺《しわ》一つなくて、クリーニングから戻ってきたばかりの雰囲気が漂っている。そう告げると
「ちょっとほかの高校へ出かける用事があったんだ」

と答えてから、軽く目を細めてこちらを見た。

「君、前によく付けていた香水を今もまだ使ってるんだね」

「ああ、はい。一度、違うものに変えたんですけど、やっぱりなんとなく落ち着かなくて。最初に使ってたニナリッチのものに」

「やっぱり。今、職員室でとなりの席に座ってる先生が同じ香水を使ってるんだよ。いつもその先生が来ると懐かしい気分になるよ」

私はどう反応すればいいのか分からずに、ただ黙っていた。

階段を下りるところで別れを告げると、次の練習には来るのかと訊《き》かれたので
「もちろんですよ。最初からサボったりしたら、黒川に叱られますから」

頷《うなず》いた後で、彼は一瞬だけ真顔に戻って
「君とまたこんなふうに校内で会って話せるとは思っていなかった」

と言った。

その続きがあるのかと思って次の言葉を待ったけれど、葉山先生はそれ以上はなにも言わずに職員室のほうへ戻っていった。


靴を履き替えて校門の外へ出ると、なにやら明るい話し声が聞こえた。街灯の下で黒川と志緒と小野君の三人が待っていた。

あわてて駆け寄って
「先に帰ってくれても良かったのに」

「俺はそうしようって言ったんだよ。だけど二人がおまえを待ちたいって言うから」

「どうせクロちゃんだって留学前でバイトもしてないし、忙しいふりしてるけど泉に負けず劣らず暇人でしょう」

志緒が言った。どうやら私は彼らの中で完全に暇人ということに決定したらしい。高校生のときには今日みたいによく三人で放課後に寄り道をしていた。この周辺にはファミリーレストランとファーストフード店が少し散らばっているだけで、選択の余地がなかったので、だいたいいつもファミリーレストランのドリンクバーを利用して長々と遅くまで喋っていたものだった。

私たち四人でどこへ行くかで迷っていたら小野君が

「俺の住んでるアパートがそこそこ近いから、良かったら寄って行く?」

その一言で私たちは彼の部屋へ向かうことになった。

自転車で来たという小野君に導かれて、みんなで喋りながらひたすら歩いた。二十分ほど歩くと大きな公園が現れた。その公園の中をまっすぐに進むと、今度は水色のフェンスに囲まれた二十五メートルのプールが見えてきた。この屋外プールは夏になると区民に有料で開放されるのだと小野君が教えてくれた。

「おかげで夏休みは毎朝、小学生の声で目が覚めて、睡眠不足になった」

背の高い樹木が濃淡のある葉を控えめに繁らせていた。その公園を抜けたところに彼の住むアパートはあった。

小野君の部屋は一階の角部屋で、鍵《かぎ》を開けると薄暗い玄関に一足だけスニーカーが並んでいた。入ってすぐの台所は物が少なくて整理されている。彼を先頭にして順番に靴を脱いだ。

はベッドとサイドテーブルがあり、床に敷かれたカーペットは濃い焦げ茶色
カーテンは壁の延長のような限りなく白に近いクリーム色で、その配色は部屋全
落ち着いた雰囲気に統一していた。ベッドの真向かいにはテレビやコンポなどがいっ
へんに収納された銀色のシェルフが置かれていた。電化製品が多いところが男の人の部屋らしいと思い、それから窓の下に三つほど並んだ背の低い焦げ茶色のカラーボックスを見た。もともとの仕切りを木の板やレンガでさらに細かく分けて、そこに本やCDがきれいに収納されている。モザイクのようだ、と思ってじっと眺めた。それにしてもCDはけっこうな数が並んでいた。志緒も私のとなりで同じ方向を見ている。

振り返ると小野君が落ち着かない様子で脱いだジャケットをハンガーに掛けたりしていたので、棚を見るのはやめた。

いつの間にか黒川の姿がなく、小野君に尋ねるとトイレに行ったという返事だった。すぐに台所のほうから水の流れる音が聞こえてきて、志緒が顔をしかめながら

「初めて入った直後にその部屋のトイレを使うとは」

と真顔で呟《つぶや》くと、小野君は笑いをかみ殺していた。

食事はピザを注文することにして、足りない飲み物は小野君が近くのスーパーマーケットに買い出しに行くと言った。

「みんなはお客なんだからゆっくりしてて。それに俺が行かないとスーパーマーケットの場所が分からないだろうし。その代わり、代金は後から割り勘で」

ああ、と私はつい間の抜けた声を出してしまった。

「どうしたの、泉」

「今日、来る途中で大学の定期を買い直したから財布にまったくお金がないや。ちょっと銀行へ寄らないと。小野君、私も一緒に出るよ」

そして結局、私と小野君が二人で買い出しに行くことになった。

スーパーマーケットのある大通りに向かってふたたび公園の中を歩いた。軽く息を吸うと緑と土の匂いが濃かった。砂場には小さな子供の靴が片方だけ残されていて、どうやって帰ったのだろうと不思議に思った。

「黒川はさっきの子と付き合ってるんだね。工藤さんがいないときにいきなり紹介されて驚いた。美人だけど、なんだか変わった感じの子だな」

と小野君が私に話しかけた。

「うん。たしかに志緒は少し変わってる。ずっと違うクラスだったから話したことはなかったんだけど、廊下ですれ違うたびにきれいな子だなって思ってて。一度、話してみたいと思ってたから、演劇部に入ったときに、すぐに彼女と親しくなれたのは嬉《うれ》しかったんだけど」

「だけど?」

ちょうどそのとき、まだ三年生が引退していなくて、志緒にばかり目立つ役がいくから先輩が良い顔していなくて。練習中に彼女がちょっと台詞《せりふ》を嚙《か》んだだけで先輩から

『顔ばっかりでろくに台詞も言えないのに、まわりが甘すぎだ。だいたい日頃から態度も悪い』て怒鳴られてね」

「ああ、やっぱり実際にそういう漫画みたいなことってあるんだね」

「それもわざと大勢の前でそういう言い方をしたから私もむっとしたんだ。だけどそうしたら志緒がもっと怒って『うるさいわね、ちょっとばかりきれいに生まれたのはべつに私の責任じゃないわよ。そんなことまで非難される筋合いはないのよ。本人なりに一生懸命生きてるのよ』てわけの分からない居直り方して、その場にいた人が全員、唖然《あぜん》としたという」

　私の言葉に小野君は大笑いした。

「黒川も見かけによらず苦労してるんだな。だけど傍《はた》から見てると工藤さんのほうが黒川と仲が良いように見えるよ」

「そんなおそろしいことを言わないで」

　そう頼むと小野君は低い声で笑った。

「工藤さんを罵《ののし》ってるときの黒川は生き生きしてたよ。あいつ、はっきりした言い方は大学でも変わらないんだけど、普段はそんなに口数が多くないから。今日ずっと見ていて少し意外だったんだ」

「そうなんだ。私の知ってる黒川はいつもあんな感じだよ。口数の少ないところのほうが想像できないな」

そんなことを話しているうちに人通りの多い道に出た。二十四時間営業のスーパーマーケットは広々としていて、珍しい輸入食品まで充実していた。飲み物やらおつまみを適当にカゴに入れた。小野君がワインや日本酒のコーナーを見ていたので

「小野君はけっこう飲むほうなの」

「飲むのは好きだよ。両親がとにかく酒好きでよく飲むから、その影響かな」

「そうなんだ。だけど親がお酒を好きな家の子供は、逆にお酒が嫌いになるっていう話も聞いたことがあるけど」

「たぶんはっきりとどちらかに分かれるんだろうね。俺も子供のときは酔った大人を見過ぎたせいか、あんまり酒も煙草も好きじゃなかったよ。だけど昨年の春に大学の新入生歓迎会に参加したら、そのとき初めてマトモに飲んだのに最後まで酔った気がしなかった。たぶん遺伝だろうね。結局、まわりの一年が倒れていく中、散らかった店の片付けをしたり酔った女の子を介抱したりして、疲れて帰っただけだったよ。あれじゃあ自分の家で親の相手をしているのと変わりなかった」

私が笑うと彼も笑った。安い赤ワインに伸ばした腕が長く、指先が先端に向けてかすかに細くなった器用そうな手だった。私のほうがどちらかと言えば日焼けしていて爪も丸く男の子のような手だ。

買い物を済ませてスーパーマーケットを出ると涼しい風が吹いていて、道端に咲く白ツメクサが小さく揺れた。歩いていると背後から自転車のベルが鳴り、小野君が軽く私の腕を引

いて道の片側に寄せた。カゴに夕飯の買い物を詰め込んだ女の人が走り去って行った。

「ごめん、いきなり摑《つか》んで」

すぐに手を離した彼がそう言ったので私は首を横に振った。

アパートに戻ると、届いたピザと一緒に志緒と黒川が待っていた。安い缶チュウハイで乾杯をして、ピザやシーザーサラダを食べた。ひさしぶりに食べると宅配のピザは味が濃くて美味《おい》しかった。

散々、飲んだり食べたりした後に、少し会話が途切れたので、小野君がUNO《ウノ》を持ち出してきた。現金をかけて勝負をすると私と小野君が半分ずつぐらい勝った。

「普段は根性なしのくせに、こういうときだけ真剣になるなよ」

「根性なしとは失礼な。黒川こそ、いつも無駄に根性を浪費しているから、こういうときに粘りがなくなるんだよ」

そんなことを言い合いながら遊んでいるうちに、多めに買ってきたと思った飲み物が切れた。今度は自分が買ってくると言って、黒川一人がおそろしい素早さで部屋を出て行った。

残された私たちはだいぶ飲んでいたせいもあって、さきほどよりも少しリラックスした気分で話していた。

「なにか音楽でもかけようか」

そう言って彼がカラーボックスの中にあったCDを手に取った。しばらくぼうっと缶ビールを片手に音楽に耳を傾けていると、志緒の携帯電話が鳴った。彼女は立ち上がって携帯電話を手に、小野君に軽く謝るような仕草をしてから玄関へ歩いていった。そして玄関の隅でなにやら友達らしき相手と喋《しゃべ》り始めた。私と小野君はちょっと無言になり、その間にちょうど踊るように軽やかなサックスの音が聴こえてきた。

思わず顔を上げて

「これ、かっこいいね。なんていう曲なの」

そう尋ねると、彼はこちらにCDのジャケットを差し出した。

「ネイティブ・サンの『スーパー・サファリ』ていう曲だよ。このCDは有名なジャズの曲を集めたもので、俺もこの曲は好き」

「ふうん。私はジャズってあんまり詳しくないけど。やっぱり外国のバンドはかっこいいな」

「いや、これは日本人のバンドだよ」

「本当に?」

「うん。本当だよ」

「そうか。私もこの曲は好きだな」

「そう言ってもらえると嬉しいな。俺はこの曲にちょっと嫌な思い出があるから」

「嫌な思い出って、どんな?」

「前に付き合っていた彼女が部屋に来たときによくこのCDをかけてたんだけど、その子はあんまり興味がなかったみたいで。彼女は中学生のときからずっとテニス部にいて、一年中、腕に運動着の日焼けが残っているような子で、音楽も最近のポップスみたいなものが好きだったから」

「だけど私だったら、テニス部の女の子と付き合うなんて悪くないと思うけどな。うちの高校はとくにテニス部に可愛い子が多かったから良いイメージしかないんだ」

私がそう言うと、小野君は笑った。

「最初はお互いの違う部分が刺激になっていて良かったんだ。だけど付き合っているうちに、だんだんつらくなってきて、一緒にいても話すことがなくなってきたんだよ」

「同じ番組を見ていても、まったく笑うところが違うようなタイプっていうこと？」

「うん、そんな感じかな。それであるとき部屋にいた彼女が、俺がこのCDをかけたら『こういう、ちょっとこだわってるような曲を聴いていれば、女の子がみんな感心すると思ってるんでしょう』ていきなり怒鳴られた。彼女が言うにはずっと、自分には興味のない俺の趣味とか好みに対して我慢していたらしいんだけど、そんなのは、不満を感じたときにその場で言ってくれれば良いのにって思ったよ。結局、その後ですぐに別れちゃったんだけど」

私が笑っていると小野君は困ったように頭を掻《か》いた。

「だけど彼女の気持ちはちょっと分かる。小野君の趣味がどうのって言うんじゃなくて、女の人って相手を好きなうちは文句を言わないようにする人が多いから。そうやって不満を溜《た》め込んでいると、結局、最後につまらないことで怒りが爆発するんだけど」

「工藤さんもやっぱり最後まで溜め込むほう？」

と質問された。少し考えてから
「というよりも、私はそんなに他人に対して腹が立たないほうかも知れない。むしろ小野君と同じで、他人の怒りや不満に気付かないことがあるから。それで他人から意地悪されてもまだ気が付かずに、後からほかの人に『あなたはあのとき、いじめられて大変だったでしょう』て指摘されることがある。そうか、私はいじめられたのか、て思ったときにはもう遅くて、誰に文句を言うこともできないという」

今度は小野君が大きな声で笑った。

「それなら、やっぱり相手のうんざりした気分を察しなかった俺が悪いのかな」

「そんなことはないよ。だから、そういうのはきっとお互い様なんだよ」

「そう言ってもらえると嬉しいよ。俺、本当に女の人の気持ちには鈍いから」

「女の子の気持ちなんて理解するのは難しいよ。同性から見たって、時々、ほかの女の子がなにを考えているのか分からないときがあるもの。ましてや男の人がそれを理解するのは大変だと思うよ。ところで、そろそろ黒川が戻ってくる頃かな」

ふと思い出して言った私の言葉に、彼は窓を開けた。志緒がちょうど電話を終えて部屋に戻ってきた。

「ごめん、大学のサークルの連絡だったから、なかなか切れなくて」

枝に振った。クリーム色のカーテンが風に揺れ、窓の外に軽く突き出した
小野には濃い闇夜が映っていた。空にはまばらだけど星が見えた。揺れる公園の樹
巨大な影のようだった。ふいに話し声がして雑木林のほうを見ると、買い物袋を提げ
た黒川が大股《おおまた》で歩いてくるところが見えた。

ドアが開いて黒川が戻ってくると、彼がこちらを不思議そうに見ていたので

「どうしたの」

振り返ったまま尋ねると、黒川は眉《まゆ》を寄せて

「小野と工藤ってなんとなく後ろ姿の雰囲気が似てるな。今日会ったばかりの他人なのに、どことなく兄妹みたいだと思って」

「え？」

「うん、私もじつは同じことを思ってた」

志緒まで同意したので、小野君と二人で返事に困っているうちに、彼らは買ってきたものをテーブルの上に並べ始めた。

私たちはベランダの窓を閉めて暖かい部屋の中に戻った。

4

男：「失礼ですが、七ツ森教授でいらっしゃいますか？」
七ツ森：「断る」
男：「……え？」
七ツ森：「断ると言ってるんだ」
男：「僕、まだなにも……」
七ツ森：「私が何年教師をやってると思ってるんだ。単位をくれだのレポートを待ってくれだの、一方的な頼み事をする輩《やから》は声色を聞けばすぐにわかる」
男：「一般教養で先生の哲学の授業を受けた者です」
七ツ森：「聞いていないんだ、そんなことは。それに私は現在、長期休暇中で先生ではない」
男：「助けてください」
七ツ森：「私たちは食事に来ただけで、君の救助に現れたわけじゃないんだ」
男：「無理やり結婚させられそうなんです！」
七ツ森：「奇遇だな。こっちも今、無理やり助けを求められて困っているところだ」

普段、生活しているときには、たとえば自分の体の中に細かな神経が無数に通っていることも忘れてしまっている。自分の取りたい行動のために体が使えればいいと思っているし、それ以上のことは望まないものだ。

演劇部に入ってすぐの頃、自分の体が予想以上に上手《うま》く使えないことに戸惑った。台詞《せりふ》だけに気を取られている部員にいつも葉山先生は諭《さと》していた。言葉だけが独立した存在じゃなくて、声や言葉は体の動きと連動するのだと。体がその動きをしたときにだけ自然と出てくる言葉があるし、故意じゃなくてぎこちない動作には、それと同じレベルの声しか出てこない。そう言って部員の一人一人に細かい動きの指導まで丁寧につけていた。

配役が決まると、私たちは読み合わせの稽古《けいこ》に入った。基本の発声やストレッチをして体を軽く動かした後、部員全員で床に円座して台本を読む。葉山先生がそれを聞きながら、もう少し口調を強めに、とか、そこはゆっくり、というふうに大雑把な指示を出していく。

まだ台本を持って、それを目で追いながら読めばいいのだが、びっくりしたのは小野君が自分の台詞の大半を覚えてきていたことである。

今まで台詞を覚えるのがもっとも早かったのは記憶力の良い黒川だったが、小野君の早さはちょっと尋常じゃない感じだった。

「小野、おまえさあ、ほとんど授業が必修だらけの生物学科で、どうして覚える暇があるわけ？」

黒川が半ばあきれたように尋ねた。自分よりも数段、記憶力の良い人が登場したことがちょっと悔しいようだった。

小野君は困ったように笑いながら
「こうやって文字を目で追うのと、台詞の言い回しを考えるのと、両方同時に集中することができなくて。最初に覚えちゃったほうが楽なんだよ」

「そういえば、この中で理系なのって小野君だけ？」

志緒が意外そうに黒川のほうを見て尋ねた。そういえばそうだなあ、と黒川も同意した。

「俺は英文科で、工藤だって国文科だしな。志緒はまあ心理学だから半分ぐらいは理系みたいなものだけど」

「君たち、ちょっと私語が多い。卒業生が率先して喋《しゃべ》らないように」

後ろで聞いていた葉山先生に諭され、私たちは無駄なお喋りを止めた。

休憩時間になると志緒と黒川が飲み物の買い出しへ出掛けた。私はぼうっとよく晴れた窓の外を見ていると、ふっと手のひらが目の前に出されて、びっくりしていると小野君がすっと手を引っ込め、今度はこちらの顔を覗《のぞ》き込んで
「なにか考え事をしてたの」

ただぼうっとしていただけ、と答えると、彼は楽しそうに笑った。

「工藤さんは、ちょっとぼうっとしていることが多いよな」

「そうだね。休みの日とかも、ぼうっと考え事をしているうちに一日が終わったりする

し」

　ぼうっとする以外に休みのときにはなにをしているかと訊《き》かれたので本を読んだり映画を見たりしていると答えると、一人で出来ることばかりだとまた笑われた。

「小野君はどうしてるの」

「俺は人と会ったり、一人で出掛けたり、けっこう色々かな。たまに実家に帰ることもあるよ」

「そういえば小野君は東京じゃなかったんだよね。実家はどこにあるの？」

「長野だよ。二カ月に一度ぐらいは帰ってるかな」

「それはけっこう頻繁だね」

　私は笑った。

「まあね。やっぱり実家が一番落ち着くし、あっちのほうが友達も多いから」

「そういえば長野って行ったことがないな。どんなところ？」

　私が尋ねると小野君は苦笑して
「正直なにもないよ。山があって畑があって、それに川がある。空気はきれいだから夏は良いけど、今の時期は夜なんか正直まだ寒いから」

「そんなに田舎なの？」

「松本《まつもと》のほうまで出れば、デパートや店も増えるけど。その代わりに買い物へ行く場所がみんな同じだから、町を歩いている若いやつの服装がそれとなく似てるんだよ」

「なんとなく想像できるなあ」

私がそう言うと、小野君はふと思いついたように
「もしも興味があるんだったら黒川たちと遊びに来る？」

「え？　いきなり大勢で行って、迷惑じゃないの」

全然、と彼は笑って答えた。

後から戻ってきた志緒と黒川にも長野のことを話したら、二人とも行きたいと即答した。

「ちなみに、向こうで練習とか、そういうこともできる？」

志緒が尋ねると、小野君はさばさばとした調子で
「たぶん大丈夫だと思うよ、まわりは畑しかないし。俺も高校生のときはわざわざ場所を借りたりしないで、よく自分の家の庭で同じ部活のやつらを集めてやってたし。だけど、そうなるとなんだか合宿みたいだね」

そう呟《つぶや》いた小野君は後輩たちまで遊びに来るかと誘っていたが、彼らは高校のほうで用事があるらしく、結局、大学生たちだけで行くことになった。

練習の後で着替えを済ませた小野君は
「それじゃあ、俺たちは金曜日の夜七時に新宿駅に集合ということで」

と言い、私は彼に、長野まではどうやって行くのかと尋ねた。

「俺はいつも安いから高速バスで帰ってる。たぶん休みの時期じゃないから道路もそんなに混まないと思うし」

私は彼の顔をじっと見上げ
「この前、部屋に遊びに行ったときも思ったけど、小野君っていつもそんなふうに気軽に人を家に呼ぶの」
小野君はちょっと考えてから
「そうだね。べつに減るものじゃないし、相手が来たいって言ったら比較的すぐに招待するかな。実家にいたときには、親と喧嘩《けんか》して家出してきた友達がしょっちゅう入り浸ってたくらいだし」
階段を下りているとサッカー部のユニフォームを着た生徒たちが駆け上がってきた。志緒の肩にそのうちの一人の肩がぶつかると、黒川が倒れないように素早く彼女の腕を摑《つか》んでから
「他人にぶつかったら謝れよ」
振り返りながら怒鳴った。その見幕に押されて、ぶつかった男の子は、すみません、と脅《おび》えたように頭を下げた。
志緒があきれたような顔で
「軽くぶつかっただけなのに、ちょっと強く言いすぎだったんじゃないの。不良じゃないんだから」
「そんなことはない。ここで怒らなかったら、さっきのやつは混雑した駅の中やデパートでも同じことをするに違いない。ほかの人のためにも注意したほうがいい」

きっぱりと断定的な調子で言い返す黒川に
「分かった、分かりました。代わりに怒ってくれてありがとう」
感謝しているのかあきらめたのか分からない口調で志緒は苦笑した。

金曜日に五限の日本文学史の授業が終わると、机の下に置いていたボストンバッグを持ってその足で新宿駅に向かった。志緒たちはバスターミナルで先に待っていた。

列に並ぶとすぐに、数台のバスが次々と滑り込むようにやって来た。

乗車券を片手に乗り込むと、子供の頃にかならず酔って気持ちの悪くなった乗り物特有の匂いがした。黒川と志緒が並んで座ったので、私の横は小野君になった。

彼は乗客でいっぱいになったバスの中を軽く見回して、さすがに普段よりも混んでいると言った。

「長くなると思って一応、MDは何枚か用意してきたんだけど」

言いながらカバンの中から取り出すと、急に小野君は嬉《うれ》しそうな顔付きで
「なにを持ってきたの、見せてもらってもいい？」

そう言って私の手からMDを取って眺めていた。

「小野君はどんな音楽が好きなの」

「俺はわりになんでも聴くよ。中学生のときは吹奏楽部だったんだ」

ちょっと意外だった。

「吹奏楽って、ブラスバンド？」

私の問いに彼は無表情で軽くうなると
「厳密に言うと吹奏楽とブラスバンドは違うものなんだよ。ブラスバンドは本来、吹奏楽っていう意味じゃないんだ。本物のブラスバンドはたしかクラリネットすら含まないはずだったから」

まだ違いはよく分からないままに相槌《あいづち》を打った。

「なんの楽器をやっていたの」

「トロンボーンだったよ。あれはなかなか不思議な楽器なんだ。音階が曖昧《あいまい》で、だいたいこれぐらいっていう腕の感じで調節するから」

「そうなんだ。私は友達に吹奏楽部でフルートをやっていた子がいて、発表会のときに見てちょっとうらやましかったな。音色が柔らかいし、いかにも女の子らしい雰囲気がして」

「フルートか。そういえば木管楽器と言えば、本でこんな話を読んだことがある」

「どんな話？」

「小説で、猫の耳を弱く噛《か》んだり強く噛むと鳴き声が変わって木管楽器のようだっていう表現があったんだ。その作者は一度でいいから切符切りで猫の耳をパチンとやりたくて、その欲求が昂《こう》じてとうとう猫の耳を噛んでしまうっていう、そういう話」

不気味な発想だと思いながらもためしに思い浮かべてみると、妙にリアルに想像できた。

「ああ、なるほど。残酷な発想ではあるけど、たしかに猫の耳にはそういう欲望を誘う感触があるかも」

そんなことを喋《しゃべ》りながら小野君が駅で買ったお弁当を取り出したので、私も釜飯《かまめし》弁当の蓋《ふた》を開けた。おこわの中には栗やきのこがたくさん入っている。目の前の食事に共鳴するように空腹の胃が鳴った。

バスが走り出すと同時に箸《はし》を割って、私たちは早々とお弁当を食べることにした。ビルが密集した新宿駅付近を抜けて、渋滞した高速道路に近づく。料金所を抜けるとバスは速度を上げた。

お弁当を食べ終えた小野君は、足元に置いたカバンの中からKENWOODのオレンジ色のポータブルMDプレーヤーを取り出した。

それから私に向かって
「俺、レディオヘッドはあんまり聴いたことがないんだ。ちょっと貸してもらってもいいかな」

「いいよ。代わりに小野君のMDを貸してくれると嬉しいな。正直、自分のは聴きすぎて飽きちゃったものが多いから」

そう頼むと、彼は自分のMDをこちらに渡してくれた。

しばらく走っているとやがてバスは大きな川の上を渡った。学校のそばの川とは違い、もっとずっと広い川だった。真っ暗な川の周辺を建物がまばらに取り囲んで、その明かりが灯《とも》ってはるか遠くのほうまで川が続いているのが分かった。川全体がまるで巨大な深い穴のようだ。バスは速度を上げてまっすぐに高速道路を走っていく。

軽く目を閉じて小野君の貸してくれたMDを聴いた。どこかで耳にしたことがあると思ったらシンディ・ローパーの『タイム・アフター・タイム』だった。

「小野君」

やはり黙ってMDを聴いていた彼に呼びかけた。少し遅れてから彼はヘッドホンを外してこちらを見た。

「ごめんね。聴いてる最中に」

「いや、大丈夫。それよりもどうしたの」

「『タイム・アフター・タイム』って日本語でどういう意味だっけ」

忘れてしまったような口調で尋ねたけれどじつは最初から意味など知らないくせに。黒川ならそう抜け目なく突っ込むところだろう。

もちろんそんなことは言わない小野君がすぐに
「何度も何度も、ていう意味だよ」

「ありがとう」

お礼を言うと彼は軽く笑ってから、またヘッドホンを耳に当てた。

何度も、何度も。それはなんだか今の私みたいな言葉だ。目を閉じると体中に音楽だけが満ちるような気がした。バスの微妙な振動が全身に心地よくて眠気を誘う。深く息を吐いて座席に身を沈めると、膝にかけていたジャケットが少しだけずれた。肩のほうまで引き上げると同時に私はすっと眠りに落ちていった。

5

三時間ほどで到着すると聞いていたバスは四時間半かけて松本駅に到着した。もう下りの電車はなかったので、あきらめてタクシーを使うことにした。バスを降りたときは駅前だったけれど、七分袖《そで》のシャツの上にジャケットを羽織っていても手首や背中の後ろのほうが寒くてかすかに震えた。

真っ暗な畑が続く道路をさらにタクシーは走った。どこまでも続く真っ暗な景色の中に、時折、かすかに映る遠くの山々の輪郭や川の流れを見ているうちに自然と気持ちが昂揚してきた。

タクシーが小野君の家の前で止まったとき、志緒が

「想像していたよりもずっと大きいのね」

驚いたように漏らした。

足を踏み入れたとき、初めて来た家にもかかわらず無性に懐かしい気持ちになった。広い庭で軽く夜露に濡《ぬ》れた植物よりも木造の家全体はずっと濃い匂いを放っている。真夜中だということで注意はしたつもりだったけれど、結局は四人もいるせいでなにかと騒々し

い音をたてて玄関に荷物を置いた。

音を聞きつけてすぐに消えていた玄関の明かりが灯り、小野君の両親が迎えてくれた。

二階の部屋に荷物を置いてから、案内されて薄暗い庭先に出て見ると、たしかに水の流れる音がした。庭というよりも小さな庭園という感じで、庭の隅のほうにはがっしりと重々しい雰囲気を漂わせた、離れのような建物があった。

「小野君、あの建物はなに？　ほら、あの青い瓦屋根《かわらやね》の」

「あれは土蔵だよ。今は物置代わりになってる」

向こうのほうに人工池があるのだと彼が指さしたほうは、椿の木に遮られてよく見えなかった。暗闇から風に紛れておびただしい数のカエルの鳴き声が聞こえてきた。少し不気味に思えて、すぐに家の中に戻った。

テレビと座卓のある和室に集まっていると、小野君のお母さんが温かいお茶と軽い食事を運んで来てくれた。

「こんな田舎まで来なくても東京だったら遊ぶ場所がたくさんあるでしょうに」

彼女は厭味《いやみ》ではなくあっさりとした口調でそう言って笑った。

壁に掛かった掛け軸やうっすら頭に埃《ほこり》をかぶった柱時計など、家だけではなく小物までが統一されて今時珍しいくらいの古い日本家屋という雰囲気を作り上げている。

小野君のお父さんはTシャツに膝までの丈のズボンという部屋着の恰好《かっこう》でふらっと様子を見に来て

「まあ、ちょっとぐらい騒いでも都会と違ってお隣さんなんかいないんだから、好きにしなさい」

とだけ言い残すと、本を片手に早々と寝室へ戻って行った。

私と志緒は二階の部屋を与えられて、黒川は小野君の部屋に布団《ふとん》を敷くことになった。

交代でお風呂《ふろ》を使わせてもらった。お風呂場の空気は部屋よりもずっと冷たくて、その分、お湯に浸かると一気に体の疲れが抜けていくようだった。

二階の部屋に戻ると、すでに布団が敷かれた部屋の真ん中で志緒が濡れた長い髪を梳《と》かしていた。

「さっき二人が来て、今日はもう遅いから眠ろうって」

こちらを見上げた志緒の肌はほんのりと赤く染まっていた。彼女は水色のパジャマの上に白いニットのカーディガンを羽織っていて、外れた第一ボタンの下にまっすぐな鎖骨がのぞいていた。胸は薄く、上を向くときにくっと顎《あご》を持ち上げると首筋の皮膚が引き伸ばされて青い血管が軽く浮き上がる。脂肪の少ない体だ。

「そういえば訊きたいことがあったんだ」

布団に寝転がりながら言うと、彼女も枕を引き寄せて仰向けになりながら、なに、と聞き返した。

「黒川が秋から留学するでしょう。志緒は淋《さび》しくないのかと思って」

「あのねえ、みんな、どれほど私を血も涙もない人間だと思ってるわけ。葉山先生にも同じようなことを言われたわよ。『僕は山田の喜怒哀楽に関してだけはよく分からないけど淋しくないのか』て、失敬なことを」

「いやいや。私はそこまでは言っていないけど」

「泉と気が合う男って、だいたい私とは合わないのよね」

とまで言われてしまい、私は言葉を濁した。

「淋しくないわけがないでしょう。だけどそんなことを言ってなにになるの」

「だけど本当は心配になったりしてるんじゃないかと。だけど志緒の性格だったら絶対に口に出したりはしないだろうから」

「そういう、まだ実際に起こっていないことに対する心配なんていうものは、しょせん、すべて妄想なのよ。自分の中で勝手にあれこれ妄想を膨らませて不安になるなんて馬鹿馬鹿しい。唯一、心配なことがあるとしたら、クロちゃんの英語がちゃんと現地で通じるのかっていう」

「だけど黒川はかなり喋れるほうでしょう」

「あの人の欠点は耳が悪いことなのよ。たしかに読み書きはすごいし、堂々としてるからそれなりに喋れるんだけど、ただ、発音にものすごく問題があるでしょう」

「ううん、私はあんまり黒川の英語は聞いたことがないから分からないけど」

「すべてがローマ字読みなのよね、べたっとしているの。英語よりもスペイン語なんかに向いてる発音なのよ」

ぶつぶつと呟《つぶや》きながら志緒は赤い化粧ポーチを開き、ハンドクリームを取り出して手の甲に塗った。そして先に布団に潜り込んだ。

私も少し遅れてから、電気を消して布団に入った。暗闇の中でとなりの布団からは早々と志緒の寝息が漏れてくる。彼女はおそろしく寝付きが良いのだ。その寝息を聞いていると、柱時計の時を刻む音が次第に大きくなっていくような気がした。

膨らんでいく夜の中で、洪水のようなカエルの合唱と水の流れる音がいつまでも永遠のように聞こえ続けている。

朝になるとよく晴れていた。二階の窓を開けると清々《すがすが》しく乾いた風が部屋の中に舞い込んできた。大きな山々の麓《ふもと》には真っ青な稲穂の揺れる田が広がり、鳥が飛び立っていく影がはっきりと映っている。窓から身を乗り出して何度か深呼吸していると、庭の裏でバケツに水を汲《く》んでいた小野君のお母さんと目が合って笑われてしまった。

着替えて一階へ行くと、濡れた顔をタオルで拭《ぬぐ》いながら小野君がやって来て

「まいったよ。黒川のいびきがひどくて一晩中眠れなかった」

私が笑っていると黒川がトイレのほうから戻ってきて

「だからって蹴《け》ることはないだろう。おかげで青アザになったんだぞ」

と黒いジャージの下をまくり上げて、筋肉質で重量感のありそうな太ももの内側をこちらに見せた。たしかに皮膚の一部分がまだらに青く染まって軽く腫《は》れていた。

いないだろうけど、となりで眠ってた俺に寝ぼけて抱き着いたんだよ。「おも明け方頃に何度も目が覚めて、いいかげんうっとうしかったんだ」

そうていると、長い髪を一つにまとめ上げた志緒がやって来た。Tシャツの上にグレーのパーカを着て、白いジャージのズボンを穿《は》いていた。いつもは腕時計や指輪を身に付けているが、今日は片耳に小さな青い石のピアスをしているだけだ。

「クロちゃんの寝相の悪さにはなにをしても無駄だから。一度、寝ぼけて押し倒されたから、頭にきて辞書で引っぱたいても起きなかったぐらい」

「おまえさあ、だからって普通は付き合ってる男を辞書で引っぱたいたりしないもんだぞ」

「とっさに摑《つか》める位置に辞書なんか置いておくのが悪いのよ。雑誌ならまだ薄かったのに」

「やっぱり引っぱたくのかよ」

黒川はすっかり機嫌を損ねて言った。

私たちは小野君のお母さんが作ってくれた朝食を済ませた後、軽く休んでから練習を始めることにした。縁側に腰掛けていると、庭の樹木が揺れて涼しい風がふっと額を撫《な》でた。空が高く、時折、かすかな轟音《ごうおん》と共に飛行機雲が伸びていく。

小野君のお母さんが庭に置かれた大きなドラム缶の中に野菜の残りや木の枝などを入れて燃やし始めたために、大きな煙が立ちのぼった。

ストレッチをして小野君の家のまわりを何周か走った後、庭の裏のほうで発声練習をすることになった。二人一組で離れたところからお互いに同じ台詞《せりふ》を言い合う。そんなに庭が広くないので、黒川たちは門の外へ移動していった。

小野君の声は安定していて、発声の直前によけいな息が漏れることもなければ、一つ一つの音がものすごく明瞭《めいりょう》だ。自然の中に放たれたまっすぐな声はずっと遠くのほうまで飛んでいくような気がした。青い空に昇っていく太陽が池の水面に反射してまぶしく、何度か目を細めた。

「工藤さん」

呼び声が聞こえて、なにごとかと聞き返すと、彼が口元を指さしながら

「もう少ししっかり動かしたほうがいいよ。それから、ラ行が苦手みたいだから、ちょっと練習しよう。俺の後に続いて」

「了解です」

「ラリルレロリルレロラルレロラリレロラリルロラリルレ」

「は？」

あっけに取られていると小野君があわてたように、ごめん、と苦笑した。

「ちょっと早すぎたね。二行ずついこう。ラリルレロリルレロラ、はい」

前にしていたことだが、すっかり小野君は専属の先生となり、出来の悪い生徒の私に午前い指導を続けた。

それから黒川たちと合流して少し台本の読み合わせをした。志緒はたとえ庭でも平気で倒れたり寝転がったりするので、すぐにパーカの背中が泥だらけになった。私は時折、彼女の髪に付いた木の葉や土を払った。彼女の髪は癖がなくて、一本一本が細いので、乱れるとすぐに絡まってしまう。時折、近所の人達がなにをしているのかと塀越しに覗《のぞ》きに来ると、ここぞとばかりにみんなで無理やり引き留めて演技を見てもらったりした。

お昼ごはんの後にグレープフルーツを食べていると、軽く荒れた唇にグレープフルーツが沁《し》みた。二階の部屋にリップクリームを取りに行こうか迷っていたとき

「そういえば小野君って、先輩の彼女にしつこく言い寄られたのが原因で劇団を辞めたって本当なの」

志緒がグレープフルーツの皮の白い部分を地道に取りながら呟いた。

途端に小野君は困ったような顔付きになって

「黒川。おまえ、黙ってろって言ったのに」

「ごめん。志緒から、どうして小野君は劇団を辞めたのかって訊《き》かれたから」

「そういうときは適当に受け流すとか、色々あるだろう」

「こいつに嘘をつくと、後が怖いんだよ」

「それで、本当に言い寄られたの？」

と私は尋ねた。彼は食卓の上の白いおしぼりで指先を拭いながら苦笑して

「うん。俺はまったくその気はなかったんだけど、向こうが勝手にアパートの住所を調べ

て部屋まで来ちゃったりして。けっこう大変だった」

「練習中に舞台の上から『私と付き合ってください』て叫ばれて劇団にいられなくなったんでしょう」

その話に私は思わず噴き出した。

黒川が困惑したような笑いを堪《こら》えながら
「だけどさ、それってもう、芝居の一環みたいだよな」

「まあね。だけど、あれは本当にびっくりしたんだよ。先輩は怒り狂うし、だいたい、そこまでされたら、まわりも多少は俺がその気にさせることをしたんだろうって思ったみたいで。半分ぐらい俺の責任だっていうことになっちゃって」

「実際、その気にさせるようなことを言ったりやったりはしたの？」

志緒の言葉に、彼は笑いながら首を振った。

「付き合ってる相手がいる女の人にそんなことしたりしないよ。俺はたとえ好きな人ができても、その人がほかの相手と付き合っていたら、無理に壊してまで押し入ろうとは考えないから。もっともそのときは、先輩の彼女のことを好きでもなんでもなかったんだけど。ただ、それでも彼女があれほどの行動に出たっていうことは、俺も無意識のうちに期待させるような言動をしていたんじゃないかって今では思うよ」

小野君は丁寧な口調でそう言った。私はグレープフルーツを食べながら、真面目な人だと心の中で思っていた。

午後からは少し休憩して、家の周辺を散策してみることにした。道の端を流れる小川の水は澄んでいた。風が吹くと背後から軽やかな草の音が追いかけてくる。

たいがいの民家はしんと静まり返っていて、あまり他人の話し声がしなかった。

散々歩き回って戻った私たちは、夕方になると、土間にテーブルを出して鉄板焼きをすることにした。ものすごい煙が立ちのぼり、焼いたエビやら肉やらをタレに付けて食べていると、すぐに着ていた服が煙臭くなった。

その日も遅くまでビールを飲みながら二階の部屋でトランプをして、それぞれが自分の部屋に戻ったのは深夜になってからだった。

真夜中、ふとトイレに行きたくなって目が覚めた。あまり夜中に他人の家を徘徊《はいかい》するのもどうかと思いながら、やはり布団《ふとん》から抜け出して、志緒を起こさないように気をつけて階段を下りた。鳴き声のような音をたてて階段はきしむ。真っ暗な廊下を歩いてトイレを済ませると、ドアを閉めたところで小野君と顔を合わせた。

「なんとなく眠れないから水を飲みに来たんだ」

「そういえば私もさっきのビールで喉《のど》が渇いたかも」

彼はコップに麦茶を汲んで手渡してくれた。アルコールで水分が涸《か》れていた喉に冷たいお茶はとても美味《おい》しかった。

ちょっと庭に出てみないかと彼が誘うので、昨夜のカエルの合唱を思い出して躊躇《ちゅうちょ》していたら、部屋のどこからか懐中電灯を持ってきて

「工藤さん、土蔵の中がどうなっているか興味ない?」

と言われた。たしかに扉に重たい南京錠が掛けられた土蔵の中がどうなっているのか、少し気になっていた。私は部屋に戻ってパジャマの上にセーターを羽織ってきた。それから彼の家のサンダルを借りて、こっそり玄関から外へ出た。

真っ暗な庭に出ると都会よりもずっと広い夜空には数え切れないほどの星が散らばっていた。息を吐くと、驚くことにほんの少しだけど白かった。足元から頭上から、反響するように虫の音が聞こえる。

草を踏み分けて土蔵の前まで来ると、彼は南京錠を取り外してから、重たい鉄の扉をぐっと力を込めて横に押した。

中は真っ暗で静まり返っていて、カビ臭かった。小野君が足元を懐中電灯の明かりで照らした。そっと中に入ってみると純和風の家具の上に本や日本人形や日用品がごちゃごちゃに雑《ま》ざったまま段ボールに入れられ、上のほうまで積み上げられていた。私は小野君のほうを見た。懐中電灯を持つ手元だけがかすかに見えて、表情はほとんど分からない。彼が明かりを少しずつ横にずらしていくと、ふと大きな鉄のかたまりのようなものを照らした。

「ちょっと待って、それってなに」

そう言って小野君のほうを見た。彼はそこに光を当てながら近づいていくと

「これは柩《ひつぎ》だよ」

当たり前のように答えたが、私は驚いてしまった。小野君の背後から柩と言われたものを覗き込んだ。そのままでは丸い光が照らす部分だけしか見えなかったので、小野君は全体の輪郭が分かるように懐中電灯の光でなぞってくれた。

「本当だ」

たしかにそこには人間が一人ぐらい横たわることができそうな鉄の柩が置かれていた。

「この柩の中にはなにが入っているの」

「工藤さん。柩の中に入っているものなんて一つに決まってるから」

彼はうそぶいた。ミイラや死体が入っているわけはないと分かっていながらも、真っ暗な土蔵の中で柩を前にして、私の胸はかすかに期待で高鳴った。

「そういえば子供の頃にやった肝試しは怖かったのに楽しかったな」

「開けてみようか」

小野君は私に懐中電灯を手渡した。それから柩にそっと両手を掛けた。あわててその手元を懐中電灯で照らすと、彼は扉を押し開けたときよりもさらに力を込めて柩の蓋《ふた》を持ち上げた。細いと思っていた彼の腕にはっきりと筋肉の形が浮かび上がり、やがて柩の蓋はある程度の高さまで持ち上げられると大きな音をたてて埃《ほこり》を舞い上げながら一気に開いた。私は一瞬だけ息を止めて目を瞑《つぶ》った。それから埃が落ち着くのを待ってふたたび目を開き、正体を現した柩の中身を光でゆっくりと照らした。

「……着物？」

丁寧に折り畳まれて重ねられた布はよく見ると色とりどりの着物の柄だった。渋い芥子《からし》色や濃紺を基調とした物から、とても鮮やかな朱色の花柄まで、その中にはぎっしりと大量の着物が詰まっていた。

「そう。これは全部、俺が子供のときに亡くなった祖母の残した物だよ」

「お祖母《ばあ》さんの？」

「うん、この柩は以前から物入れとして使われていて、今はしまっておく場所もないし誰も着ないから祖母ちゃんの着物が入れてあるんだ」

「一緒にこの家で暮らしてたの」

「そうだな、途中からは体を悪くして入退院のくり返しだったけど。あんまり苦しんで、苦しんでたから、死んだときに父親に、祖母ちゃんが楽になれて良かった、て言ったらぶっとばされてさ。良かったなんてことはないだろうって怒鳴られて。俺だってなにも考えずに言ったわけじゃなくて思うところがたくさんあったのに、いきなりだったから引っくり返って床に転がったまま結局なにも言えなくて」

私は少年だった小野君が呆然《ぼうぜん》と床に倒れている姿を想像して少し笑った。

「俺はただ、どうして人生の最後にあそこまで苦しまないといけないんだっていうぐらい祖母ちゃんがつらそうだったから。病院に見舞いに行くと、もう庭の枯れ木みたいに痩《や》せた腕に点滴の針が刺さってるのを見て、これは一体どういう試練でなんのためなんだと思った。うちの父親が長男で、その下には五人も子供がいたのに一人で守ったんだ。誰一人死なせずに戦時中を生き抜いて、祖父《じい》ちゃんなんて骨すら戻ってこなかったのに。とにかく立派な人だったたって親戚《しんせき》の誰もが言うよ。そんな人が最後になって、あんなふうに苦しんで死ぬなんて、もちろん仕方のないことだって分かってるけど、俺にはどうしてもよく分からなかった」

小野君はそう言うと、ふたたび両手で開いた柩の蓋を持ち上げて、ゆっくりと閉じた。

「若いうちに苦労した人は年を重ねるとかならず幸せになれるならいいのに」

私は、そうだね、と相槌《あいづち》を打った。

彼は私の手から懐中電灯を受け取ると、自分の顔を下から照らした。顔の陰影だけが切り取られたように暗闇に浮かび上がって別人のようだった。私はまた笑った。小野君も笑って、それから二人で土蔵を出た。外の暗闇が先ほどよりも明るく見えた。何度かまばたきして月を探した。たなびく雲が重なって上弦の月を抱いているようだった。小野君は汚れた手のひらを軽く払った。

それから二人で縁側に腰掛けて、しばらく庭の風景を見ていた。

「不思議だよな。もしも黒川に呼ばれなかったら今ここで二人で庭を見てることもなかったんだね」

「小野君と黒川は大学であまり話したことがないって言ってたけど、もうすっかり打ち解けたように見えるね」

「そうだな、基本的に黒川が良い奴で、変に干渉したりしないから付き合いやすいっていていうこともあるかも知れない。男同士でも気が合わないと、案外、まったく話にならなかったりするしね」

そう言われてちょっと意外だった。

「そうなんだ。私は女同士に比べれば、男同士っていうのはすぐにさっぱりと友達になれてうらやましいなって思ってたんだけど」

そう告げると彼は笑って首を横に振った。

「男だって、ねちねちしてる奴はいるよ、むしろ仲の良い女の子たちが数人で集まったときの連帯感って男から見ると特殊で、独特の楽しそうな雰囲気を感じるけど」

「そうでもないよ。女の子だけで集まってると、気を遣うことも多いよ。いったん関係がこじれると修復するのが難しくて、取り返しがつかなくなったりするし」

最初に私の遅刻や早退が増え始めたことに気付いたのは葉山先生だった。彼はほかの生徒からコピーしたノートを持ってきたり、欠席の数を計算してあと何回は休めると教えてくれたり、この日は会議があって早く帰れるなどと言った。

しまいには、学校なんて一度ぐらい辞めたっていいんだよ、と言い出したのでこちらのほうがぎょっとした。僕も高校は中退したしね、と悪びれもせずに笑顔で彼は言った。

「工藤は自分自身を適当な人間だと思っているみたいだけど、本当は責任感が強くて完璧《かんぺき》主義者だよ。そういう子はかならず最後まで大丈夫なふりをして思い詰めるけど、死んでしまうぐらい嫌なことなんて簡単にほうり出してしまってかまわないんだ。君よりも苦労してがんばっている人がいるんだから君もがんばれ、なんて言葉は無意味で、個人の状況を踏まえずに相対化した幸福にはなんの意味もない。誰だって本当は自分の好きなことや明確な人生の目標に対してしか苦しんだり努力したりはできないものなんだから。君が本当に今の場所から離れたいと思ったとき、僕はそれを逃げているとは思わないよ」

担任からは、あと少しなんだからもっとがんばれ、せめて理由を説明しろ、と言われることに疲れていた。そんなときに言われた葉山先生の言葉に息が詰まった。

そんなことを思い出していると

「だけどせっかく縁があってこういう機会が生まれたわけだから、夏休み明けの公演までお互いにがんばろう」

小野君が涼しい笑顔でそう言い、私も笑顔で頷《うなず》いてから立ち上がった。

それから私たちはそれぞれの部屋に戻っていった。布団《ふとん》に入ろうとすると、ふっと目を開けた志緒がこちらを見上げて、どこへ行ってたの、と籠《こ》もった声で尋ねた。下で小野君に会って話していたと返事をした。逢《あ》い引きね、と半分寝ぼけた声で言ってから彼女はまたすぐに眠りについた。私も横になった。冷えていた体が次第に温まり、枕に巻かれていた白くて柔らかいタオルからは清潔な良い匂いがした。私は安心して眠りの中に落ちていった。

6

しばらく天気の悪い日が続き、雨音をBGMのようにして、練習は立ち稽古《けいこ》に入った。

次第に全員の足並みがそろってくると、同時に、細かい欠点も目立つようになってくる。

志緒は一つ一つの演技の見せ方は上手《うま》いが、すべて通して見ていると、若干、変化に乏しい。伊織君は失敗するとすぐにあせって噛《か》むし、黒川は会話や間の取り方は上手い代わりに、体の動きがやや大雑把でぎこちない。頭で考えすぎてしまうタイプなので、感覚的な部分が弱いのだ。私の場合は自分の台詞《せりふ》だけに集中してしまって、会話している相手に合わせることをおろそかにしてしまう。余裕がない証拠である。新堂君は基本的に声が小さい。

意外にこれといった欠点が少ないのが柚子ちゃんで、とくに目立つことをしているわけでもないのに、細かい仕草や表情に余韻があって、ついつい見てしまう。他の部員がつまずくと、それをフォローする余裕まである。

教室での立ち稽古の最中、じっと後ろのほうで見ていた葉山先生がめずらしく小野君の名前を呼んだ。彼が喋《しゃべ》るのをやめて向き直ると、葉山先生はやや怪訝《けげん》な面持ちで

「小野君、それってクセ？」

葉山先生は自分のまぶたの辺りを指さした。

途端に小野君の表情が軽く強ばった。彼は目頭を指で軽く擦《こす》りながら

「時々、無意識なんですけど。すみません、気になりましたか」

いや、とあっさりした口調で葉山先生は首を横に振ると

「そこまで気にはならないよ。意識して直せるなら直したほうがいいと思った程度で」

だけど葉山先生がなにを指摘したのかは私にもすぐに分かった。向かい合って台詞を口にしているとき、熱が入ってくると、小野君のまばたきの回数が多くなるのだ。人によってはわざとやっているように見えるかも知れない。それがやや忙《せわ》しなくて落ち着きのない印象を見るほうに与えてしまい、役柄に合っているとも言えないので、葉山先生は直してほしかったのだろうと思ったが、なぜか彼はそれ以上、そのことに触れなかった。

練習の後、小野君はバイトがあると言って素早く支度を済ませ、めずらしく先に一人で帰ってしまった。長野以来、たいてい私たち大学生は一緒にどこかで夕食を食べたりお茶をしたり、ほとんど高校生のグループ交際みたいなことをしてから帰っていたのだ。

小野君が出て行ったとき、私と志緒は教室の隅に座り込んで、汗を拭《ぬぐ》いながらポカリスエットを飲んでいた。じめじめと湿気の多い教室の空気はまだ六月だというのに生ぬるくて淀《よど》んでいる。志緒は一気にポカリスエットを飲み干して、空いたペットボトルを力任せにつぶした。それを近くのゴミ箱に放り投げてから、ふいに私のほうに顔を寄せ

「小野君、さっき、すごくむっとしたような顔してたわね」

などと耳打ちしてきたので、私は頷いた。

「べつに演技が悪くて叱られたわけでもないのにね。クセって無意識で、自分では分からないから、恥ずかしかったのかな」

「ていうか小野君のあれって、ちょっと精神的なものじゃないの」

志緒の言葉に、私はきょとんとした。教室の前のほうでは、柚子ちゃんが新堂君や伊織君を近くに立たせて黒板に似顔絵を描いている。黒川は葉山先生と音選びの相談をしに出て行ったばかりだ。

「どういうこと?」

「無意識に必要じゃない回数のまばたきしたり、やたら鼻とか顔とか手で触ったり、あんまり頻繁だとクセを通り越してちょっと精神的なものだったりするから、小野君、人前で言われてすごく嫌だったんじゃないの。葉山先生もたぶん言ってから気付いたんじゃないのかな。だからあんまり突っ込まなかったでしょう」

「なるほど」

「だいたい前から思ってたけど、葉山先生と小野君って相性悪そうよね」

「そうかな、私はあんまり気付かなかったけど」

志緒は床に直接ごろんと寝転がると、右手で頬杖《ほおづえ》をついてこちらを上目遣いに見た。

「だって小野君ってあんまり自分の感情をすぐに外に出さずにいつも一歩引いてるけど、本当はすごく自分に自信があるっていうか、プライドが高そうじゃない。逆に葉山先生って、小野君が意識して引いているような部分にあまりこだわらない感じがするから。二人とも他人に気を遣うタイプだけど、その気の遣い方がまったく違うっていう印象があるのよね。だから葉山先生のほうはなんとも思っていなくても、小野君は葉山先生を苦手だと思っているかも」

先輩、と二人いっぺんに呼ばれて黒板のほうを見た。柚子ちゃんの描いた似顔絵が完成していた。伊織君のゆるい頬の感じや、新堂君の少し離れた丸い目などあまりに似ているので、私と志緒が絶賛すると

「校内に貼る宣伝用のポスターを作るときに、絵は柚子に描かせたらいいと思うんですけど、どうですか」

新堂君の言葉に私たちはすぐに賛成した。まだTシャツに黒いハーフパンツという練習着を着た柚子ちゃんは、チョークの粉がついた手のひらを叩《たた》きながら、照れたように二つに分けて結んだ髪を揺らして笑った。

その夜はアパートに帰ってから遅くまで本を読んでいたため、翌日の日曜は昼過ぎまでゆっくり眠った。

強い雨音でようやくぼんやりと目覚めると、家の屋根を鼓笛隊のように打つ激しい雨が窓ガラスを伝って地面に落ちていくのが見えた。雨の朝はいつも部屋の中が薄暗くてひんやりしている。

食料がほとんど残っていない上に買いに出掛けるのも面倒だったので、私はホットケーキを焼いて食べた。バナナの薄切りを入れるとボリュームが出るしメープルシロップとの

相性も良くて美味《おい》しいのだ。子供の頃には母がよく焼いてくれた。ホットケーキを美味しく感じるのは味そのものよりも子供の頃の楽しさを食べているせいだと思った。

昼過ぎになって読みかけの本でも開こうと思ったら、携帯電話が鳴った。『番号通知不可』というディスプレイの表示に、おそらく母だろうと予想しながら電話に出た。

電話を耳に当てると深夜のテレビのような雑音が聞こえた後で少し遅れて、泉、と呼ぶ声が続いた。

「どうしたの？　なにかあったの」

「とくに用事はないんだけど、あんたの声が聞きたかっただけだから。それにさっき変な夢を見たから急に心配になっちゃって」

母はやや疲れた感じの声で笑った。

「夢って、どんな夢を見たの」

「なぜか泉が崩れた廃墟《はいきょ》みたいな建物の中にいて、まわりは一面、火事なの。あんたは死んでいるのか怪我をしているのか分からなくて、助けようと思っても、その夢を見ている自分の体がどこにいるのか分からなかった。あまりにリアルだったから、目が覚めてからも怖くなっちゃって」

それは私よりも、むしろ母自身の気持ちが疲れているのではないかと心配になった。

「というよりもね、たぶんイラクの戦争関連のニュースをテレビで見たばかりだったからそんな夢を見たんだと思う。日本にいたときも暗いことが多いと思ったけど、世界中がそら、場所が変わってもあんまり良いニュースってないわね」

うたね。お父さんは、元気にしているの？」

いまここにいるわよ、代わるわね」

断るよりも先に父の声がした。彼と最後に電話なんかで話したのはいつだろう、と私は考えた。それはものすごく遠いことのように感じた。

「お母さんが淋《さび》しがっているから、夏ぐらいに一度、遊びに来たらどうだ。一人でくれば語学の勉強にもなるだろうし」

私は苦笑した。淋しがるのも会いたがるのも、いつも母だ。直接、話をしているのに、二人の間に母を立てなければ成り立たない。

よく、父親と娘は仲が悪いというけれど、私と父の関係はそれとも少し違う。母が父を男性として愛しすぎているせいだろうか。子供の頃から私にとって父親というよりは一人の気難しい男性として目に映ってしまう。

父は愛嬌《あいきょう》があったり親しみやすい性格ではない、むしろ寡黙《かもく》で、仕事や普段の生活態度や会話にも無駄なところがない。それこそ車の部品一つ買うときですら熟考を重ね、失敗のないようにするタイプだ。二人でどこかへ出掛けたり遊んだ記憶はほとんどない。

そんなふうに、尊敬はできても娘の視点として見たときに遠く感じる父は、妻にとっては魅力的な男性かも知れないが、私にとってはどこかよそよそしい人に思えるのだった。

電話を切った後でそんなことを考えていたら、ふと、だから葉山先生なのだろうかと思った。そういえば彼は父とはまったく違うタイプだ。そのことに気付いてしまうと、我ながら単純だなあ、と一人で苦笑してしまった。

ベッドに座って本を読み始めると、また雨の音が強くなった。壁に映る雨の影を見ながらさきほどの母の話を思い出した。戦場の崩れた廃墟で倒れている自分の姿はなんだかいつか見た映画をそのまま記憶で焼き直しているようで、あまりリアリティがない。

なんだかぼんやりとした気分が胸の中から去らずに、本を読んでは軽く眠って起きるということを一日くり返していた。夜になって近くのスーパーマーケットへ買い物に行き、なすのトマトソースのスパゲッティーと豆腐のサラダを作って食べた後にもすぐベッドに入った。

すぐに寝ると太るかなあ、そんなことを気にしつつ、今日はなんだか眠ってばかりの日曜日だと思いながら目を閉じた。

次の土曜日も朝から小雨が降っていた。

ぼそぼそと朝食を食べていると下腹部が痛くなってきて、いつもはとくに問題のない食卓の椅子が鉄板のような硬さに感じられた。薬箱を開けて探してみたものの、ちょうど生理痛の薬は切れていた。近所の薬局に寄ってから練習時間には少し遅れて高校へ向かった。靴を履き替えている途中で痛みが和らいだので、休憩のときに飲もうと思い、買ったばの薬をカバンに入れたまま教室へ急いだ。

私とほとんど同時に新堂君も駆け込んで来て
「遅れてすみません。出掛けに親と喧嘩《けんか》しちゃって」

彼が開口一番に言ったので
「新堂でも親と喧嘩することがあるんだなあ」

机を教室の後ろに下げていた伊織君が手を止め、驚いたように呟《つぶや》いた。

「部活なんかやっていて受験は大丈夫なのかって、今さらぐちぐち言われたんで。それなら東大でも受かれば文句ないんだろうって一言、言って出て来ました」

黒川があきれたように笑った。

「そりゃあ本当に東大に受かれば文句はないだろうけど、そんな無謀な啖呵《たんか》を切って大丈夫だったのか」

「いいんです。うちの母親、こんなふうに天気が悪い日は偏頭痛がするって、いつも機嫌が悪いんです。それに先輩たちだって忙しい合間を縫って僕たちのために来てくれているのに現役が休んだら申し訳ないですから」

「まあ、工藤みたいに忙しくないやつもいるけど」

「うるさいよ」

黒川に向かって言い返すと、新堂君は軽く笑った。

「たぶん明日が塾の模試だから、よけいに文句を言われたんでしょうけどね」

「そういえば新堂君の志望校ってどこなの？」

私はふと気になって尋ねた。

「工藤先輩のところも受けますよ。第一志望は国立ですけど」

察するに私の通う大学は滑り止めということである。そんなにとりたててレベルが高いわけではないので異論はなかったが、彼の喋《しゃべ》り方がなまじ礼儀正しいだけにちょっと傷ついた私だった。

ふと新堂君が思い出したように黒川のほうを見て
「そういえば柚子が今日は休ませてほしいって言ってました。できるだけ来るようには言ったんですけど、どうしても体調が悪いらしくて」

「あの子が練習を休むなんて珍しいな」

黒川が首を傾げた。

「そうだね。いつもかならず誰よりも先に来てたのに」

「ちょっと風邪をひいただけだって言ってましたけどね。僕、帰りに様子を見てきます」

新堂君が言った。彼と柚子ちゃんの家は近いのだ。

葉山先生が来て、いつものように基礎練習の後に立ち稽古《げいこ》が始まった。

ふと途中から妙な汗を手のひらにかき始めた。自分の台詞《せりふ》を言い終えた後にかならず下腹部どころか腰の裏のほうまで響くような痛みが走る。立っているだけでつらいので、集中力が途切れてきた。もっと役に集中すればそんなものは飛んでしまうんじゃないかとも思ったが、それよりも痛みのほうがまさってしまって意識がもうろうとしてきた。

そのとき葉山先生がふっと全体の流れを止めて
「工藤。顔色が悪いみたいだから、少し休憩するか、帰りなさい」
と私のほうを見て、はっきりした声で言った。ほかの部員がいっせいにこちらを見た。すでにまわりに気を遣う余裕もなく、できれば薬を飲みに行きたいと答えると、保健室の先生にベッドを使わせてもらえるかどうか頼んでみるので教室を出るようにと言われた。そばにいた小野君が軽く眉《まゆ》をひそめて、大丈夫なのかと尋ねた。私は大丈夫だと答えてカバンを摑《つか》み、葉山先生に付き添われて教室を出た。
廊下を歩き始めてすぐに葉山先生がこちらを向いて
「工藤、大丈夫か」
私は曖昧《あいまい》に頷《うなず》いた。廊下に私たちの影が重なって落ちた。廊下の突き当たりは音楽室で閉め切った扉の向こうからかすかに吹奏楽部の合奏が聴こえてくる。
彼は少し柔らかさを含んだ声で
「具合が悪いなら遠慮なんてしないで、はっきりそう言わないと」
「よく具合が悪いって分かりましたね」
ぼんやりとした声でそう返すと
「そんなのは体を見ていればすぐに分かるよ。それにしても君は変わっていないな、前にも風邪をひいているのに大丈夫なふりをして、練習の後でいきなり吐いたじゃないか」
彼の言葉に私はそのときを思い出してちょっと恥ずかしくなった。

「その言い方だと、まるで私がその場で床にでも吐いたみたいじゃないですか。ちゃんとトイレに行って吐きましたよ。それよりもあのときは葉山先生がずかずか女子トイレまで入ってきたことにびっくりしました」

だってあまりに顔色が悪かったから、と彼は堂々とした口ぶりで反論した後に

「なんでだか僕は君の変化に敏感なところがあるし」

そう続けたので、すっかり返答に困ってしまった。

「それにしても顔色が悪いな。体調以外にもなにかストレスを抱えているんじゃないか」

そこでほかの先生が廊下の反対側から歩いてきたため、いったん会話をやめてまっすぐに保健室へ向かった。

ドアの前まで来ると、保健室の先生はすでに帰っていて扉の鍵《かぎ》もしまっていた。在校生だったら平気だが、私は卒業生なので勝手に使わせていいのか彼も少し迷ったようだったが、結局は職員室から鍵を取ってきて保健室を開けてくれた。

スリッパを脱いでベッドに横になると、ようやく深く息をつくことができた。靴下を履いたままのタオルケットの中はなんだかそわそわとつま先に違和感がある。

「それじゃあ、僕は戻るから」

衝立《ついたて》のとなりに立った葉山先生が壁に掛かった時計のほうを見ながら言った。真下から彼の顔を見上げるのは不思議な感じだった。志緒はよく彼の容姿に対して、神経質そうだ、なにを考えているのか分からないと言っていたけれど、私はいつもきれいな顔だと思って

いた。そんなことを思い出していたら、次第に胸が苦しくなってきて、口を開きかけてまた閉じた。ふいに葉山先生がこちらを向いた。目線がまっすぐに下りてくると伏し目がちになり、それだけで自分の激しい鼓動が頭の奥まで響いた。

ほんの数十秒程度の出来事だった。やがて彼はすっと視線を外し、私も息苦しさに耐えられずに寝返りを打った。

「水を持ってくる」

背中のほうから声が聞こえ、彼は衝立の向こうへ消えた。

葉山先生が衝立の向こうで水を汲《く》んでいる間、カーテンの裾《すそ》をほんの少しだけめくって窓の外を見ると、普段は生徒が走り回る校庭はびっしょりと雨に濡れて、風景の色が同じトーンに塗り変えられていた。耳がぼうっとするほど静かだった。まだ葉山先生の視線が脳裏にはっきりと残って、そっと右手を自分のまぶたに載せて視界を遮ると指と指の間、かすかな隙間からまだその彼の残像を見ているような錯覚におそわれた。

彼は水の入ったコップを持って戻ってきた。私は受け取った水と持っていた薬を一緒に飲み込んだ。そして、じっと冬眠するように薬が効いてくるのを待った。

彼は近くの椅子を引き寄せると、そこに腰掛けながら
「そういえば、もう少ししたら練習には戻るけど、どちらにしても僕はすぐに帰らなきゃならないんだ。ちょっと寄るところがあるから」

急にいつもの調子に戻って、言った。

「もしかして柚子ちゃんのところですか」

私も先ほどのことはもう忘れたようなふりをして訊《き》いた。

「うん。今日は休日だから関係ないけど、じつは彼女はここ半年ぐらいの間に急に遅刻、早退、欠席が増えたんだよ。成績は良いから指定校の推薦だってその気になれば狙えるのに、休みが内申に響くのはもったいないからね」

「そうですか」

思わず眉を寄せると彼は少し笑って、大丈夫だよ、とまるで私を励ますように言った。

「とりあえず今日は僕が話を聞いてくるから、また様子が分かったら教えるよ」

「分かりました。私はもう少しここで休んでいってもいいですか」

「良いけど、それなら練習の後でまた一度、戻ってくるよ」

それからふとこちらを振り返って
「そういえば、さっきはなんの薬を飲んでいたの」

私は少し迷ってから、察してください、とだけ告げた。

彼はなんだか拍子抜けしたように
「そういうことなら、あらかじめ山田にでも伝えておけば良かったのに」

「女の子同士でも、そういう話を直接、口に出すのってなんだか苦手で」

「そんなものなのかな。うちのクラスの女生徒なんか、僕が目の前にいたって平気でやれ生理だ、やれ避妊だって、恥じらいもなにもないけどね」

「生理と避妊はべつですよ。たしかに、どちらも大勢の前で話すことじゃないですけど」

「似たようなものだろう」

「だって避妊は相手がいるけど、生理は個人的なことじゃないですか」

「君はあいかわらず個人的なことを話すのをとことん嫌がるなあ」

　そうかも知れない、と私は素直に認めた。

「個人的で生々しいことって、なんでだか分からないけど口にするのが苦手なんです。できれば誰にも話さずに生きていきたいっていつもそう思って」

「そういえば君は誰になにをされたなんて意地でも言わなかったな」

「あれは本気で、自分はべつにいじめられていないって思ってたんです」

「少なくとも僕は見ていて腹が立ったよ。あの体育の先生も知らん顔をしてたんだからひどいな。僕が文句を言ったときも、生徒には生徒の世界があるんだから踏み込んでいって干渉するのは得策じゃないなんて」

　思い出した。あのとき、一階の教室からこちらを見ていた葉山先生が窓を乗り越えて飛び出してきたのだ。上履きのまま校庭の隅をまわって歩いてきた彼は、体育の先生を捕まえて私のほうを指さし、なにやら注意するようなことを言っていた。私は手にしたバスケットボールを壁にぶつけながら、唖然《あぜん》として彼のほうを見ていた。

　やがて、授業を見学していた女の子がそんな二人の様子を見かねたのか、スカートにTシャツ姿のまま近づいてきて、自分がボールを受け取る役をやる、と申し出てくれた。

そういえば彼女はいつもとくに理由もなく私に親切にしてくれた。短い髪を柔らかい茶色に染めてメガネをかけた、派手でも地味でもない女の子だった。小柄で下唇が厚く、笑った顔がヒヨコに似ているなあ、と内心いつも思っていた。

「とにかく、そのことはもういいじゃないですか」

宥《なだ》めるように言って私は話を終わらせた。

葉山先生は短く息を吐いて椅子からすっと立ち上がると

「そろそろ塚本の家に行くかな」

「そういえば、新堂君も帰りに寄るって言っていましたよ」

ふと思い出して言うと

「それじゃあ新堂も一緒に車に乗せて行こう。塚本も新堂が一緒にいたほうが喋《しゃべ》りやすいかも知れないな、あの二人は仲が良いから。ついでに途中まで君のことも送っていこう」

彼はそう言って保健室を出て行った。しばらく静かに目を閉じていると、だいぶ痛みが和らいできた。ただ、さきほどの余韻だけは香りのように胸に立ち込めていて、なかなか消えようとしなかった。

葉山先生は私の荷物を持って戻ってきた。横には新堂君も一緒で、私は体を起こしてスリッパを履いた。

彼が鍵を戻している間に私たちは教職員用の出入り口に向かった。

「僕、先生の車に乗るなんて初めてですよ」

「うん」

と私は短く相槌《あいづち》だけ打った。

「柚子ちゃんって、なにか悩んでる様子とかあった？」

「まだ具体的な進路が決まってないって。それで担任と揉《も》めてるっていう話はちょっと聞きましたけどね」

新堂君はそう言ってから、踏んでいた右の上履きのかかとにそっと指を入れて直した。

「だけど、成績は良いんでしょう」

「はい。だから本人の気持ちの問題だと思いますよ。僕だって、なにも考えていないうちに二年生の後半になって、さあ進路を決めろって言われて、すごくあせりましたよ」

「だけど新堂君はもう決めてるんでしょう」

「はい。東大は本当に冗談だったけど、国立が第一希望だから、これでも必死に勉強しているんですよ。だから本当に部活はほどほどにしろって親からは言われてるんだけど」

「そうだね、私も二年前の今頃は勉強と落ちたらどうしようっていうプレッシャーで死にそうになってたことを思い出すな」

そんな話をしていると葉山先生が戻ってきて、私たちは三人で駐車場に出た。

私と新堂君は車の後部座席に乗った。紺色の軽自動車は丁寧に磨かれていたが、乗ってみると車内はいかにも少人数用という密度だった。車をバックさせるために彼が運転席から振り返った横顔を見たら、さっきのことが一瞬ぶり返してきて落ち着かない気持ちになった。

すぐに車は学校を出て、フロントガラスに付いた細かな水滴をワイパーがゆっくりとした速度で拭《ぬぐ》っていく。家の前に着くまで、新堂君を間に挟んで会話が成り立つことはあったけれど、私と葉山先生が直接、言葉を交わすことはほとんどなかった。いつもそうだ、違う人間を交えているときには彼と親しく会話することはほとんどない。取り繕っているのではなく、親密すぎるのだ。長く話をすると、その気配が周囲に漏れてお互いに居心地が悪くなってしまう。私はできるだけ黙って窓の外を見ていた。雨は強くなったり弱くなったりしたが、私のアパートに車が着く頃には完全に止んだ。


その日の夜、柚子ちゃんのことが気になって葉山先生に電話をかけた。自分の印象では彼女はいつも通りでとくに変わった様子はなかったと彼は言った。

「なにか悩んでいることとか、そういう話は出なかったんですね」

「うん、本人は友達とも問題ないし、部活も楽しいって言っていた。それは僕が見てるかぎり嘘じゃないと思うんだよ。親御さんだって、彼女の家は母子家庭だからお母さんしかいないけど、塚本の話を聞いたかぎりだと友達みたいに仲が良いらしいし」

「なるほど。だけどそれじゃあ、あとは本人が言わないかぎり、分からないですね」

「とりあえず月曜日はちゃんと学校に出てくるって言ってたけど」

「そうですか」

言葉を切ると沈黙が生まれた。

私は少し迷ってから、言った。

「今日はありがとうございました」

葉山先生は低く落ち着いた声で、お大事に、と返した。そして彼のほうから電話を切った。

お大事に。受話器を置いた後も、その一言を口の奥で復唱しながら私は窓の外に広がる暗闇をしばらくじっと見つめていた。

7

「あさって、君はどうしていますか」

という電話が葉山先生からかかってきたのは翌週のことだった。

「あさっては普通に夕方まで大学で授業ですよ」

と私が答えると
「ほら、新堂が君の大学を受けるって言ってただろう。それで一度こっそり紛れ込んで、授業を見学してみたいって漏らしてたんだよ。あさってはうちの高校の開校記念日だから。良かったら連れていってやってくれないかな」

「いいですけど、それだったら新堂君に私の電話番号を教えておいてください。葉山先生を通さなくても直接、連絡が取れたほうが早いから」

「分かった。だけど僕は電話で君の声を聞くのがけっこう好きなんだよ」

「だからそういうことを簡単に言わないでください」

「あれ、もしかして君、照れてる？」

「うるさいな。それよりも用事はそれだけですか？　もうすぐ見たいテレビ番組が始まるから切りますよ」

いや、と彼は急に改まった声を出した。

「その後で一緒に食事でも出来ないかと思って」

私も少し動揺して、え、と声を出した。

「ちょっと話したいことがあるんだ」

なにに関することかと尋ねたが、それ以上の詳しいことは教えてくれなかった。

私たちは、新堂君を大学へ連れていった後に夕方から会う約束をして電話を切った。


約束の朝、大学の近くの駅前で待っていると、眠たそうな顔をした新堂君と、青と白の水玉模様のタンクトップを着てフレアスカートを穿《は》いた柚子ちゃんが立っていた。

「柚子にも進路の参考になるんじゃないかと思って誘ったんです。大丈夫でしたか」

一人ぐらい増えても問題ないと私は答えた。

次の授業が始まるので、少し急ぎ足になった。大教室での授業なので彼らの年齢が分かることはないだろうと踏んだのだが、キャンパスに入ると、やはりたった一歳で雰囲気や体格がかなり違う。とくに男の子は体つきに大きな差がある。私は何人かの知り合いとすれ違って、声をかけられるたびに少しだけどきどきしたものの、向こうはとくになんとも感じていないようだった。

扉を開けて隅のほうの席に腰掛けた。二人は持参してきたノートと筆記用具を出してから、これはなんの授業かと尋ねてきた。

「これは中国史。はっきり言って、この授業は眠いよ」

先にそう言ってしまうと二人とも笑った。

「なんとなく大学の感じが知りたかっただけだから、かまいません」

新堂君が言った。

さすがに後輩の前で眠るのもみっともないので我慢していたが、そのうちに教室内が暗くなって、スライドの鑑賞が始まると、二人の頭が軽く前後に揺れ始めた。あくびをかみ殺しながら私は起きていた。カーテンも閉め切った室内は適度に涼しくて、スライドの光が呼んでいるように眠気を誘い続けていた。

午前の授業が終わると、学食に行ってみたいと言われたので、二人を連れて図書館の横の食堂へ向かった。新堂君がカレーを買いに行っている間に柚子ちゃんが、眠っちゃってすみません、と申し訳なさそうに言った。

「それよりもまた少し痩《や》せた？」

柚子ちゃんはいつもは二つに結んだ髪をほどいていた。まっすぐで黒い艶《つや》のある髪だった。うっすらと化粧をした頬は、それでも少しだけ青ざめているように見えて、もともと肌の色が白いせいだけだとは思えなかった。

「そんなことないです」

だけど彼女はそう言って首を横に振った。

たしかに彼女は愛嬌《あいきょう》のある二重の目と小さな唇を持っていて、可愛らしい顔をしている。身長や雰囲気のせいか、いつもは少し同い年の女の子より幼く見えた。けれどかすかに疲れているような顔をした今の彼女は、時折、目を伏せると一瞬、戸惑うほど大人びた表情を見せることがあり、なぜかそれがあまり良いことではないような気がして心配になった。

「ちょっと緊張したから疲れちゃって」

「そっか、だけど大学なんて人が多すぎるから、逆にあんまり気を遣わなくてもいいんだよ。そういえば、そろそろ進路をどうするかは決めた？」

「いいえ、まだです」

その返事だけがやけにはっきりとしていたので、私は内心驚いた。

「そういえばこの前、葉山先生が柚子ちゃんだったら推薦を狙えるって言っていたけど、そういうことは考えていないの？」

「葉山先生は担任じゃないのに、私や伊織の成績までちゃんとチェックしてるんですよね。私たち、月に一度ぐらいは葉山先生に呼ばれて、進路はどうしたいとか、なにか心配事はないかとか」

柚子ちゃんはそう言って笑った。

「べつに無理に見つける必要はないけど、なにがしたいとか、そういう希望ってないのかな」

訊《き》きながら、なんだか個人面談のようだと思った。まわりではがちゃがちゃと食器の触れ合う音が響いている。すみません、と後ろを通ろうとした人に言われ、私は椅子を少し前のほうに引いた。

「私、最近、いろんなことを同時に上手《うま》く考えることができないんです。目の前のことだけで精一杯なのに、その上、先のこととなると頭の中が混乱して。工藤先輩は、時々、なにもかもが嫌になって、なにもしたくなくなるときはないですか」

「うん。あるよ」

私は頷《うなず》いた。新堂君のほうを見ると、お昼どきで混んでいるため、なかなか列が動かないようだった。

「そういうのを誰かに相談したいと思っても、上手く伝える自信がないし。うちは親が母だけだし、忙しそうにしているのにあんまり心配かけたくないから」

「柚子ちゃん。葉山先生のところもたしかお母さん一人だよ」

私は言った。それ自体は彼がほかの生徒にもたまに話している。

「だから、そう思うんだったら、もう少し詳しく相談してみたら。きっと柚子ちゃんの言ってることを分かってくれると思う」

　そうですね、と少し明るい顔で彼女は相槌《あいづち》を打った。新堂君が戻ってきて、上から柚子ちゃんの席の横にカレーの載ったトレーを置いた。その音で一瞬だけ彼女が強ばったように顔を上げた。ごめん、と驚いたように新堂君が言うと、首を横に振って
「いきなりなにも言わずに置いたから、驚いただけ」

　そう言って静かに笑った。前からこんなふうに大人びた笑い方をする子だっただろうか。思い出そうとしたけれど、ここ二ヵ月ぐらいを除けば、記憶は一年以上前にさかのぼってしまうので、あまり参考にならなかった。

　私と柚子ちゃんも一緒にお昼を買いに行き、彼女は親子丼とサラダを頼んでいた。

　私はいつものように定食を頼んで、肩を並べて楽しそうに話しながら食べる二人を見ながら食事をした。

「そういえば工藤先輩が今日、着てるワンピース、素敵ですね」

　ふいに柚子ちゃんが箸《はし》を止めて言った。

「ありがとう。普段は着ない感じだったから、似合っているかちょっと心配だったんだけど」

「そうですか。全体のグレーと裾《すそ》や胸元の薄紫色のレースがすごく大人っぽいなあって思って。もしかしてデートですか？」

　私は気恥ずかしくなりながら首を横に振った。意識していないつもりだったけれど、少

し気持ちが昂揚《こうよう》しているのかも知れない。そう考えながら目の前のごはんを口に運んだ。

午後の授業も終えて、私は少し図書館や中庭を案内してから、三人で大学を出た。まだ空は明るく日差しが強い。歩いていると頭のてっぺんからぼんやりと熱くなっていくのを感じた。

細い道に学生の流れは途絶えることがなく、どこまでも続いているようだ。その中を歩いていると、徐々に意識が自分の内側に向き始める。いつも紛れているのに離れていくような感じがするのはなぜだろう。そんなことを考えていたら、二人のそろそろ帰るという声に呼び戻された。

二人と別れてから、待ち合わせの時間が来るまで近くの喫茶店で時間を潰《つぶ》していた。テーブルの下で足の先が細くなっている白い靴を軽く脱ぐと、指がかすかに痺《しび》れていた。文庫本をめくっていたらブレンドが運ばれてきて、それを一口飲んでから、時計を見る。約束の時間まではあと三十分を切っていた。

葉山先生は待ち合わせの時間よりも五分だけ遅れて到着した。職員会議が長引いたと言われたので、気にしていないと答えた。二人で駅近くのビルの地下にある和食の店に行った。

店内は薄暗くて、夕暮れどきのため、まださほど混んでいなかった。ビールで始めた後に、しばらく小皿で来る料理を食べていた。新堂君たちのことを話して、やはり柚子ちゃ

んはどこか様子がおかしいことを伝えると
「やっぱり明日にでも、もう一度、話を聞いてみるよ」

彼が落ち着いた声でそう言ったので、私もなんとなく安心して頷いた。

「それで、私に話っていうのはなんですか」

「もしかしたら今年度いっぱいで違う高校に移るかも知れない」

「え？」

思わず大きな声が出た。

「まだはっきりとは決めていないんだけど、異動を申し出ようかと思って」

私はグラスに口をつけた。冷たいビールが胃の中に落ちていくと、頭の芯《しん》が少し揺れたような気がした。

「そうしたら、もう、こうやって会ったりできなくなりますね」

その言葉は否定せずに
「会おうと思えば、いつでも会えるよ。新しい学校に来てくれれば」

私は苦笑して
「自分の母校だったらともかく知らない高校に訪ねていくのはちょっと」

そうか、と彼は静かに言った。目を伏せるとメガネの奥で短いまつげがそっと下りた。

「今、店内で流れてる曲はジャズですか」

ふと顔を上げて尋ねると、ああ、と意外なことを訊かれたような顔で彼は相槌を打った。

「たぶん『オーバー・ザ・レインボウ』ていう曲だよ。有名だから、君もどこかで聴いたことがあるんじゃないかな。だけどジャズに興味を持つようになったのか」

「小野君の部屋にCDがたくさんあったから、なんとなく気になったんです」

「小野君の部屋に行ったの？」

即座に返されて言葉に詰まった。さっきは濁しておきながら、その次にはこちらが戸惑うような反応をする、葉山先生のこういうところは本当に分からない。

「そんなふうに行ったのかと訊かれても」

「べつに僕に気を遣う必要はないよ」

「気なんて遣っていません。黒川たちとみんなで一度、行っただけですよ」

そして私は馬鹿正直に話してしまう。わざと気を引くとか、そういうことができない。

店を出ると、夜と街の明かりのコントラストが強くなっていた。少し散歩をしようと言って、駅とは反対側のほうへ歩いた。少し裏道に入ると暗闇に小さな神社の鳥居が見えてきた。

二人でそちらに歩いていくと、神社の境内のほうでなにか黒いかたまりが動いていた。

「なんでしょうね」

ふたりで首を傾げた。そっと近づいてみると、それは電動車椅子だった。人影がやけに大きく見える。その理由はすぐに分かった。足の不自由な男の人のほうが車椅子に腰掛けて、おそらくそうではない女の人がその膝《ひざ》の上に座っているのだった。二人ともおそらく葉山先生より年上だろう。どちらも体は小柄で、そのためか、車椅子の動きはちっとも鈍らずにスムーズだった。普段はなにかと大変そうに思える車椅子に、そういう使い方もあったのか、と驚いた。

二人は境内を散歩しながら、なにかを楽しそうに話していた。夜と、ほかにひとけのない神社と、静かに会話を交わす二人の姿が、妙に温かく感じられた。彼らは私と葉山先生が来たことはとくに気にもとめずに、しばらく神社の中をうろうろとした後で、膝に乗っていた女の人が降りたのをきっかけにゆっくり神社を出て行った。

ふと見上げると細い月が浮かんでいる。柔らかい光が降っていた。辺りは静まり返り、私たちはベンチに腰掛けて、同じ高さから月を仰いだ。

「静かですね」

「そうだな」

短い言葉はすぐに静けさに飲み込まれる。

会話が続かず、しばらく沈黙してから、思いきって

「葉山先生は、あれから恋人をつくったりはしなかったんですか」

「君には何度も言ったと思うけど、今の僕には、そういう相手をつくる気はないんだよ」

「その、今って、一体いつまで続く今なんですか」

皮肉ではなく心の底から心配になって私は言った。彼は困ったような顔をしてこちらを向くと

「僕にも分からないんだ」

「分からない？」

「あのことがあってから、長い間、幸福な意味で感情が動かされることがなくなってしまったんだ。自分でも問題だと思っているけれど、どうしようもないんだよ」

「私は、卒業してからもずっと気になっていたんです。あなたがどうしているのか。そして結局あなたにとって私は一体なんだったのかって」

「今から思えば、僕は君に頼りたかったんだと思う。生徒で、おまけに十も年下の女の子に頼ろうなんて情けない話だけど。ただ、君なら分かってくれるような気がしたんだよ」

「だけど、君のことはなんとも思っていないって、卒業する間際にあなたは言ったじゃないですか」

「君を巻き込むべきことじゃないと思ったんだ。君はまだ若いし、生徒の中には卒業が近くなると感傷や昂揚感からさほど好きでもない人間を好きだと思い込んでしまう子も多いから。卒業した後でふと君が現実に立ち返ったとき、すぐに僕とのことが負担になるだろうと予想できた。そうしたら君は優しいから、なまじこちらの事情を知っているだけに苦しむんじゃないかと思ったんだよ」

「それならどうして卒業式の日にキスなんてしたんですか」

　私の言葉に葉山先生は黙り込んだ。彼のほうに向き直ると、靴の下で砂が鳴った。乾いた頬の上をぬるい風が通り過ぎていく。

「卒業間際の感傷なんてふざけたことを言わないで。あの日から私はずっと同じ場所にいます。そして、あなたから連絡が来るのを待っていた。それでもあなたは思い込みだって言うんですか」

卒業式の後に、校内や校庭のいたるところで写真撮影をしている子たちから離れ、二人で少し話をしようと言って三階の一番奥、誰もいない教室へ向かった。

私には言いたいことがたくさんあったけれど、彼はほとんど自発的に喋り出そうとしなかった。腕に抱いた卒業証書が邪魔だと思いながら、教卓の前で押し黙っている横顔に、大丈夫ですか、と声をかけたとき、ふいに彼がこちらに向き直って腕を摑《つか》まれた。

突然、視界が暗くなったと思ったときにはもう唇が触れていた。目を閉じることすら忘れて私は呆然《ぼうぜん》とした。何度も口づけされていると硬質なメガネのフレームが一瞬だけ左まぶたに当たった。神経がすべて切れてしまったように私は直立不動のまま身動きが取れなかった。なぜか子供のような不安が込み上げてきて、見慣れた暗い教室の机や教卓も、首筋に感じる強い西日も、なんだかすべてが遠く感じられた。

ようやく体を離すと、葉山先生は途方に暮れたような顔をしていた。

「ごめん」

そのとき、すぐに謝られたことがすべてを物語っているような気がした。

体を離した彼はまっすぐに教室を出て行った。私は志緒が探しに来るまでその場に立ち尽くしていた。濡《ぬ》れた唇が次第に乾いて最初の状態を取り戻した後も、葉山先生は戻って来なかった。

それが一年半前、最後に顔を合わせたときのことだった。

私たちは神社を後にして、来た道を駅まで引き返した。先ほどよりも街が涼しく感じられるほど、頬が熱かった。

なにか言ってください、と私は頼んだが、彼は黙ったまま首を横に振った。

それでも改札で別れるときに彼がふと私を呼び止め、今日の服は良く似合っていた、と言い残して手を振った。私も手を振り返してから、ホームへの階段を上がった。

ベンチに腰をかけると口から深いため息が出てきた。抜け殻のようで、さきほどの体温もすでにどこかへ消えてしまった。さっきはきれいだと感じた月は、駅から見上げると、理科の教科書の写真のようだった。

次の練習のとき、どんな顔をすればいいのか分からずにしばらく教室の前で躊躇《ちゅうちょ》していると、後ろから小野君がやって来た。

どうしたの、と不思議そうに言いながら彼は簡単にドアを開けた。いつもは騒々しいはずの教室からはなぜかとぎれとぎれの声しか漏れてこなくて、不思議に思いながら小野君の後に続いて中に入った。

志緒が顔を上げた。

「泉」

大変なのだと真顔で彼女が言い、私は一瞬、葉山先生のことを思い出した。

「これを聞いてもショックで倒れたりしないでよ、介抱しているどころじゃないから。奇声をあげるぐらいだったら良いけど」

「そんな前置きはいいから。なにがあったの」

「ごめん、私もさっきクロちゃんから聞いたばかりで混乱してて。柚子ちゃんがおとといの夜に家出して、それっきり行方不明らしいの」

びっくりして言葉を失っていると、葉山先生が教室にやって来た。どういうことなのかと口々に尋ねると

「おとといの晩に彼女の親御さんから担任のところに電話がかかって来て、娘がまだ学校のほうにいるか確認してほしいって言われたんだよ。その後で彼女の部屋から、しばらく家を出るっていう書き置きが見つかったらしい。自発的に出て行ったようだから捜索願いはまだ出していないけど、まったく行き先も分からないし」

私たちはしばらく押し黙った。わけが分からず、途方に暮れたように黙っていた。

そのとき、新堂君が立ち上がって、自分はもう帰ると言い出した。

「新堂、なにか塚本から聞いてるな」

素早く葉山先生が彼のほうへ近寄った。

それでも新堂君はいつもの淡々とした表情で首を横に振ると
「僕はなにも聞いていません」

「本当に？」

「はい。ただ黒川先輩がさっき、今日はもう稽古《けいこ》にならないからこのまま解散したほうがいいんじゃないかって言っていたので。それならちょっと寄りたいところがあるんです」

そう言って彼はカバンを肩に掛けると、私たちに軽い会釈をしてから、急ぎ足で教室を出て行ってしまった。

取り残された私たちは仕方なく、それぞれの荷物を持って教室を出た。

8

かすかに湿気の含まれた夕暮れの風が頬を撫《な》でる中、私たちは学校を出た。

夕日が学校の屋上に沈んでいくところが見えた。

「ちょっとどこかで飯でも食っていくか」

黒川がそう提案した。

私たち四人は大きな通りを延々と歩き、ようやく一軒だけ見つけた静かな雰囲気のダイニングバーに入った。

衝立《ついたて》のある奥の席に通されると、ようやくそれぞれがリラックスしたようにため息を漏らした。

小野君がカーキ色のジャケットを脱ぎ、シャツの袖《そで》を軽く捲《まく》りながら
「今日は俺と黒川が奢《おご》るから、好きなもの頼んで」

「分かった。じゃあ俺は志緒の分を払うから、おまえは工藤の分を払うということで」

「ちょっと、小野君。それは悪いよ」

私があわてて言うと、彼は軽く笑っただけでその言葉を受け流した。それからメニューを開いてこちらに差し出した。

私たちはビールやワインを飲み、運ばれてきた料理を無言のまま食べた。話したいことはたくさんあったが、結局、黙っていることのほうが多かった。

「柚子ちゃん、一体どこへ行ったんだろうね」

と言ってみたものの、なんの情報もない状態ではどうしようもない。どこへ行ったんだろうなあ、と会話の延長というよりは独立したひとり言のように黒川が呟《つぶや》くと、私たちはそれ以上なにも言えなくなってしまった。

途中で飲みすぎた志緒の具合が悪くなり、黒川が彼女を連れて先に帰った。

私と小野君はテーブルの上に残っていた料理を片付けながら、さらに日本酒を追加した。すぐに店員がやって来て、ご注文の一ノ蔵です、と私たちの前に徳利《とっくり》と御猪口《おちょこ》を置いた。

私は日本酒を彼と自分の御猪口に交互に注いだ。

「俺も新堂君がなにか知ってるんだと思うな。ただ、彼がそれを喋りたがらない以上は詮《せん》

索《さく》しても仕方ないけど」

相槌《あいづち》を打ち、よく冷えた日本酒に口をつけた。小野君は続けて
「このまま彼女が見つからなかったら芝居の稽古どころじゃないな」

「そうだね。それから彼女、一緒にいるときに何度か悩んでいるそぶりを見せていたような気がするんだ。柚子ちゃんは基本的にすごくしっかりしていて頭も良い子だから、変なことにはなっていないと思う。ただ、ちょっと様子がおかしいのは気付いていたから、やっぱりもっと話を聞けば良かった」

そう言うと、彼は私を元気づけるように笑って
「だけど、まあ、たぶん心配ないよ。俺も家出は中学生ぐらいの頃にしたことあるし。突発的に誰にも会いたくないときだってあるから。俺たちが知らないだけで、学校外に友達がいることだってあるだろう。そういう子のところに行ってるんじゃないかな」

優しい口調でそう言われ、少し気分が明るくなった。お皿に残っていた茄子《なす》の漬物を齧《かじ》り、それを日本酒で飲み込んだ後、ふっとアルコールのまわってきた頭の中に葉山先生のことが浮かんだ。今頃あの人はどうしているのかと心配になった。

帰りは小野君が家の近くまで送ってくれた。並木道の下を歩きながら、いつの間にこれほど緑が濃くなったのだろうと心の中で思った。六月も半ばを過ぎた夜は肌がべたべたして、かすかに蒸し暑さを感じた。風もなく、どこまで行っても平坦な夜が続いているみたいだった。なにもかもが停滞した空気が暗い夜道を浸している。

一人になってから私は月のない夜空を見上げ、この夜の中に柚子ちゃんは同じように一人でいるのだろうかと考えた。


真夜中、靴ずれした足の小指に絆創膏《ばんそうこう》を貼《は》っていると、携帯電話が鳴った。時計を見ると深夜一時を過ぎていた。画面の表示を見ると、公衆電話からだった。

「こんな夜中にごめん」

少し掠《かす》れた声で言ったのは、やはり葉山先生だった。

「いいえ、それよりも今日はお疲れさまでした」

「君たちのほうこそ」

そこで言葉を切った。しばらく沈黙が続いた。喋《しゃべ》りたいのに言葉が出ない、そんな空気が伝わってくる。

「大丈夫ですか」

「僕のことは心配いらないよ」

そう言って彼は少し笑った。また沈黙が続いた。先ほどよりもわずかに密度の濃い沈黙だった。

あんまり向こうが黙っているので、さすがに困っていると、すっと短く息を吸う音が聞こえてから
「君は」

「え？」

「いや、なんでもない。君たちが元気だったらそれで良いんだ。ちょっと気になっただけだから。もう遅いから切るよ」

そう言って電話が切れそうになった。私はあわてて携帯電話を耳に当てたまま、立ち上がった。膝の上に載せていた絆創膏の箱が軽い音をたてて床に落ち、数枚の絆創膏が散らばった。

「場所を教えてくれたらすぐに行きます。あなたは今、どこにいるんですか」


彼の車は私の住むアパートから少し離れた公園脇に駐《と》められていた。

車は公園の樹木の影に飲み込まれていた。荒い呼吸を整えながら近づくと、運転席を軽く倒して彼は目を閉じていた。よく見ると学校で会ったときの服装のままだった。窓をノックすると、あらかじめ気付いていたようにすぐに目を開けた。私は助手席に乗り込んだ。助手席は私がようやく足を伸ばせるぐらいの広さで、ドアにロックを掛けてしまうと、かすかに酸素が薄くなったようにも感じられた。

彼は席を起こすと、素早くシートベルトをした。それからハンドルに片手を置いた。

「君、お酒を飲んできた？」

私は頷《うなず》いた。

「葉山先生は飲まなかったんですね」

フロントガラスのほうを見たまま私は尋ねた。

「飲まなかったよ」

彼は言った後、うん、と小声で呟いて
「飲まなかった」

なんだか子供のような声だった。きっと話し相手が欲しかったんだな、と私は理解した。

「これからどこかへ行くんですか」

「いや、決めていない」

「いいですよ、好きなところへ行って。どうせ明日は大学もないし」

「君が、右とか左とか、そういう指示を出してくれたらすべてそれに従うよ」

なんてむちゃくちゃなことを言うのだと少しあきれて笑った。

「葉山先生」

「うん」

「柚子ちゃんのこと、心配ですね」

彼はしばらく黙っていたが、やがてゆっくりとこちらを見ると
「もしも彼女になにかあったら僕にも責任はある。話を聞くために家まで行ったっていうのに、結局、なにも汲《く》み取ることができなかった。いま自分にできることが彼女からの連絡を待つだけなんて馬鹿みたいだな」

「葉山先生、さては車で捜し回っていたでしょう」

「一応はね。生徒がよく集まるファーストフード店や駅の近くの繁華街は、歩いてみた。だけどダメだな、似たような女の子ばかり見かけるのに、当の本人は見つからない」

　葉山先生の横顔が暗かったので、少し迷ってから私は口を開いた。

「私、よく考えてみたんです。あなたのことを気にかけたり未《いま》だに執着しているのは、自分が一番つらかったときに今みたいに助けてもらったせいじゃないかって。もしも違う人に優しくされていたら今頃はその人に同じような感情を抱いていたんじゃないかって」

　一瞬だけフロントガラスが光に染まって軽く目を瞑《つぶ》った。軽トラックがエンジン音を響かせながらすれ違っていった。それが完全に走り去ってしまうと、車の外はまた暗闇と静けさに包まれた。

「たしかにそうかも知れないな。少なくとも君とここまで親しくなったきっかけは」

「だけど、やっぱり私は、葉山先生、ほかでもないあなたに感謝しているんです。だからあなたが困っていたら、たとえどんなときでも力になりたいと思っています」

　そう言って彼のほうを見ると、葉山先生は困ったような表情を浮かべて
「そんなことを言ってはいけないよ。教師の恩なんか、買うだけ買って、踏み倒せばいいんだ。そんなことで君が責任を感じる必要はないんだよ」

「べつに責任を感じてるわけじゃないです」

「僕が君を助けたわけじゃなくて、たまたま僕の言ったことと、それを受け取る側の君の波長が合っただけだよ。同じことを言ってもまったく効果がない生徒だっている。それに

僕だってすべての生徒が求めていたり欲している言葉が分かるわけじゃないんだ。いや、むしろ、ほとんど分からないと言ってもいい。それは年齢のせいだけじゃなくて大人同士でも同じことなんだ。相手の言っていることを完全に汲み取れるほうが珍しいんだ」

「葉山先生」

彼は今夜会ってから初めてきちんとこちらを見た。

「帰りましょう。それで今夜はもう眠ってしまおう。あなたも休んだほうがいい」

「分かった。それなら君を送っていくよ」

「一人になるとまた落ち込むでしょう。私もついて行きます」

「それはダメだ。今ここまで来てくれただけで十分だよ。君は家に帰るんだ」

「でも」

「自信がないんだ。僕はきっと君に頼ってしまう。どうしてかは分からない、だけどとにかく君には、ほかの相手よりも正確に僕の言葉が伝わっているという実感がある。そういうのは危険なんだ。今、一緒にいたら、僕は君になにをするか分からない」

「そうしたら、そのとき考えればいいじゃないですか」

「いや、そこは絶対にゆずれないことなんだよ。正直に言ってしまえば、今でも僕は君のことを好意的に思っているし、女性的な魅力も感じている。だからよけいにダメなんだ」

今でも？　思わずくり返した自分の声が掠れていた。

「君も知っての通り、今の僕には相手が誰であっても気持ちに応《こた》えることはできない。こういう言い方はずるいと感じるだろう。実際、僕はずるいんだよ。君の求めているものは与えられないことが分かっていたのに、自分の事情は君に打ち明けた。僕は一人でいることに疲れていたし、君は僕を頼ってくれたから。自分が助けるふりをして本当は僕のほうが君の根本的な明るさに救いを求めていたんだ。

僕は君が思ってくれているほど誠実でも、優しいわけでもないよ」

私はそれ以上なにか言うことをあきらめた。私も頑固なほうだが、彼の強情さにはかなわない。

「それなら私は葉山先生のベッドで先にぐうぐう眠ってしまいますから、あなたは居間で朝まで映画のビデオでも見ていてください」

放り出すように言うと彼はようやく少し笑った。

「たしかに、そうできたらいいな。新しく買った『エル・スール』もあるし」

「あの映画も良かったけど、私は『ミツバチのささやき』のほうが好きでした」

「そうか。僕は『エル・スール』の、あの父と娘の関係が好きだったんだ」

「先生、今年で何歳になったんでしたっけ」

「一月で三十二歳になったよ」

「そろそろ子供がいてもおかしくない年齢ですね」

「そうだね」

葉山先生は、とにかく送っていく、と言って車のキーを差し込んだ。

「今夜は君が来てくれて嬉《うれ》しかった。ありがとう」

私は黙って窓の外を見つめた。暗闇が後ろに流れていく。だけど暗闇はどこまで行っても暗闇で、際限がない。閉まっている商店の店先では猫が眠り、それを小さな街灯の明かりだけが照らしている。

じっと黙って夜を見ていた。柚子ちゃんはちゃんと安心して眠れるような場所にいるのだろうか。そして、また私たちの前に現れてくれるつもりなのか。それともなにか私たちには想像もつかないような出来事に遭遇しているのではないか。

心配は尽きることがなく頭をめぐり、そんなことを考えているうちに、車は速度を上げて眠っている町を走り抜けていく。

9

三日後に柚子ちゃんが戻ってきたと連絡があり、彼女があまりにいつもの笑顔で謝りながら稽古《けいこ》に復帰したので、なんだかその場にいた全員が拍子抜けしてしまった。

「バイトの友達のところにいたんです」

みんなから矢継ぎ早に質問を投げかけられた彼女は、なんだか照れているようにさえ見えた。

「進路のことで色々、悩んでいて、イライラしていたときに母とつまらないことで口論になったんです。だけどお金もなくなっちゃったし、友達も迷惑そうにしていたんで、火曜日になって帰ったら思いっきりぶたれました」

「それは柚子ちゃんのお母さんが本当に心配してたからだよ。俺たちも君になにかあったんじゃないかと思って心配したよ。だけど、無事に戻ってきてくれて良かった」

小野君が笑顔で言い、柚子ちゃんは恐縮したように、すみませんでした、と謝りの言葉を繰り返していた。

その日の練習は二週間ぶりだったので、葉山先生の指導にも力が入っていた。彼がふたたび全員がそろったことで本当に嬉しそうな顔をしていたので、なんだか私も胸の奥が温かくなった。

その日、トイレで着替えようと思って教室を出たところで小野君に呼び止められた。

「大学の友達が芝居をやるんだけど、良かったら見に行かない？」

そう誘われ、とくに用事もなかったので行く約束をした。来週の金曜日の夕方に会うことになり、そういえば最初から小野君と二人で待ち合わせをして出掛けるのは初めてだと狭いトイレの個室で汗をかいたＴシャツを脱ぎながら思った。

翌週の月曜日は大学の後で旅行代理店に寄った。八月五日に出発するベルリン行きの便の航空券のお金を支払った。母から再三、こちらに遊びに来るようにと熱心な誘いがあったので、ためしに一度、夏休みに出掛けることにしたのだ。渡航費などのお金は前もって銀行の口座に振り込まれていた。

航空券や日程表の入った封筒をカバンにしまって旅行代理店を出た私は、大学帰りの志緒と待ち合わせて二人で食事をした。

すごくおいしいスパゲッティー屋を発見したのだと言って、彼女は四ッ谷の駅からすぐのビルに向かい、その地下にある店を教えてくれた。

私はしらすとイクラを絡めたパスタに卵黄が載ったものを注文した。濃い醬油味《しょうゆあじ》と卵黄が混ざり合って、和風とは言っても意外にこってりとした味だった。

志緒は店員を呼んで、何度かレモン水をおかわりしながら、なんだか最近よく喉《のど》が渇く、と私が考えていたことと同じことを言った。

「そういえば今度、小野君と一緒に出掛けるんだ」

そう言うと、彼女はスプーンを使わずにきれいにフォークだけでキノコのスープ・スパゲッティーを口に運びながら
「どこへ行くの」

「小野君の友達がお芝居をやっているらしいから。それを見に行く」

彼女はテーブルの上の紙ナプキンに手を伸ばし、すっと唇を拭《ぬぐ》ってから
「泉は、小野君のことをどう思っているの」

きょとんとしていると、少し彼女は間を置いてから
「私、小野君はたぶん泉のことが好きだと思うの」

私はフォークを置いた。

「どうして」

どうしてって、と彼女は怪訝《けげん》な表情で呟《つぶや》いた。

「私、彼に好かれるようなことはなにもしていないよ」

「好かれるようなことをしていなくても、好きになることはあるでしょう」

「小野君がそう言ってたの？」

志緒はなんだか、いつまでも計算式の解けない子供がそこにいるような目で、じっと私の顔を見つめた。今日の彼女は胸元にドレープの寄った白のカットソーを着ていて、その服は彼女のまっすぐで艶《つや》のある黒髪を引き立たせていた。

「小野君からはなにも聞いていない。だけどクロちゃんと私は間違いないと思ってる」

少し沈黙が続いた。お皿にフォークの触れる音だけが響いていた。

ふいに志緒は顔を上げると
「そういえば柚子ちゃんのことだけど」

「なに？」

「やっぱり新堂君は居場所を知っていたみたい。みんな心配しているから帰って来いって彼が説得して、ようやく家に戻ったんだって」

「やっぱり。だけど、なんだかまだ納得できないなあ。そんなふうに簡単に周囲の人間を心配させて平気な子じゃないと思うんだけど」

志緒は相槌《あいづち》を打ちながら残りのスパゲッティーを口の中に入れた。

店内にはBGMにガブリエルの『サンシャイン』が流れている。店の混み具合もほど良い、静かに空調の回る店内にその緩やかなメロディーは設計の段階ですでに組み込まれていたようにしっくりと馴染《なじ》んでいる。

「柚子ちゃん、まだなにかを隠しているんじゃないかな」

「まあね。だけど葉山先生が訊《き》いても、なにも答えないっていうんだから、私たちが訊いても分からないでしょうね。葉山先生って、生徒の話を聞き出すことに関しては得意じゃない。私も前に一度、進路のことで悩んで相談に行ったことがあるけど、あの先生ってたしか一度、高校を辞めて、大検かなにかで大学まで行ったんでしょう。そういう苦労があの適度な気楽さを生んでるのかな。とにかくあの先生はわりに口の上手《うま》い人だから、私たちよりはずっと上手く彼女の話を聞き出せそうな気もするけど」

そう言って彼女は店員を呼ぶとデザートのチョコレートケーキを追加した。私も紅茶と洋梨のタルトを頼んでからトイレのために席を立った。

トイレの鏡の前に立ったとき、自分の顔が強ばっていることに気付いた。先ほどまで穏やかだった感情が胸の中でかすかに波立っていて、苦しかった。

一瞬だけ、志緒や柚子ちゃんが彼と個人的な話をしているところを想像した。そうしたら胸の中に動揺が湧き上がり、いても立ってもいられなくなった。先生なのだから当然だと頭では理解していても彼女たち相手にまでそんな苛立《いらだ》ちを覚えてしまう、そんな自分が嫌になった。これではまるで世界中で自分と彼しか大切じゃないみたいだ。

そんなことを考えながら席に戻ると、すでに紅茶とタルトがテーブルの上に載っていた。志緒がケーキにフォークを刺しながら
「小野君の話に戻るけど、クロちゃんは彼がたまたま演劇経験者だったから声をかけたって言ってたでしょう。だけど小野君の生真面目なところや優しいところなんかの人間性を見て判断した部分は絶対にあると思うのよ」

「そうだね。私もそう思う」

小野君と一緒にいると、たしかにとても安心感があった。押しつけではなく気にかけてくれている空気を感じていた。

「だから無理に好きになる必要はないけれど、もしも泉が彼のことを好意的に思っているんだったら、ちょっと考えてみてもいいんじゃない。第一、長野から帰ってきた頃から、いつも小野君は泉のことを見てたのよ。私にとってはむしろ泉がまったくそれに気が付かなかったことのほうが驚きなんだけど」

それは私がまた別の相手を見ていたせいだということに、志緒は気付いていない。そのことになぜかとても救われた気持ちになった。


小野君の友達の芝居は地下にある小さな劇場でやっていた。小野君と私は同じところで笑ったり、べつべつのところでため息を漏らしたりした。

芝居が終わってからロビーのところであいさつしていた小野君の友達に、おもしろかっ

たです、と言ったら
「小野の彼女ですか」

よく通る明るい声で訊かれた。私が答えるより先に
「違うよ。友達だよ」

さらっと笑いながら小野君が返した。

劇場を出るとすっかり日が暮れていた。仕事帰りや買い物をする人々で駅までの細い道はにぎわっていた。

近くの喫茶店でお茶を飲んでから、ふと彼は腕時計を見て
「これからどうしようか」

と言った。私はお茶を飲みながら少し考えた。彼はクリーム色のTシャツの上にカーキ色のジャケットを羽織って、黒いストレートジーンズを穿《は》いていた。ナイキのスニーカーの靴紐《くつひも》がまだきれいだった。

「うちでも来る?」

つられて、うん、と言いそうになった。志緒の言葉が思い出されて迷った。向かい側でこちらを見ている小野君は私の返事を待っている。

「小野君って」

「なに?」

「付き合ってる人はいるの」

「春に会って」

え、と言って顔を上げると、小野君は自分のエスプレッソに少し砂糖を足した。

「春に会ってから今日初めて工藤さんにその質問をされたなあ、と思って」

「そうだっけ」

首を傾げて、紅茶を飲んだ。

「だけど小野君だって、付き合ってる人がいるか、なんて質問を私にしたことはなかったよ」

「ほら、そういうのは自然に察するものだから」

「なるほど。察しが悪くてごめん」

「いやいや、べつにそういう意味じゃないんだ」

彼はコーヒーをゆっくり混ぜながら困ったように笑った。私はまた紅茶に口を付けた。

黒川たちがいないと、どういう距離で話をすればいいのか微妙に分からなくなってしまう。

「付き合ってる人はいないよ」

妙にはっきりとした口調で小野君が言い、その言葉にはなにか続きがあるのかと思ったが、そこで彼はがらっと話を変えて
「外国旅行でも行くの」

と訊かれた。

「うん。ほら、今、父の転勤で両親が二人ともドイツにいるから、ちょっと夏休みの間に

「そっか。さっき芝居の前に本屋でガイドブックを買ってたからなんだろうと思ってたんだ。だけどドイツか。うらやましいな」

「観光というよりも、お互いの元気な姿を見せ合うのがメインなんだけどね」

団体の女性客が入ってきて、喫茶店の中が騒がしくなってきた。私が紅茶を飲み終えるよりも先に、小野君は自分のコーヒーを素早く飲み干してから
「じつは情けない話だけど、バイト代がまだ入ってなくて。だからどこか行くにしてもあんまりお金を使わない場所だと嬉《うれ》しいんだ」

そう苦笑されたので
「それじゃあ少しだけおじゃましようかな」

そう答えると、小野君はまだ大学生とは思えない自然さでテーブルの上の伝票を掴《つか》んで立ち上がった。

「お金、払うよ」

「いいよ。チケット代は自腹にさせちゃったんだから。お茶ぐらい奢《おご》るよ」

「だってバイト代がまだなんでしょう」

「大丈夫。その代わり、今日の出費はこれで勘弁して」

彼は軽い調子でそう言って笑ったが、私はちょっと困ってしまった。付き合っているわけでもないし、なにより志緒に言われた言葉が胸に引っかかっていて、結局、自分の分は

払った。

電車を乗り換えて駅から小野君と並んで歩いた。夜空を一面の雲が埋め尽くしていて今夜は月も見えずに、一雨来そうな天気だと心の中で思った。

雨が降ったらすぐに帰りづらくなる。彼はこちらの歩幅に合わせてくれる。

プールのある公園は夏が近くなって、うっそうとしていた。緑が一段と濃くなって息を吸うと草の匂いがする。

アパートに到着すると、小野君はジーンズの後ろポケットから鍵《かぎ》を出して扉を開けた。部屋の中はひんやりとした空気で満たされ、きれいに片付けられていた。

彼はジャケットを脱いでハンガーに掛けた。それから冷たい麦茶を出してくれて、私がそれを飲んでいる間にBGMの曲を選んでいた。

流れてきたトランペットにはなにやら聴き覚えがあった。

「これって、エゴ・ラッピンのアルバム？」

「正解。『Night　Food』だよ。ボーカルの声が好きなんだ」

しばらく喋《しゃべ》っていると、やはり雨が降り始めた。まだ梅雨明けしていないんだよな、と小野君が呟《つぶや》いた。真っ暗な窓ガラスがただれたように濡《ぬ》れていく。街灯の明かりの中で樹木が風にあおられて公園自体が大きく揺れているように見えた。

話すことがなくなってくると、彼はいったんコンポを止めて、CDを違うものに換えた。今度は知らない曲が続いた。なんの曲かと尋ねると、ニルヴァーナだと教えてくれた。

「けっこう、なんでも聴くんだね」

私は振り返ってカラーボックスを見た。小野君は部屋を出て台所のほうに立った。それからフィリップ　モリスの箱を取り出して、換気扇を回してから火をつけた。すっと細長い煙が低い天井に向けて立ちのぼった。

「煙草、吸うんだ」

背中に向かって尋ねると、一瞬だけ振り返って
「普段は平気なんだけど、時々、突発的に吸いたくなるんだ」

そう言った彼の顔からは少し表情が消えていた。おそらくその表情が一人で部屋にいるときの顔なのだろうと思い、上手に気を遣われているときよりも今のほうが良いと感じた。

「だけど喉《のど》を痛めたりしない？」

「前は気をつけて、まったく吸わないようにしていたんだけど、今はもう劇団にいるわけじゃないから。それに俺、芝居を続けるつもりはないんだ」

「小野君は大学を卒業したらどうするの」

「中学校の先生になりたいんだよ」

少し意外な感じがしたので、私は驚いて聞き返した。

「そういえば黒川が前に、小野君は教職の授業もあって忙しいって言ってたね。だけどなんとなくイメージで一般企業に就職するのかと思った。教職の授業を取っていても普通に就職しちゃう子もたくさんいるし」

「いや、興味がない子供に理系のおもしろさをもっと伝えたいんだ。とくに生物は、あんなにはっきりと自分たちの基本がそこに見えていて、細胞が具体的にどんな役割を担っているのか、そのびっくりするような複雑さとか、逆にこんなに単純な仕組みで多くのことをまかなっているのかって、知れば知るほど精密機械の内側を見ているようで感動するんだよ。とくに国語や社会科が好きな子って、どうしても理系を敬遠して、最初から投げ出すだろう。それはすごくもったいないことだから」

「私も理系の科目が苦手だったから耳が痛いな。国語や日本史のほうが好きだった。世界史も覚えづらくて苦手だったけど、そういえば葉山先生の教え方が上手《うま》かったから点数が上がったんだ。それまではぼろぼろだった」

「そういえば葉山先生って、いつも土曜日の練習をかならず見に来ているけど、あれってたしか無償なんだよね」

「え？　別でお給料は出ているんじゃないの」

「いや、たしか土日は出ないいんじゃないかな。それを思うと、本当に、好きじゃなきゃできない職業だよな」

頷《うなず》きながら軽く足を伸ばし、私はふと窓のほうに視線を移した。

「なんだかさっきよりも雨が強くなってきたような気がする」

うん、と言って彼は灰皿を手に煙草の火を消した。それからまた、こちらの部屋に戻ってきた。

「お茶、もらうね」

そう言って入れ違いに部屋を出ようとしたら
「いいよ、座ってて。俺がやるよ」

そう言って私の手からコップを取ろうとした。首を横に振ると、小野君は黙った。目の前に立った彼のTシャツからはほんの少しだけ煙草の匂いがした。

横を通り抜けようとしたらいきなり後ろから抱きしめられ、あんまり急だったので驚いて心臓が止まるかと思った。ひそめた呼吸が頭上からかすかに降ってきた。背中に感じるだけでもはっきりと分かるほど彼の体温は高かった。

「小野君」

麦茶のコップを持った右手が行き場をなくして困っていた。私はもう一度、小野君、と呼びかけた。

「うん」

「俺さ、工藤さんのこと好きだよ」

その続きを待ったけれど、彼は黙ったまま、腕の力を少しだけ強くした。

「小野君」

「今日、この部屋を出るときに工藤さんが来たらいいなって思ってた」

「小野君、ごめん」

「工藤さんは俺のこと、べつにそこまで好きじゃないだろうなって分かってたけど、やっぱり」

「ごめんなさい」

「どうしても言いたくなったんだ」

小野君はそこまで言うと、ようやく力を緩めた。私は彼の腕の中から抜け出した。

「ごめん。今日はもう帰る」

私は部屋に戻ってハンドバッグを持った。それから玄関で靴を履いた。彼が送っていくと言ったので首を横に振ると、それ以上はなにも言わなかった。

アパートを飛び出し、ぐしゃぐしゃに濡れた公園の泥道を歩いた。柔らかくなった土の下から何匹ものミミズが這《は》い出していた。雨音が騒々しくて耳に痛いぐらいだった。履いていたベージュ色の靴はすぐに取り返しがつかないほど汚れてしまった。前髪が濡れて、そこから滴り落ちた水滴がまぶたまでたどり着いて視界を奪った。何度も手の甲でこすりながら、歪《ゆが》んだ真っ暗な景色の中を歩いた。軽く汗をかいた肌に冷たい雨はむしろ心地よかった。服の裾《すそ》を絞っても、すぐにまた新しい水を吸い込んで重たくなる。

駅まで着いたとき、ようやく我に返って、ハンドバッグから携帯電話を取り出した。画面に少し水滴が付いている程度で、機械の中まで水が届いてはいないようだった。

私は志緒に電話をかけた。彼女はちょうど家にいて、黒川が来ているところだと言った。遊びに来てもかまわないと言われたので、彼女の家のほうまで切符を買い、ほかの乗客の疑わしげな視線を浴びながら電車に揺られていた。降りるとき、一瞬だけ振り返ると私の立っていた場所には小さな水たまりができていた。

10

インターホンを押すと、すぐに志緒が出てきた。私の姿を見ると顔をしかめて
「小野君と水遊びでもしたの？」

「してない」

彼女はため息をついてから、家の奥へ走っていった。そして大きな青いバスタオルを渡されて、私は玄関で靴と靴下を脱いだ。濡れている部分をバスタオルで拭《ふ》き、彼女の部屋に通してもらった。

部屋に入ると、やはり黒川もぎょっとしたように眉《まゆ》を寄せた。

「ごめんね、いきなり訪ねて」

「俺はべつにかまわないけど、なにがあったのか、好奇心を通り越してあんまり聞きたくない姿だな。どうせ良い話じゃないんだろう」

短く相槌《あいづち》を打つと、黒川は苦笑してから
「俺は帰るから、工藤はゆっくりしていきな」

そう言い残して彼は立ち上がると、志緒と私に軽く手を振って部屋を出て行った。

「うちの親は仕事で遅くなるって言ってたから、ゆっくりしていけばいいわよ」

志緒がタンスから着替えを出しながら明るい顔で告げたので、私はお礼を言った。

彼女はTシャツと柔らかい素材のフレアスカートを貸してくれた。そして私が着替えているうちに温かい紅茶を淹《い》れてきてくれた。そして濡《ぬ》れた私の服を丁寧にハンガーに掛けて、部屋の隅に吊《つ》るした。

紅茶を飲むと、ようやくほっとしてため息が漏れた。

「それで、一体なにがあったの」

私が顔を上げると、志緒は腕組みしながらベッドの上に腰を降ろした。私は小野君の部屋で起こったことを彼女に話した。

「やっぱり上手《うま》くいかなかったのか」

見透かしていたように志緒は呟《つぶや》いた。

「この前、会って一緒にごはんを食べたとき、泉の態度を見ていたらなんとなくそうなるんじゃないかって思ったから驚きはしないけどね」

「うん」

「だけど少し残念かも知れない。小野君と泉はけっこう合ってるように見えたから」

「小野君のこと、嫌いじゃない」

「だけどべつに好きでもないんでしょう」

あっさりとした口調で彼女は言った。

「小野君と一緒にいるのは楽しいよ。だけど、感情が動かないの。良い人だと思うところを越えられなくて、いつまでたっても新しい恋を始める気になれない」

「もしかして泉、ほかに好きな人がいるの」

彼女は軽く身を前に乗り出した。

うん、と私は思わず頷いてしまった。

「高校生のときから今までずっと好きだった人がいる。きっと私はその人のことをまだ忘れていないんだと思う」

「それって、もしかして葉山先生じゃないでしょうね」

「どうして分かったの？」

驚いて聞き返すと、志緒はあきれたような顔をして
「馬鹿じゃないの、それぐらい見ていればすぐに分かったわよ。ただ泉があんまりそのことについて喋《しゃべ》りたくなさそうだったから突っ込まなかったの。て、なんで私が自分でこんなことまで言わなくちゃならないのよ」

志緒はあきれたようにまくしたてた。

「……察しが悪くてごめん。そんなに気を遣わせていたとは」

「本当よ。あんたは言わなければ心配も迷惑もかけないだろうと思っているかも知れないけど、なにも聞かされていない状態で、よけいなことを言わないように気を遣うのもけっこう疲れるんだから」

「本当にごめん。そういえば、まさか黒川も気付いてる？」

「クロちゃんは工藤も玲二のことが好きかも知れないなあ、なんて寝ぼけたことを言ってたぐらいだから、なにも気付いてないわよ」

「そうか。良かった」

「ちっとも良くない。少なくとも今ここで認めたんだから、白黒はっきりつければいいじゃない。そんなに葉山先生のことが好きだったら」

「うん。分かってる」

そう言うと、志緒は深く相槌を打った。

「だったらこの話はもう終わりにしよう。なにを言っても、最終的に私にできることは泉を見守ることぐらいだから」

彼女は笑ってベッドから軽く飛び降りた。そして紅茶を飲むと、窓の外を見た。

「クロちゃんはたぶん小野君のところに行ったのよ」

「そうだね」

私も窓のほうを見た。空いている手で触ってみると、冷えていた足の裏がだいぶ温かくなってきた。濡れた服はまだまだ乾きそうになく、闇の中に途切れることのない雨がいつまでも降り続けている。

卒業式間近に、手紙を持って葉山先生に告白しようとした日、私たちは学校を出て近くの川沿いの道を歩いた。夕暮れはすぐに散ってしまい、目の前に深い冬の夜が訪れていた。

長く広い川に沿って延々と植えられた桜の樹からはすべての葉が落ちて、最後の数枚が風に吹かれると川のほうに飛ばされてその流れに飲み込まれていた。手を伸ばせば、空気がぱりっと割れる音がしそうな寒さだった。

「僕の家がずっと母子家庭だった話は前にもしたと思うけど」

彼はゆっくりと歩いていた。私の歩幅も彼に合わせて自然と小さくなった。

「子供の頃に父親が出て行ってから、ずっと母親と二人暮らしだった。経験したことがなければあまり想像できないかも知れないけど、本当にいつもお金に困った生活をしていた。幼い頃、僕は家から少し遠い保育園に通っていたんだけど、月末にバス代が足りなくなって、仕方なく家に一人で残されて仕事から帰る母を待っていたり、そんなこともザラだった」

「誰も助けてくれる人がいなかったんですか」

「父方の祖父母は知らん顔だったし、母親のほうの両親も長崎に住んでいて、すぐに頼れる距離じゃなかったんだ。それでもたまに送金はしてくれていたけど、祖父母も小さな漬物屋をやっているだけで、お金が余っているっていう感じではなかったしね。

小学生のときに学校で『働けど働けどなおわが暮らし楽にならざり、じっと手を見る』を習ったとき、ああ、これは母のことだと思って強く共感したのを覚えているよ。その頃はとくにまだ僕が幼かったから大変そうだった。明るくしていてもふっと力を抜いたときの横顔が疲れていて、早く自分が手助けして楽をさせてあげたいといつも感じていた。だから高校に入ってすぐに三つぐらいバイトを掛け持ちして毎日のように働いてたよ。もっとも、結局はそれで学校生活からどんどん離れてしまって最後には辞めることになったんだけどね。

ただ、今だから言えることかも知れないけど、あのときを振り返ってみて自分の選択が間違っていたとは思わない。そんなふうに少し横道にそれても自分の意志さえ明確だったら最後にはちゃんとしたところにたどり着けることが分かったしね」

「うん。たしかに葉山先生は良い先生です」

私が頷《うなず》くと、彼は静かに笑った。それから、ふと道の隅に落ちていた、スナフキンの付いた鍵《かぎ》を拾い上げた。

「子供の落とし物かな」

「たぶん、そうですね」

「そういえば僕は子供の頃、よくスナフキンに顔が似てるって言われたな」

今もちょっと似ていますよ、と言いたかったが笑うだけにしておいた。彼は鍵をコートのポケットにしまってまた歩き出した。

「僕は大学を卒業してから教師として働くようになって、最初のうちは狭い職員室の中の空気の悪さに疲れることもあったけど、それも二十代も後半になれば慣れてきて、当時の恋人とも自然に結婚の話が出るようになった。そして、僕は一緒に暮らしていた母にそのことを話した。母は喜んでくれたよ。ただ、僕が一つ気がかりだったのは、自分が出て行けば母が一人になってしまうことだった。とくに母はその一年前に子宮に腫瘍《しゆよう》が見つかって手術をしたばかりで、それ自体は良性だったからまだ良かったけど、そういう婦人科系の病気はとくに女の人を不安定にさせるから。母を一人にしてしまうのはすごく心配だったんだ。

だけど僕の恋人も少し神経質なところがあったから、同居はできれば避けたいと以前から言われていた。それでも母を一人にするのが心配だったから、無理に頼み込んで同居する方向で話を進めたんだ。いったん僕が断固として言い出すと、彼女はもう不満を漏らさなかった。

結婚してすぐの頃は上手くいっていたと思うよ。だけど次第に二人の仲が悪くなってきた。母と妻には似たところがあって、面倒見がよくて他人に気を遣うけれど、その半面、完璧《かんぺき》主義で芯《しん》が強い性格だった。そんなところがぶつかってたびたび激しい口論をしているところを見た。正直、僕はその時点ではどちらを守ればいいのか分からなかったんだ。だから双方を宥《なだ》めながらなんとかバランスを取ろうとして生活していた。分かっていなかったのは、母は僕が思っているよりも強く、妻は僕が思っていたよりもずっと弱かったということだよ。それに早く気付いていたら間違いなく守るべきは妻だと分かったのに。すべては僕の責任なんだ」

「一体、なにがあったんですか」

「結婚して一年ぐらいたったときだったか、いきなり警察から携帯電話に連絡があった。

そして僕は警察から、妻が自宅に火をつけたところを見つかって逮捕されたことを知ったんだ」

「それって、もしかして葉山先生のお母さんを」

「そうだよ。彼女は僕の母が一人で留守番しているのを知っていて、そうしたんだ」

彼は白い息を吐きながら、感情の読めない声で言った。

「不幸中の幸いだったのは、妻が家に火をつけるより前に、庭にあった物置に試しに火をつけたことだった。その姿をたまたま通行人に見つかって通報されたから、まだそこまで罪が重くならなかった。母がいた家に直接、火をつけていたらと考えると今でもぞっとする。いろんな罪状の中でも、放火は特別、罪が重いんだよ。裁判では僕が、妻は以前から精神的に不安定だったことや、それに対して夫である僕がなんの助けもしなかったことを色々と証言して、結局、二年の執行猶予がついた。裁判の最後のほうでは、疲れ切った彼女はほとんど口も利けなくなっていた。すべてが終わった後で彼女の両親が迎えに来て、今は北海道の実家のほうにいる。あなたがしっかりしていればこんなことにならなかったのではないかとお義母《かあ》さんに泣かれたときは、たしかにその通りだと思った。すべて僕のせいだ」

もう辺りはだいぶ暗くなって、足元が見えづらくなっていた。地面のほうから川の流れる音がする。その音に背中を押されるようにして歩いていた。

「それで、その後はどうなったんですか」

「母も一時はショックが強くて絶対に家に一人でいられないほどだったものの、今はだいぶ回復しているよ。そのときに親身になって世話をしてくれた同じ職場の男性と再婚して、今は仙台のほうに住んでいる。事件のことについてはお互いにもう触れないようにしていて、ほとんど会話を避けているから」

「奥さんとは、それっきり別れたんですか」

少し間があってから、うん、と彼は言った。

ずっと下ばかり見ていたせいで、首の後ろ辺りがかすかに痛かった。顔を上げると遠くの空に月が浮かんでいた。光が歪《ゆが》んだりふくらんだりしていない、ありのままの形の満月だった。私は泣きたくなった。

「だけど、それは葉山先生だけの責任じゃないと思います」

彼は困ったようにほほ笑み、教壇に立っているときよりもずっと諭すような口調で
「そう言ってくれるのは君が僕のことを好意的に思ってくれているからだよ。だけど仮に君が妻と同じ立場だったら、やはり僕を恨むだろう。大事な人を一度に二人も深く傷つけた、その責任は大きいよ」

「私ではあなたの力にはなれませんか」

彼がきっぱりと首を横に振ったので、私はそれ以上、言葉が出なくなった。

「君はまだ若くて、大切に愛してくれる家族もいるだろう。仮に僕が君の両親だったら、絶対にそんな男とは付き合うなと言うだろうし、それが娘の幸せのためだと信じて疑わな

いと思うよ。普段は意識しなくても、人間はじつは自分が思っている以上に多くのものに守られているし、その状況を切り離してしまうことがいかに困難か、君もいずれ分かるときが来るよ」

私がその指摘になんの反論もできなかったのは、論理に納得したというよりも、その言葉の裏に自分は絶対に意見を曲げないという強固な意志が見えていたからだった。

それから私たちは学校に戻り、残りの日々を何事もなかったかのように過ごした。あの卒業式の朝が来るまでは。葉山先生が自分から私に触れたのは、あの一度きりだけだ。

私はたしかにまだ葉山先生のことが好きだった。けれど、私が彼にできることはなにもない。私にできることはただ、彼が行き詰まったときに駆けつけて横にいるだけ。

本当にただ、それだけなのだろう。

志緒の家から帰った翌日になると、軽く熱が出た。練習を休んで、朝から眠っていた。お昼を過ぎるとおかゆを煮て、切った林檎《りんご》をぼそぼそと齧《かじ》った。鼻が詰まって香りがよく分からないので、しょっぱい、とか、甘い、とか単純な感想だけが頭の中に浮かんだ。林檎を食べ終えてからくず湯を作り、それを飲むとようやく全身にうっすらと汗をかくことができた。Tシャツを着替えてまた眠った。

目覚めるとすでに夕方で、外の空気が吸いたくなった。ベッドの横の窓を少しだけ開けた。蟬しぐれが響き熱い風が頰を撫《な》で、それを感じながらぼんやりと考え事をしていた。

今頃みんなは練習しているのだろうか。その様子を思い浮かべながら、またうとうとしていた。そうしたら電話が鳴った。

鼻の詰まった鈍い声で、はい、と呟《つぶや》くと

「本当に具合が悪そうだね」

葉山先生だった。私はびっくりして起き上がった。

「どうしたんですか」

「山田から風邪で休みだって聞いたから」

「大丈夫です。ちょっと昨日、雨に濡《ぬ》れちゃって」

「もしも君にとって練習が負担になっているようだったら」

と彼が言いかけたので、遮って

「いえ、違います。それよりも葉山先生、小野君は今日は来てましたか」

「ああ。来てたよ、あいかわらず彼は良かったよ。なにか特別に派手なところがあるタイプじゃないけど、全体の空気を摑《つか》むのが上手《うま》いんだね。体も台詞《せりふ》も、ちっとも無理をしている感じがなくて自然なんだ。ああいう子が、うちの部活を手伝っているだけでどこのグループにも所属していないのはもったいないと思うよ」

「そうですね」

風邪のおかげで気まずい思いをしなくてすんだと内心どこかで思っていた私は、自分が少し恥ずかしかった。小野君はかっこいい人だな、と思った。

「一日眠っていたらだいぶ良くなったので、次の練習には行けると思います」

「そうか、良かった。なにもできないほど悪いようなら様子を見に行こうと思ってたんだ。君も両親が外国だから、一人だと色々と大変だろう。買い物ぐらいなら行くから、そういうときは連絡してくれれば」

私は葉山先生がスーパーマーケットで蜜柑《みかん》だの豆腐だのを選んでいるところを想像して少し笑った。笑うなんてひどいな、と言いながら彼もつられたように笑った。

「だけど、たしかにこういうときは特に家族のありがたみを感じます。べつに一人でも大丈夫じゃないことはないけど、心配してくれる人がいるっていうことで気持ちがほっとするんだなって。両親が帰ってくるのは何年も先だし、その間ずっと一人なのかと思ったら、ちょっと落ち込みましたね」

「たしかに。だけど君なんかまだ若いんだから、これから先、恋人だっていくらでもつくれるだろうし結婚して自分の家庭を持つこともできる。全然、落ち込むことなんかないよ」

「それが私は時々、疑問に思うんです。生まれたときから一緒だった肉親はとにかく、そこまで赤の他人に寄り添うことができるんでしょうか」

「それは君がまだ本当に誰かを愛したことがないから、そう感じるかも知れないけれど」

彼の言葉は客観的に聞いていてとても静かで厭味《いやみ》のない、感じたことをその通りに口にしたという口調だったが、やはり小さな刺《とげ》がふいに突き刺さったような不快感を抱かずにはいられなかった。

「あなたにだけは、そんなことを言われたくないです」

内面とは裏腹に言葉尻《じり》が弱々しくなってしまった。こんなことを言ったら彼を傷つけると思う気持ちが、少し後ろのほうに立ってじっとこちらを見ている。だけど言わずにはいられなかった。

「たしかに今の僕みたいに、最初から恋愛自体を拒絶している人間がそんなことを言うのはおかしいかも知れないけれど」

「違います、そういうことじゃなくて」

その後が言えずに黙り込んだ。

葉山先生は途切れた言葉の続きを待たずに

「そろそろ期末テストの時期だから、次の練習は二週間後にしておいたよ。君たちも大学の試験の準備があるだろう」

水面の波紋がいつの間にかおさまって、また何事もなく捕まえ損ねたものが水の底を泳いでいる。私は先ほどの一瞬がふたたび遠ざかっていくのを感じた。それはいったん遠ざかってしまえば、今度いつ戻ってくるのか、もしかしたら永遠に出会うことはないのか、私には分からなかった。

「葉山先生」

語尾を少し上げた疑問形の、うん、という返事があった。

「風邪が治ったらまた飲みにでも行きましょう」

「そうだな。ただ、君は飲ませてもあんまり変わらないから、ちょっとおもしろくないけどね。いつもよりも少し饒舌《じょうぜつ》になるぐらいで」

「その台詞がまったく先生らしくないですね」

お互いの笑い声が重なった。

「たまにはそういうことも言わないと。立派なことばかりえらそうに語っていると、うさん臭いだろう」

「そんなに立派なことを言われた記憶もないですが」

「そうだな、君にはつい弱音ばかり吐いてしまう。自粛するよ。それよりも風邪がひどくなるといけないから、そろそろ切るよ」

たしかにまだ熱で頭がぼうっとしているせいか喋《しゃべ》っているうちにめまいがしてきた。言われた通りに電話を切った。

声が途切れると、携帯電話をベッドの上に放り投げて、大の字に寝転がった。本当は、途切れた続きが言いたかったんだ。寝返りを打つとまぶたが熱くなってきた。今日はもうゆっくり休もうと思った。ゆっくり休んで、また明日には忙《せわ》しない日常に戻らなくてはならない。

次の練習のとき、教室に行くと小野君はすでに先に来ていた。

「もう体調は大丈夫？」

彼が近づいてきて尋ねた。

「うん、ありがとう」

「良かった。先々週、工藤さんがいないときには大変だったんだ。葉山先生が代わりに台詞を言ってくれたんだけど、あの先生の女言葉は正直ものすごくおかしくて。全員が爆笑しちゃったせいで稽古《けいこ》にならなかったよ」

その様子を想像して、私も思わず噴き出した。

「また今日からがんばるから」

「うん」

そのとき、後ろのほうから名前を呼ばれて振り返ると、黒い帽子をかぶった伊織君が立っていた。体の大きい彼は、稽古の前からTシャツが透けるほど汗をかいている。

「伊織君、ちょっと汗を拭《ふ》いたほうがいいんじゃない」

「そんなことより工藤先輩、これを見てくださいっ」

そう言って彼が帽子を取った。野球部員のように短かった毛が金髪になっていて、私はぎょっとした。

「昨日染めたんです。どうですか。どうですか」

「どうですかも、こうですかも。伊織君、今度から街中で会っても頼むから声をかけないで」

「工藤先輩まで山田先輩と同じことを言わないでくださいよ」

「ほら、やっぱりまずいって言っただろう」

新堂君が大きな声で笑った。

「昨日の夜にいきなり伊織の家に呼ばれて、染める手伝いをさせられたんです」

「そんなにガラが悪いかなあ。たしかに今朝、電車に乗ったら向かいの席の恐ろしい顔したオッサンに睨《にら》まれたけど」

「睨まれただけで済んで良かったじゃない。それにしても、その頭で校内をうろうろしてたら異様に目立ったでしょう」

志緒が半ば感心したように言った。たしかに校則で髪の毛を染めることはかまわないとされているが、ここまで完璧《かんぺき》な金髪にしてくる子はほとんどいない。

「どうしたんだ、伊織。その頭は」

扉を開いた葉山先生まで、ぎょっとしたようにそう叫んだ。

夕方になり、稽古が終わった後で教室の床に座り込んで、みんなでペットボトルのお茶を飲んでいたとき、暗い窓の外でふいに大きな音が鳴った。

「そういえば近くで花火大会があるって」

伊織君が立ち上がった。

「本当？　ちょっと見に行きたい。葉山先生、屋上に出てもいいですか」

屋上は基本的に立ち入り禁止だと、彼が首を横に振った。

「なんだ、残念」

「だから今から発声練習をしに行こう。部活動の一環なら大丈夫だから」

そう笑って葉山先生は屋上の鍵《かぎ》を取りに行った。

黒川が苦笑しながらその後ろ姿を見送った後で
「よし。それじゃあ今日の部活はこれで終わり。後は花火鑑賞会にしよう。伊織、悪いけどコンビニでビールとジュースとつまみでも買ってきて」

そう言って財布から取り出した五千円札を伊織君のほうに投げた。

「だめですよ。今はコンビニもうるさくなってて、高校生には酒を売ってくれません」

「おまえの今の頭と老け顔だったら大丈夫だよ」

「そういう問題じゃないですよ。年齢確認させろって言われちゃいますよ」

「分かったよ、俺の大学の学生証を貸してやるから」

「顔が違いすぎます」

なにかと文句を言いながらも伊織君はコンビニまで食料を買いに走ってくれた。

私たちは冷房と電気だけを消して空き教室を出た。屋上までの階段を急ぎ足で駆け上がった。ドアを開けると、銀色のフェンスに囲まれた広いだけの屋上が目の前に現れた。近くの民家や遠くの高層ビル群の明かりが大小入り混じって、まだ淡い暗闇の中で光っている。あっち、と志緒が右の空を指さして言った。

私たちはフェンスにもたれかかって鮮やかな光を散らす花火を見ていた。やがてコンビニから伊織君が戻ってきて、すぐに売ってもらえたと複雑な表情で呟《つぶや》きながら買い物袋を下に置いた。高い場所は風が強く、服も髪も乱れる。伊織君の金色の頭が風に揺れると、なんだか綿毛のようで今にも飛んでしまいそうだった。

コンクリートの上に直接、座り込んでみんなで柿の種やスナック菓子の袋を広げてビールを飲んでいると、葉山先生がやって来た。

「葉山先生もどうぞ」

と言って柚子ちゃんが冷たいビールの缶を手渡した。

葉山先生はそれを開けながら

「見つかったらクビだな」

と真顔で呟いたわりには、美味《おい》しそうにビールを飲んだ。

「高校生最後の夏っていう気がしますね」

新堂君がそう言って、私や志緒はふっと顔を見合わせた。本当はもう自分たちはこの場所にいないはずの人間だということに気付いた。

「先輩、先輩。反対側の空からも花火が上がりましたよ」

伊織君がはしゃいだ声をあげた。

左と右に遠く分かれた花火が競い合うように重い音を鳴らしていた。

11

平日のデパートはなにを見るにもちょうど良いぐらいの混み具合だった。遊園地やデパートは混みすぎていてもウンザリするが、がらがらに空いていると今度はなんとなく心もとない。

先ほどから黒川は優柔不断ぎみにアクセサリー売り場を何往復もしている。志緒の誕生日プレゼントを、ブレスレットにするべきかピアスにするべきかで迷っているようだった。値段もちょうど手頃なのが見つからず、どれも予算の金額を微妙に上回ったり下回ったりしている。

「やっぱり指輪じゃないかな。もうすぐ黒川も留学しちゃうことだし」

そう言ってガラスケースの中を指さすと、彼は苦笑して

「そういう見え透いたことをするとあいつは絶対に怒るよ」

「そうかなあ。怒りつつも嬉《うれ》しいんじゃないかな」

「いや、あいつは絶対に本気で怒るに違いない」

そんなふうに店頭で軽く揉《も》めていると、奥からきれいに化粧した店員が出て来て

「お誕生日かなにかですか」

と私のほうを見た。

「お客様の肌の色の感じですと、ブルー系の石を使った物がよく映えると思います」

「違います。今、一緒にいるのは友達です。俺にはもっと美人の彼女がいます」

彼は即座に否定し、売り場の店員はそれを聞いて一瞬、絶句していた。

結局、黒川がシンプルなプラチナのブレスレットを買っていたので、私はピアスを贈ることにした。それから私たちはエスカレーターを上がって旅行用品の売り場に移動した。

売り場の一角に並んだ大小のトランクは様々な色の物があった。

「やっぱり鍵の掛かるほうがいいかな」

「俺はべつにそんなに大きくなくてかまわないんだよな。どうせほとんどの荷物は先に送っておくんだし」

「本当に行くんだね」

私が彼のほうを見て呟くと、黒川はきょとんとした顔をした。

「いや、黒川が志緒を残して留学するなんて、まだ、いまいち実感が湧かなくて」

「べつに残していくわけじゃないだろう。もっとも俺はできればトランクに詰めて一緒に連れていきたいけどさ」

「私は嫌よ、クロちゃんがトランクに入ればいいじゃない」

「おまえ、志緒のマネが上手《うま》いな。さすが友達だ」

彼が驚いたようにこちらを見たので、私は笑った。

「志緒は今日はなにをしてるんだろうね」

「大学で特別講義があるって言ってた。あいつのところは夏休みでも特別に授業があったり講習があったりで、忙しいみたいだから」

黒やグレーのトランクに挟まれて、少し光沢のある真っ白のトランクが視界に飛び込んできた。

「そういえば小野君は試験、大丈夫そうだった？」

途端に黒川はいつもの調子で

「当たり前だろう。おまえにふられたぐらいで、あいつが単位を落としたりするかよ。あんまりうぬぼれるなよ」

などと言われ、ハイ、と私は小さくなって返事をした。

結局、それは汚れやすいという黒川の言葉を聞こえないふりして白いトランクを買った。私はそこまで頻繁にトランクを使う機会もないので大丈夫だろう。

デパートの中のカフェでお茶を飲んだ。冷房が強くて少し肌寒いが、外へ出ればまた暑くなるだろうと思って我慢していた。

「だけど二人が一緒にいるところをしばらく見られないっていうのは淋《さび》しいよ」

私が言うと、黒川は飲んでいたアイスティーのコップを置いて、濡《ぬ》れた指先をおしぼりで拭《ぬぐ》いながら

「高校のときから決めてたことだし、志緒はああいう性格だから絶対に、行くな、とは言わなかったんだ。俺たち、学校が一緒だったときから本当に今まで毎日のように会ってた

んだよ。それがここ数ヵ月ぐらい前から、向こうのほうが忙しいことを理由に、会う間隔を少しずつ空け始めてさ。俺はてっきり怒ってるのかと思って本人に訊《き》いたら『そうじゃなくてクロちゃんがいないことに慣れようと思って。いきなり離れたら絶対にがっくり来るのが分かってるから。今のうちに少しずつ慣れないといけない』て言われて、ちょっと泣きそうになった」

「うん」

「強いことを言いたがるのは、本当はそんなに強くないからだって、ようやく気付いた。それに、今はもう結婚して出て行ってるけど、あいつには年齢の離れたお兄さんがいて、ずっと大事に可愛がられてたしさ。そういう環境に慣れてるから、本当はもっと年上で包容力のあるタイプのほうがあいつにはいいのかも知れない」

私が黙って聞いていると、彼はそこで言葉を切った。

「俺が出発した後、時々、様子を見てやって」

「もちろん」

内心ではまだ二人が離れ離れになることに実感が湧いていなかった。それはおそらく志緒も同じか、あるいは私以上ではないだろうか。

自分が志緒の立場だったらどんな気持ちだろう、考えてみたけれどやはり実感は想像力の外側にあって、届きそうで届かなかった。

練習の後に、伊織君が近づいてきて、なにやら茶封筒を手渡してきた。

封筒を開くとそこには現金一万円と、食べ物の種類やTシャツだのトレーナーだのといった品物の名前が書かれた白い紙が入っていた。

「先輩、お土産をよろしくお願いします。普通の洋服屋だと僕のサイズってほとんど置いてないんですよ。向こうだったら体の大きな男ばっかりだから、大きなサイズでかっこいい服があると思って」

「いいけど、たぶん服を買うには現金が足りないよ」

「ハハハ。黒川先輩から、前に工藤先輩がフリーマーケットで五千円の靴を九百円に値切ったって聞きましたよ」

「いくらなんでもそんなに値切れるわけがないでしょう。あれはたしか五千円が二千円になったんだよ」

「それでも半分以下じゃないですか。べつにそこに書かれているものは全部じゃなくてもいいんで、とにかくよろしくお願いします」

そう頼み込まれてしまい、私はできるだけ努力する約束をした。

ふと顔を上げると、小野君が窓を開けながら、私たちのほうを振り返った。教室の片側いっぱいに差し込んだ夕日がまぶしかった。蟬しぐれが押し寄せてくる。小野君はじっと黙ったまま、子供のときの写真を見るような目でこちらを見ていた。

私が黙り込んでいると、帰る支度を終えた新堂君がさっと立ち上がって

「工藤先輩、お土産を楽しみにしていますね」

あいかわらず淡々とした口ぶりで臆面《おくめん》なく催促した。真っ青なTシャツを着てインディゴブルーのジーンズを穿《は》いている。心なしか少し背が伸びたようだった。すっと高い鼻の頭にびっしょりと汗をかいていた。

「分かったよ。ちゃんとみんなに買ってくるから」

そう告げてから帰ろうとすると
「工藤さん」

今日は人気者だなあ、と苦笑しながら振り返ると、小野君がこちらを見ていて、はっと真顔に戻った。私はなんだかひさしぶりに彼から名前を呼ばれたような気がした。

「なに？」

「渡したいものがあるから、ちょっと待っていて」


教室の外へ出ると、彼はカバンから一冊の本を出してきた。

「飛行機の中で良かったら読んで」

私はお礼を言ってその本を受け取った。それから少し、ここしばらくの近況をお互いに報告した。

「こうやってゆっくり話すのはなんだかひさしぶりだね」

小野君は廊下の壁に軽く寄りかかりながら静かに言った。

「工藤さん、大学の試験はどうだった？」

「あんまり自信のない筆記試験が二つぐらいあったかかな。あとは取れたと思う。小野君はどうだった？」

「俺はまあまあだったかかな。一つだけ出席率の悪い授業があったから、友達にノートのコピーを頼んで、その代わりにそいつの家のカナリヤを三日間ぐらいあずかって世話をしていた」

「なんだか楽しそうな交換だね」

そう言って私は笑った。

彼も少しだけ笑ったが、なぜか音飛びしたCDのように急に声が途切れた。

「工藤さんは、葉山先生のことが好きなんだろう」

いきなりそう指摘され、驚いて彼のほうを見た。

「誰かがそう言ってたの」

「いや、違う。だって工藤さん、いつも、ずっとあの先生のほうばかり見てたよ」

私はなにを言えばいいのか分からなかった。小野君は人差し指で軽く自分の下唇を擦《こす》った。

「俺と話してるときも、山田さんや黒川と話してるときも、葉山先生が入ってくると工藤さん、かならずそちらを振り返るんだ。これは嫌っているのか、あるいはものすごく好きなのか、絶対にそのどちらかだと思った。だけど話しているときは普通だし、あの先生も良い人だったから。それで、ああ後者か、て思って」

ふいになにもかも話してしまいたい気持ちになった。誰にも相談できずに溜《た》め込んでいることに疲れ始めていた。だけど葉山先生の「信頼」という言葉が私を押し止《とど》めた。

「俺が部屋であんなことを言ったときに、はっきり教えてくれれば良かったのに」

だけど、と私は言った。

「葉山先生はもうずっと前から私の気持ちを知っていて、それには応《こた》えられない、とも言われているから」

それだけ答えると小野君は、そっか、と小さく相槌《あいづち》を打った。

「お互いに不毛なんだな」

困って沈黙していると、漂う気まずさを散らすように彼は手を横に振って笑った。

「そんな顔をしないで、本当にもう気にしなくていいから」

「うん」

「ドイツ旅行、楽しんできて」

「ありがとう。小野君にもお土産を買ってくるね」

私は彼に別れを告げ、その足で社会科準備室へ向かった。

そして窓際の椅子に腰掛けてコーヒーを飲んでいた横顔に声をかけた。

「お疲れさま」

良い旅を、とコーヒーの湯気ごしに彼は笑った。

「お土産はなにがいいですか」

「向こうでの話を聞かせてくれれば十分だよ。楽しみにしてる」

そう答えてから彼は軽くうつむき、湯気で曇ったメガネを外して机の上に置いた。

「葉山先生がメガネを外すと、なんだか顔の雰囲気が変わりますね」

私は言った。

「そうかな」

「うん。ほんの少しだけ、柔らかい印象になる」

「お土産は本当になんでもいいよ。君のセンスに任せる」

「どうして今あえて二回も言ったんですか。さては、本当は期待していますね」

私がからかうと、彼はこちらに向き直りながら笑った。

「いらないと言っても君は気を遣って買ってきてくれるだろうから」

そのとき、私は唐突に泣いてしまいたい衝動に駆られた。大きな声で泣いてしまいたかった。

行ってきます、と手を振ってから、私は準備室を出た。


旅立つ朝、まだ朝もやの立ち込める中を出発した。

行きの成田エクスプレスの中で眠っているうちに到着した空港のロビーは、巨大なガラスから差し込む日差しで透明な光に満ち溢《あふ》れていた。

トランクを押しながら、慣れない空港内を歩き回ってなんとか搭乗手続きを済ませた。空港の広さに目が回りそうだった。空港内のアナウンスは人の喋《しゃべ》り声にかき消されてやけに遠く聞こえる。

ベンチに腰掛け、空港内の売店で買った鮭とタラコのおにぎりを食べた。しばらく食べられないと思うせいか、塩気の強いごはんがやけに美味《おい》しく感じられた。冷たいお茶を飲み干し、高鳴る鼓動を抱きながら、私は一人で出国時間が近づいてくるのを待っていた。

12

空港は緑が濃く、かすかに冷たい風が吹いていた。おそろしく窮屈だった席に何時間も押し込められていたので体中が痛く、両手を空に向かって伸ばしながら息を吐いた。一日前までべたべたとうっとうしい湿気に悩まされていたが、こちらの空気はとても乾燥している。

空港のゲートを出ると、入国者を待つ大勢の人の群れの中に母を見つけた。黒いTシャツの上にグレーのガウンに似た形のニットを羽織っている。下はごくふつうの黒いパンツ姿だった。それでも胸元に付けたネックレスやベルトがどことなく現地の雰囲気に馴染《なじ》んでいて、一方で一つにまとめた白髪混じりの黒髪はすっきりとした日本的な顔立ちを引き立てていた。派手な容姿や大柄な現地の人々の中で見る小柄な母の姿は逆にとても目立っていた。

「やあね、疲れた顔をして。まあ仕方ないけどね。せめて飛行時間が半分に減ったらどんなに楽だろうって私も思ったわよ」

「お母さんは片道だけだったから良いけど、私なんか帰りもあるんだよ。ずうっと座っていてろくにトイレも行けなかったんだから。腰なんか叩《たた》いたら音をたてて砕けそうだよ」

文句を言いながらも、ひさしぶりに母に会って気持ちが和むのを感じた。好きな人がいても友人がいても、やはり長いこと一緒に暮らした家族とだけ共有できる安心感があるのだなあ、と今まではとくに意識していなかったことを実感として得た。

空港の外に駐《と》めてあった車はこちらに来てから買ったというフォルクスワーゲンで、つやつやとした銀色の車体を見て私がうらやましがっていたら
「もともとドイツでは国民車という意味なんですってね」

そう考えるとちょっと恰好《かっこう》悪いけどね、と冗談ぽく付け加えた。

高速道路を降りると広い道と石造りの建物が見えてきた。町中の看板は当たり前だけどまったく見知らぬ言葉で表記されていて、まさに異国に来たという気になる。時間の上ではもう夜だというのに空が明るく、通り過ぎた教会の屋根の上にちぎれた雲がいくつも浮かんでいた。

「日が暮れるのが遅くて、まるで白夜みたいなの」

私は相槌を打った。すぐとなりにハンドルを握る母がいる。それだけで張り詰めていた

ものがほどけて一気に緩んだ気がした。

両親の住むアパートに到着すると、古い門をくぐって敷地の中に入った。白いテーブルセットが置かれて花の咲き乱れた中庭を通って建物への入り口に向かう。

長い石の階段を延々と上がって、膝《ひざ》から下の足が痛くなってきたときにようやく部屋に着いた。最上階の七階だった。扉を開けると、すぐに長い廊下が伸びていた。

台所とリビングを抜け、奥の広い部屋に通された私は驚いた。

「すごい、こんなに広いのに煉瓦《れんが》造りの暖炉まである」

「あんたはこういう部屋、好きだと思ったのよね。子供の頃も外国の絵本に出て来る子供部屋とか、いつもうらやましいって言ってたから」

母は自分が設計でもしたかのように得意げな笑顔で答えた。床には白くて柔らかい毛のラグマットが敷かれていて、部屋の中央には木製の古い大きなテーブルセットがあった。

私は部屋の中をあらためて見回した。大きな真っ白の壁には色とりどりのはぎれでパッチワークされた布が飾ってあった。小さい野ばらが不規則に散らばった柄だったり、白いレースや赤やオレンジのチェック柄、日本で目にする布とはどれも微妙に発色が異なり、それだけで壁がキャンバスのように見える。それでもうるさい感じにならないのは天井がとても高いせいだろうか。

正面には小さな白い出窓が二つあって、そこから町の景色が見渡せた。

ひとまず寝室に荷物を置いてソファーに落ち着いた。

「はい、お茶」

母の言葉で思い出して、手持ちのバッグから十袋ほどの日本茶を出して渡すと、母は大きな声をあげて喜んだ。

「ありがとう。どこの国も同じで、輸入物は高いのよね」

「そういえばお父さんは元気にしてる?」

「もちろん、今日はちょっと仕事の人と約束があるから遅くなるって。二人で好きにしていてくれって言ってたわよ」

ふうんと相槌を打ちながら出窓のほうに目をやる。七時過ぎだというのに窓の外はまだ明るくて、ようやく夕暮れが遠くの空からやってくる気配を見せ始めた程度だった。

せっかくだから今日は外へ食事に行こうと母が言った。

母は大きな公園の中のレストランへ連れて行ってくれた。どの樹木も真下からではてっぺんが見えないほど大きく育っている。公園の真ん中には池があり、睡蓮《すいれん》の花が咲いていた。

レストランは外にもテーブルが置かれ、店内ではなく外にばかり客が溢れていた。私たちも外の席を選んで座った。

冷たいビールを飲みながら焼いたソーセージやパンを食べていると、ようやく落ち着ける場所に来たという気がした。風が頬に吹いていても、乾燥しているので、肌の上を軽く滑るだけで擦り抜けてしまう。

母は父に対するいくつかの愚痴を言いつつも、にこにこと楽しそうで、私が一本目を飲んでいる間に二本目のビールを追加した。飲みやすいとすすめられたビールは口当たりがかすかに甘かった。

「なにか日本で変わったことはあった？」

「いや、とくには。演劇部の練習が忙しかったぐらいかな」

「付き合ってる男の子とかは、あいかわらずいないの」

「そういう相手はとくにいない」

「なんだ、泉ってあんまりモテないのね」

そうだねえ、と私はビール瓶に口を付けながら答えた。

「だけど楽しそうにやってるみたいで良かった。そういえばあんたの手紙って、部活のことになるとあいかわらずあの先生の名前が多いわね。この前、数えてみたら五枚の中に九回も登場してたわよ。あんたの一人称よりも多いんじゃないかって思っちゃった」

恥ずかしくなって、そんなことはないと憮然《ぶぜん》としたふりをした。母は高い声で笑った。

「まあ、べつにいいけど。お世話になってるみたいだしね」

「そういう話以外でなにか聞きたいことはないの？　大学の成績のこととか」

「べつにいいわよ。どうせそこそこでしょう。あんたもお父さんに似て、もう少し飛び抜けて勉強ができれば良かったのにねえ」

などと言われて本当に憮然としてしまった。

もっと起きていられるかと思ったのに、帰ってからお風呂《ふろ》に入ったらすぐに眠くなってしまった。使っていない部屋に簡易ベッドを入れてもらい、そこで落ち着いてから私は自分のカバンを開けて中身を確かめた。着替えや手持ちのユーロ、歯ブラシ、文庫本、ガイドブック、革の日記帳。

そのうちに急激な眠気がおそってきた頃、外から父の帰ってきた物音がして、だけどベッドから起き上がることができずに私は目を閉じた。

翌日、目覚めるとパン屋に行ってほしいと頼まれた。買い方が不安だと漏らすと、ガラスケースに向かって指させば大丈夫とアバウトなことを言われて家から送り出された。

階段を下りると、中庭は朝露に濡《ぬ》れてシンと静まり返っていた。そこから空を見上げると、まだ白っぽい光の中を雲が移動していくのが見えた。

私は朝もやに包まれて霞《かす》んだ町を歩いた。石畳の道はスニーカー越しにも硬い感触が伝わってくる。パン屋に入るとガラスケースの中に、大きなライ麦パンやフランスパンが並んでいた。おどおどと指さしてお金を出すと、それでもなんとか通じた。

パンの入った紙袋を手に来た道を引き返していると、昨夜の公園の横に教会らしき建物が見えた。扉は開いていて、少しだけ覗《のぞ》いてみると、中には二、三人の地元民らしき人々が椅子に座っているだけだった。私は中に入ってみた。

建物の中は古くて薄暗かった。祭壇に向かって並んだ木の椅子もところどころ損傷が見られる。高い窓にあしらわれたステンドグラスは華やかというよりは、とても素朴な造りだった。天井が高くて遠かった。空気がとても冷たく、自分の足音と外から聞こえてくる鳥のさえずりのほかにはなにも聞こえなかった。

少し休んでいこうと思い、私は椅子に腰掛けた。胸に抱いたパンがカサカサと音をたてる。ここで真剣に祈る人もいるのだろう。九月の芝居が成功するように祈ってみた。

それにしても、と私は思った。こんなに遠くに来たはずなのに案外近いのだ。葉山先生のことも、部活のみんなのことも。思い出しているかぎり、目の前に相手がいなくてもつねに気配は寄り添っている。深く息を吐いて、そんなことを思いながらしばらく背もたれに寄りかかった。

教会を出て両親のところへ戻ると、母はパンや野菜を切って、スクランブルエッグを焼いてくれた。バターのふわりとした香りが広いタイル張りの台所に広がると、カゴに入れた果物を置いて紅茶も用意した。

寝室から父が出てきたとき、少しだけお互いに間があってから、私たちは朝のあいさつを交わした。

「時差ボケは大丈夫か」

と口に物を含んだようにこもった声で父が言った。

「うん。思ったよりも全然ひどくない」

「まあ、こっちへ来るときはそんなものだな。問題は帰るときだよ。ヨーロッパから日本私が言うと、彼はバスルームの手前の白い棚からタオルを引き出しながら、軽く笑った。
「自分は帰らないからって、そんなことを言わないでよ」
っていうのがひどいんだ」

食事の後で母は、どこか行きたいところはないのかと尋ねた。観光がメインではないので近くの町を散歩しているだけでもいいと答えたら、年寄りみたいだと笑われた。
「だけどそうね。私も最初のうちは少し有名なところへ行ってみたけど、結局はなんとなくピンと来なかったのよね。有名な場所ほど町の人間も観光客ずれしていて素朴じゃないのよね。この辺りは治安もいいし人も穏やかだし、住み慣れてみると良いわよ。言葉はまだよく分からないけど、お父さんの会社のほうになら日本人の社員もいて、その奥さんたちと喋《しゃべ》ることができるから」

そんな母と軽く散歩に行くことになり、片付けの後で支度をした。夏だというのにうっすらと肌寒く、薄い長袖《ながそで》のシャツの上にニットのパーカを羽織って外へ出た。母は無地の白いセーターの上にトレンチ風のジャケットを着ている。

町を歩いていると住居の大きさにびっくりさせられる。一つの建物の壁に並んだ窓の数も物凄《ものすご》く、なのに日本の巨大な団地のように無機質な感じがしないのは、それぞれの出窓に花やレースや置物などでささやかな飾り付けがなされているせいと、建物自体の明るい色使いのせいだろうか。

だけど母にそう告げると、軽く相槌《あいづち》を打ってから
「だけどこの辺りは旧東ベルリンだったから、もうちょっと前は、それこそ人がいなくなって廃墟《はいきょ》になった建物がたくさんあったみたいだけどね」

「ちょっと開いてる店が少ないね」

どの店のショーウィンドウも明かりが消えて、朝の明るさの中で、そこだけ時間が止まったようにシンとしている。

「まだ早いし、それに休みの時期だから」

「お母さんはこっちに来て、楽しい？」

私の問いかけに母は少し首を傾げて、考えるような表情をつくった。

「日本にいたほうが楽だったんじゃないかと思って。言葉も通じるし、知り合いだって親《しん》戚《せき》だってたくさんいたでしょう。こちらでは基本的にお父さんと二人きりじゃない」

「夫婦っていうのはそういうものよ」

「だけど、淋《さび》しくならないの」

泉、と母はなんだか私を柔らかく諭すような口調で言った。

「そんなことを言ったら近くに知り合いがいても、そばに夫がいても、淋しいときはあるの。逆に人間がいるからこそ淋しいことだってあるでしょう。そんなのはどこに行ったって同じだし、それなら一番好きな男の人のそばがいいわよ。そりゃあ、まだ自分一人ではろくに言葉も通じなくて、ストレスも閉塞《へいそく》感もあるわよ。息が詰まって突発的に日本へ帰

りたくなるわよ。だけどそんな感覚はどこにいたってあるし、特別なことでもなんでもなくて当たり前なのよ」

それなら良かった、と私は言った。

「反対でもなんでもなくて、それだけ心配だったから」

そう言うと母は笑顔になって、ありがとうね、と明るい声で言った。

私たちは町中を走る路面電車に乗り、一日かけて市内を回った。そして夕方になるとアパートに戻った。

七階の扉の前まで来たとき、ふと、その扉の横に下りている梯子《はしご》が目に入った。その上のほうには下から押し上げるタイプのガラス窓がある。

「お母さん。なにこれ」

私が指さすと、母が黒いスカートのポケットから鍵《かぎ》を引っ張り出しながら
「屋上に出られるのよ。ちょっと狭いけどね」

家に戻ると苦そうな真っ黒のコーヒーを飲みながら父がおかえりと言った。

お風呂に入った後で二人が知り合いのホームパーティに呼ばれていると言うので
「私は部屋で本でも読んでるから二人で行ってきなよ」

何度も一緒に行こうと誘ってきた母に言って、二人を送り出した。

寝室におじゃまして両親の本棚を覗くと、日本の部屋に比べてだいぶ量が増えていた。

父の洋書も大量に紛れ込んでいるが、そんな語学力はないので飛ばして、なにか良い本は

ないかと探した。稲垣足穂《いながきたるほ》の文字が目に入ったので手に取った。部屋の隅に置かれたロッキングチェアーの上でしばらく『一千一秒物語』を読んでいた。この物語は子供の頃、児童書のコーナーに置かれていたものを読んだことがある。マネをして自分でも月と星と紳士の出てくるショート・ショートのような話を考えたけれど、結局、三つ目で挫折《ざせつ》した。真っ白な紙に清書して、余白には母が色鉛筆と水彩絵の具で挿絵を描いた。出来上がったものは立派だった。そういえば、あれはいったいどこへ行ってしまったのだろう。

なんとなく考えているうちに本の世界から思考が離れてしまった。そこから意識が途切れ、次に気付いたときには窓の外が暗くなっていた。いつの間にか眠ってしまったようで、首の後ろと背中が少し痛い。

私は椅子を立ち、テーブルの上に残っていた父の煙草とマッチをジーンズの後ろポケットに入れて部屋を出た。

扉の外へ出ると、あいかわらず天井に向かって梯子が伸びていた。梯子はなんだか太い木の枝を折って、そのまま組み立てたようなものだった。おそるおそる手足を掛けてみると、意外にしっかりとしている。上っていき、重たいだろうと予想していたガラス窓は片手ですぐに開いた。

いきなり夜の中に出た。屋上は真っ平らで、フェンスはなく、その代わりに足元には土があり、うっすらと雑草が生えて揺れていた。濃紺に広がった夜空の下にどこまでも町が広がっていた。

遠くのほうにはかすかにうっそうとした緑色の地帯が見える。もしかしたら森があるのかも知れない。透けた月がものすごく低い、ちょうど私と向かい合うぐらいの位置に上がっていた。よその家の窓が見えて、一瞬だけ薄手のナイトウェアーで室内を歩く中年ぐらいの女性の姿が横切った。

私はあいかわらずシャツの上にパーカを羽織った恰好《かっこう》だったが、一段と強い寒さが体に小刻みなふるえをもたらした。腕をさすりながら下に座り込んで、ポケットから煙草を取り出して火をつけて、ゆっくりと煙を吸い込んだ。煙草の先端に灯《とも》った赤い火の先にちょうど白い月があった。二色の光が私の視線上で重なる。煙はなにもない夜空に立ちのぼる。しばらくすると、ごうっと低い音がして、遠くのほうの飛行場から飛行機が飛び立つところが見えた。

時間が経つのはあっという間だな、と煙を深く吐きながら思った。帰ったら練習があってからすぐに舞台で、そうしたら新堂君たちも引退だ。短い場面をどんどんつないでいく手法で撮られた映画のように、目を閉じると葉山先生に触れた一瞬、一瞬が思い起こされて息が詰まりそうになった。そろそろ限界だと思った。いつまでも同じ場所にはいられない。

一本目の煙草を吸い終わると、手足の先が冷たくなっていた。吸い殻を持ってガラス窓を開けた。梯子に足を伸ばして戻ろうとすると、さっきは見えていた月はすでに建物に隠れて消えていた。

帰る前日になって、だいぶ現地の雰囲気に慣れてきたので一人で出掛けることにした。うろうろと地図を見ながら迷わないように気をつけて町中を歩いていると、一角に小さな雑貨屋や洋服屋が集まっている通りがあったので、そこでお土産を選んだ。

男物の洋服屋は日本ではあまり見かけない大きなサイズがかなり揃っていて、できるだけ安い店を探して伊織君にTシャツを三枚ほど買った。その後に立ち寄った雑貨屋では、薄い水色と紫色で水彩画のような蝶の絵が描かれた手鏡を見つけた。同じ絵柄の、木製の小物入れや香水瓶も並んでいたので、それぞれ一つずつ、柚子ちゃんと志緒、それに自分へのお土産にすることにした。

男性陣は好みに合わない雑貨をあげるよりも食べ物のほうがいいだろうと思い、ガイドブックに載っていた有名なチョコレート屋へ行った。店頭のガラスケースには宝石のようなチョコレートがいくつも並んでいて、種類の違うものをいくつか選んだ。

最後に葉山先生のお土産だけが決まらず、町中を歩き回った。休みたいと思ったもののカフェに入ってもメニューが読めないので、いまいち勇気が出ない。結局、パン屋で水とサンドウィッチを買った。

それを手に路地裏のほうへ入って行ったとき、一軒の落ち着いた雰囲気の店を見つけた。通りから見えるガラス窓には薄いレースのカーテンが掛かっているので、なんの店かよく分からない。覗いてみると、少し薄暗い店内には革製品のようなものが棚に並んでいるのが見えた。私はそっと扉を開けた。

そこは文房具屋だった。レジには栗色の長い髪を一つにまとめて清潔な白いシャツを着た、高い鼻と茶色い目をした女性が座っていた。彼女はふっと私の顔を見てから、ハロ、と小声で言い、私も戸惑いつつ笑顔で同じ言葉を返した。

なんだか薄暗いと思ったら店内の明かりは、天井から下がった花の蕾《つぼみ》みたいな形をした白いシェードの中で光る電球だけだった。その明かりに映し出された木の棚には革で出来たシンプルな手帳やノートが並んでいる。落ち着いた焦げ茶色の表紙はまるで古い書物のように見える。レジの横のガラスケースには万年筆が並んでいた。店の女性はなにか書き物をしているようで、自分の手元を見てうつむいたままだ。

その店で、私はようやく葉山先生のお土産を買った。

アパートへ戻り、お風呂《ふろ》上がりにベッドの上に買った物を並べながら、日本にいる彼らのことを思った。

帰ったら、葉山先生ともう一度、話をしてみよう。だれとも恋愛するつもりはないという彼の気持ちはおそらく変わらない。それでも一年前に言いそびれた言葉を今度こそ伝えよう。

そう決めて部屋から出ると、父がソファーで赤ワインを飲みながら本を読んでいたので意味もなく緊張した。

私に気付いた父は組んでいた足を戻しながら
「今日は一人で出掛けてみてどうだった？」

「勉強になったよ。どの店に入っても親切だったし、言葉が分からなくてもなんとかなったから」

「そうか。おまえは語学が嫌いだなんて不真面目な理由で国文科に行きたがったぐらいだから。こっちに来てもどうせつまらないだろうと思ったけど、楽しかったなら良かった」

「お父さんはこの国が好きなんだね」

かすかに嬉《うれ》しそうな顔をした父を見て、私は言った。

「ヨーロッパの中でもいろんな国があって、ドイツの国民性はむしろ日本人に近いって言われてるんだ。だけど日本人よりも伝統や古いものもちゃんと大切にする気持ちが残っている。すばらしいことだろう」

そうだね、と私は頷《うなず》いた。もっと会話が続くかと思ったけれど、父はそこで喋《しゃべ》るのをやめて手元の本に視線を戻した。数秒だけ待ってみたけれど反応がなかったので、目の前を横切ってキッチンへ向かった。

ふと振り返ると、もう父は私と話したことを忘れたように本を読み耽《ふけ》っていた。しっくり来るような来ないような、そういう微妙な感じはどこへ行ってもあいかわらずの父と私の距離なんだな、と納得するような気持ちで思った。血がつながっているからって当然のように分かり合えるわけじゃないし、赤の他人じゃないからまったく無関心なわけでもない。

そんなふうに思いながら落ち着かないほど広いキッチンで沸かしたお湯で、コーヒーを淹《い》れて飲んだ。母はもう眠ってしまったのか、寝室の扉はきっちり閉ざされていて、ただ父の本を捲《めく》る音だけがかすかに響いていた。

帰国する日の朝、仕事がある父を送り出してから、母は一人で空港まで見送りに来てくれた。

お土産だと言って、彼女は山羊《やぎ》のチーズやらお菓子やらが入った袋を私に手渡した。

「ありがとう、お母さん」

楽しかったと告げると、母はすっと右手を出して、私の手を握った。

「本当は泉のほうがなにか話したかったことがあったんじゃなかったの」

にぎやかな空港で静かにそう言った母の声は、まったく異質なもののように響いた。

私は首を横に振った。

「相談したら気が済んじゃうから、私も一人でじっくり考えてみる」

そう言って彼女の手を離した。またいつでもおいで、と言って母は手を振った。私も手を振り返して重いトランクを引きながら別れた。到着したときには広く見えた空港内はあらためて歩いてみると、思っていたよりも狭く、椅子には出発時間を待つ人々が溢《あふ》れていた。

下に直接座り込んでいる人達も多かったので、私もマネして座り込んだ。母のお土産を探っていると、底のほうから小さな聖書をかたどった陶器の小物入れが出て来た。中を開くと、そこには同じように陶器で出来た白い十字架が入っていた。大きさは小指にも満たなかった。私はそれを手持ちの布のバッグのほうに入れた。そして座っていた人が動き出したのを見て、自分も立ち上がった。

13

帰国してからしばらくは時差ボケが抜けずに、夏バテも重なって、晴れた昼に洗濯物を干しているときも夕方ぐらいに近所のスーパーマーケットへ買い物に出掛けているときも、なんとなくぼうっとしてしまう日々が続いていた。

それでも練習までにはなんとか調子を取り戻し、土曜日の昼、部活に行く前に一人で素《そう》麵《めん》をゆでて食べていた。

実家で暮らしていたとき、母の作る素麵にはいつもキュウリや錦糸卵だけではなく、さくらんぼまで載っていた。本当はしょっぱい料理の中に果物が入っているのは苦手なのに父はいつも文句を言わずにそれを食べていた。離れてみると急にその手間が懐かしく感じられる。向こうでひさしぶりに会った母の、以前よりも少し太って首筋やアゴの辺りに見られるようになった脂肪の二重線、ハムやチーズを切り分けていた浅黒い手を思い浮かべ、つかの間、ホームシックのような気持ちになってしまった。体はいつもの調子を取り戻しても、まだ心のほうは向こうから上手《うま》く帰ってきていないみたいだ。

お土産を入れたカバンを持って外へ出ると、日差しが強く、学校へ向かう途中の道で軽いめまいを覚えた。拭《ふ》いても拭いても、汗が途切れない。体中を汗の膜で覆われてしまったような気がして、蟬の鳴き声をひさしぶりに聞いた。なんだか旅行前よりもいっそう数が増えたように感じる。陽炎《かげろう》の向こうに、公園に咲いた向日葵《ひまわり》が見える。どこかの家の窓で鳴っている風鈴だけが、ほんの少し気持ちに潤いを感じさせた。

教室に着くと、ひさしぶり、という明るい声が聞こえてくるはずだった。

けれど半分ほど開かれたドアの向こうには誰もいなくて、日が陰った教室内は淋《さび》しささえ感じられるほど静かだった。私はいそいで志緒に電話をかけた。

「昨日、クロちゃんのところに連絡があって、葉山先生が体調が悪くて来れなくなったの。それに新堂君も休みだし、小野君もできれば行きたいところがあるって言うから、今日の練習はやめることになったんだけど」

それを聞いた私がちょっとショックを受けていると

「ごめん、メールを送ったんだけど届いてなかった？」

自分のミスだと志緒が申し訳なさそうな声を出したので、私は大丈夫だと答えた。

廊下を歩いたところで、もう一度、携帯電話を取り出した。そして葉山先生の携帯電話にかけてみた。何度か鳴らしてみても一向に出る気配がなかったので、今度は自宅に電話をした。しかし、いくら呼び出し音に願ってみたところで彼は電話に出なかった。留守番電話にすら切り替わらない。

体調不良なんて嘘だ、とすぐに私は思った。それから、彼はどこへ行ってしまったのだろうと心配になった。

もっとも葉山先生はもう大人だし、私の心配など杞憂《きゆう》で、もしかしたら急な用事ができて出掛けているだけなのかも知れない。しかし体調不良という嘘が気にかかった。私はスリッパを鳴らして廊下を走り、学校を飛び出した。

そしてしばらく迷った末に、彼の家まで行ってみることにした。

卒業したらたまに手紙でも書くという話をして、住所を教えてもらったことがある。一年以上経ってもその住所を手帳に書き残しておいたのだから、あらためて自分に忘れる気がなかったことを実感しながら手帳を開いた。

電車の中ではちゃんとたどり着けるか不安だったが、意外に駅から分かりやすい道が続いていて、すぐに見つけることができた。煉瓦《れんが》造りの三階建てのマンションは、きちんと植え込みや花壇が管理されているけれど築年数自体はそんなに短くないであろう印象を抱いた。郵便受けにはとくに新聞は溜《た》まっておらず、チラシが数枚ほど押し込まれて下からはみ出しているだけだった。

ドアの前まで来てインターホンを鳴らすと、返事はなかった。居留守を使っている様子もない。途方に暮れてドアの前にしゃがみ込んだ。サンダルを履いた足の裏が痺《しび》れて痛かった。もしかしたら勘違いかも知れない、ただの妄想かも知れない。私がこうしている間もあの人はどこかで笑っているのかも知れないのに、どうしてこんなところにしゃがみ込んでいるのだろう。額から汗が溢れて、何度も拭《ぬぐ》っていると、手がべたべたになった。

ドイツの空気は乾いていたな、そんなことを思い出しながら私はしばらくじっとそこで待ち続けていた。

夕方になると仕方なく家に帰った。入浴後にベランダへ出て、冷たい水を飲みながらぼうっと明るい夜を眺めた。どこかでしきりに犬が鳴いていた。汗が静かにこめかみのあたりを滑り落ちていく。冷静な頭がふいに、捜索めいたことなどしてよけいなお世話ではないかと呟《つぶや》く。だけどその一方でやっぱりそこまで熱に浮かされているわけではない平熱の頭が、捜してみるべきだと唱えていた。呼ばれているような気がした。


翌朝、目覚めるとすぐにテレビをつけた。どうやら日本国内で三十代男性の身元不明死体が発見されたというニュースはとくにないようだった。黙々とニュースを追う自分が不思議だった。たとえば、ある日突然に彼が死んでしまっても、私はきっと驚かない。悲しみとはべつのところで驚いたりはしないだろう。死にたいと言われたことは一度もないのになぜか葉山先生と死のイメージはものすごく近かった。

私は朝食に、トーストにハムとチーズを載せたもの、それに大根とツナのサラダを食べ、牛乳を飲んだ。細長いグラスについでしまったために底のほうに白っぽい液体がかすかに付着していて、スポンジでは洗いづらい。水に浸けて流しに残したまま葉山先生に電話をかけると、やはり出なかった。

彼のよく行く場所をすべて把握しているわけではなかった。だけど、少なくとも長居できそうな場所、彼のマンションの周辺のファミリーレストランや喫茶店などをくまなく捜した。学校も一時間置きに覗《のぞ》いてみた。

夏休みの校内はがらんと静まり返っていて、うろうろと歩き回っていると、ほかの先生とすれ違った。運よく知り合いの先生だったので、葉山先生を知らないかと尋ねてみた。

ここ数日は休みを取っているのか一度も来ていないと教えてもらい、お礼を言って高校を出た。

高校の付近を離れてから地下鉄に乗って茗荷谷《みょうがだに》へ向かった。駅前に出ると、横断歩道を渡った目の前にゆるやかな下り坂が見えた。その坂道に沿って細長い公園が続いている。

公園の中を歩いていくと、まるで混乱させるように前からも後ろからも蟬の鳴き声が響いていた。道の両脇から長く枝を伸ばした樹木が空を埋め尽くして、とても晴れた日だというのに、歩いていてもさほど暑くはなかった。公園を抜けてさらに歩くと植物園の看板が現れた。その上では大きな柳の木が揺れていた。

開いていた門を通ると、すぐ左側に博物館の建物が見えた。私はその建物に向かって歩いていった。自動ドアが開いて、中に入ると、涼しい冷房の風と共に受付に芳名帳が用意されていた。

ノートに手をかけ、緊張した指先でページを捲ってみた。そして葉山先生の名前を見つけた。ただしそれは今日の記帳ではなく、昨日のものだった。自分の予想が当たっていたことへの驚きと、しかし彼はもうここにいないのだという落胆が一緒に込み上げてきて、私はため息をつきながら一番下の余白に自分の名前を書いた。

室内はとても静かだった。二階へ上がると、人体模型や鉱物や剝製《はくせい》が展示されていた。壁や床はきれいに修復されているが、天井を見上げると、とても古い木が組まれているのが分かる。窓に近寄ってみると、広い植物園内を見渡すことができた。真っ青な芝生の向こうには広い池が見える。風が吹くと、芝生が波のように揺れて、一本の影がさあっと遠くに送られていく。博物館特有の静けさと体温のない、それでいて丁寧に飾られた展示物からは使用した人間の濃い気配を感じる、不思議な空間だった。

いつか葉山先生が、古い建築物が好きで、時間があるときには散歩がてら見に行くのだと話していた。ここを訪れたということはまだ余裕がある状態なのだろう。しかし、それならどこへ消えてしまったのか。追いつきかけたつもりでいた気持ちがまた萎《な》えてきて、弱気になり始めた。

博物館を出ると、またうだるような暑さに捕まり、足が重たくなったように感じられた。仕方なく植物園のほうへ入ってみた。あまり背は高くない代わりに広々と枝を伸ばした大きな傘に似た樹木の下で、ベンチに座り込んだ。

人はほとんどいなかった。自然の静けさの中で目を閉じると、濡《ぬ》れた草木の匂いが鼻孔に押し寄せてきた。私は手帳を取り出して、電車の路線図と睨《にら》みあった。たしかに昨日、彼はここに来たのだ。一体ここからどこに動いたのだろう。私は立ち上がって植物園の出口のほうへ歩きだした。なんの当てもなかった。

駅に戻り、また電車で移動して高校の近くに戻った。疲れたので駅前の喫茶店に入った。そして冷たいアイスティーにガムシロップを多めに入れて飲んだ。

ほてった体が強い冷房にさらされていると、今度はぞっとするほど冷えてきて、またまぶしい昼間の中に飛び出して、彼を捜し続けた。

日が暮れ始めると、さすがに足が疲れて歩く速度が落ちた。空腹でもいいはずなのに、胃が重たくてあまり食事をしたいと思えない。駅前の交差点で家に帰る人の波に飛び込んでしまい、少し体がふらついた。見つかると思っているのか、それとも見つけるつもりもないのにこうしているのか、次第に分からなくなってくる。夕日が停車している電車の向こうに沈もうとしている。燃える光は波のように押し寄せて、サンダルから出たつま先を染めていた。

日が暮れて夜が訪れると、少し気温が下がって、歩くのは楽になったものの、今度は不安が押し寄せ始めた。人通りの減った道を何往復もしながら、私はなにをしているのだろうと幾度となく考えた。

高校のほうまで戻り、川沿いの道をたどってみた。道が狭くて、舗装されていない土の上になると足を踏み出すたびに小石の鳴る音がした。暗い川の流れは速くも遅くもなく、一定だ。桜の樹が瑞々《みずみず》しい葉を広げてシンと闇の中に立ち尽くしている。どうしても見つけたいというよりは、帰るタイミングを失っていた。いつかもこうして誰かを探して夜の町を走り回ったような気がした。

夜の十一時を過ぎた頃、もう今日だけで五回も六回も見た駅のほうへ戻ってきたときだった。

疲れた足をふいに止めて、最終バスの終わったターミナルのほうを見ると、月明かりの下、ベンチに一人で腰掛けている姿が目に飛び込んできた。

嬉《うれ》しさよりも脱力感が一気に込み上げて倒れそうになった。ゆっくり近づいていくと、ふと顔を上げた葉山先生が驚いたようにこちらを見た。

「捜しましたよ」

今までの長い時間をその一言に凝縮したような口調になった。彼は無言のまま、じっと私のほうを見ていた。

「やあ」

「やあ、じゃないです」

「よくここが分かったね」

「はい」

「捜したのか」

その喋《しゃべ》り方で、だいぶ酔っていることが分かった。彼は何度か一人で相槌《あいづち》を打ってから

「今夜ぐらいには帰るつもりだったんだよ。いや、一日一回ぐらいは帰ってたんだけど」

彼は黒いポロシャツにクリーム色のコットンパンツを穿《は》いていた。服はそんなに汚れているわけでも皺《しわ》が付いているわけでもないから、本当に着替えに帰ったりはしていたのだろう。カバンは持っていないようだった。メガネ越しでも分かるくらいに目がうつろだった。

「なにがあったんですか」

「いや。なにもないよ」

「嘘をつかないでください」

うん、と彼は子供のような声で返事をした。

「君がいない間に大学時代の友人たちと集まってひさしぶりに飲んだんだ。ほとんどの友人がもう結婚していて、子供の写真を見せられたりね」

「それでそんなにぼろぼろなんですか」

「いや、そのことは単純にうらやましいと思っただけだよ。そうじゃなくて、その後に一人で飲んでいたとき、突然、連絡をもらったんだ」

「連絡って誰から」

「彼女の実家から」

「今でも頻繁に連絡は取っていたんですか」

いや、と彼は感情の読めない目で首を横に振った。

「最後にお義父《とう》さんと電話で話したのはずいぶん前だったから。ずっと、できれば娘には会いに来ることもやめてほしいと言われていた。手紙を送ったけれど、返事が来ることはなかった。

だけどお義父さんのほうから、いま仕事で東京に出て来ているから話したい、と言われて、驚きながらも会いに行ったんだよ」

「それで、どうしたんですか」

「しばらくお互いにじっと黙っていた。だけど向こうのほうから、自分たちも娘の異変に気付くことができなかったのに君だけを一方的に責めて申し訳なかった、と言われたとき、僕は嬉しさよりも先にショックを受けた。執行猶予期間も終えて娘はだいぶ気持ちも落ち着いている、以前みたいによく笑うようにもなった。時々は君の話もする、そんなことを言われた。僕はこの三年間、あの事件のことだけ考えていて、そんなに時間が流れていたことに気付かなかった。だけど確実に時が流れていたことを知った。

会いたいと思ったんだ。僕が顔を見せることでよけいに彼女を傷つけると思ってずっと耐えていたけれど。一方で、今さら会ってどうなるのか、と疑問に思った。僕はまた同じことをくり返すんじゃないだろうか。彼女はもう僕のことなんかすっぱり忘れて、違う場所で生きたほうが幸せかも知れない。それに僕の母は、自分にも悪いところはあったけれど、万が一あなたが彼女とやり直すなら親子の縁を切ると言っている。すべてを無視して、会いに行く意味が、そんな力が僕にはあるのか。正直、自信がないんだよ。どうすればいいのか分からないんだ」

私はぎりぎりまで喉《のど》に出かかった一言を呑《の》み込んだ。

「ごめん。こんな話をして」

私は首を横に振った。

「私になにかできることはありますか。なんでもします」

彼は一瞬だけまぶしそうに目を細めてから
「僕が一緒に死んでくれと言ったら」

「一緒に死にます」

即答すると、彼はなにも言わずに黙った。

ベンチから立ち上がると、ふらつく足で歩きだした。私はそのとなりを並んで歩く形になった。ゆっくりゆっくりと歩いていると、このまま永遠に夜の中を歩き続けるのではないかという気分になった。

三十分近くかけて葉山先生のマンションまで戻った。彼は扉の鍵《かぎ》を開ける間際、迷ったように一瞬だけ私の顔を見た。その表情がやけに深刻なものだったので、理由も分からずに私もなんだか緊張した。結局、彼は扉を開けて私を中に招き入れたが、それでも妙にゆっくりとした動作から、強いためらいが伝わってきた。どこか様子が変だった。

玄関を上がると中は少し散らかっていて、彼は二人掛けのグレーのソファーが置かれたダイニングキッチンに私を通した。それから流しに立って水を汲《く》み、何杯か、急《せ》くように飲み干してからおなかは空いていないかと私に尋ねた。少しだけ空いていると答えると、彼は冷凍庫の扉を開けた。

それから葉山先生は冷凍のラザニアを温めてくれた。口で言ったほど食欲があるわけではなかったが、電子レンジからチーズの香ばしい匂いが漂ってくると、急に胃がからっぽになったような空腹感におそわれた。

ソファーに二人で並んで座り、温かいラザニアをスプーンですくった。スプーンがチーズの中に沈むと立ちのぼる湯気の量が一気に増えて額に汗をかいた。葉山先生は冷房の電源を入れた。

舌をやけどしそうになりながら食べていると、その合間に葉山先生がテレビをつけた。適当にチャンネルを替えた後で、結局、また消してしまった。明かりが落ちて真っ黒になったブラウン管を見た葉山先生が覗《のぞ》き込むような目線でそこに映った自分を見ていたので

「どうかしました？」

私は尋ねた。

「そろそろ髪が伸びたから切らないといけないな、と思って」

「そういえば。普段、美容室にはどれくらいのペースで行くんですか」

「僕はけっこう頻繁に行くほうだな。気分転換もかねて。だけど、しばらく慌ただしくしていたから、切りに行く暇がなくてすっかり放っておいた。そろそろ切らないとまずいな」

「そうですね。まあ、気になるほどじゃないけど、たしかにちょっと前髪なんか長すぎるかも知れないですね」

この話はそこで終わると思っていたら、彼はお皿をローテーブルに置き、ふとこちらを見て
「君、切れないかな」

などと言い出した。私はお皿の中身を突っつきながら困惑して答えた。

「できないことはないですけど。失敗する可能性が高いですよ」

「やってみたことはない？」

やっぱりだいぶ酔っているんだな、と思いながら
「自分の前髪ぐらいなら。あと、もう何年も前に、従兄弟《いとこ》の男の子の髪を切ったことがある程度ですから」

「少し短くなればいいよ。万が一、失敗しても、後で美容室で直してもらうから」

まあいいですけどね。冗談だろうと油断していたら、彼は寝室でポロシャツからくたびれた感じの白いTシャツに着替えてきて、本当に髪切りバサミも持ってきた。薄いTシャツであらわになった広い肩や筋肉質な二の腕の感じがまぶしかった。

その上、新聞紙だのタオルだのまで持ち出してきて、あっけに取られて様子を見ていたら、彼はそれらの道具を両手に抱いて
「それじゃあ、よろしく頼むよ」

そう言われてしまったので、私は戸惑いながらも空になったお皿を置いて立ち上がった。

浴室の洗い場は、人間が二人もいるとそれだけでいっぱいだった。

白いプラスティックの椅子に腰掛けた彼の背後に裸足で立ち、おそるおそる襟足の毛にハサミを入れた。切ってみると、指先に掴《つか》んだ毛の束は一本一本が丈夫で、しっかりとした感触だった。足元に落として、またハサミを入れた。白い浴室に髪が落ちて蛍光灯の明かりに照らされると、真っ黒だと思っていた髪は意外に色素が薄く、かすかに茶色くも見えた。

「私には先生がよく分かりません」

苦笑しながら言うと、彼が一瞬だけ振り返りそうになったので、あわてて耳にそっと手を当てて制した。

「君に分からないと言われると、どうすればいいのか困るな」

かすかに曇った鏡ごしに目が合った。私は自分の手元に視線を戻した。

「困っているのはこっちです、距離を取りたがるのに、妙にこだわらないところもあって」

言いかけてふと手を止めると
「やっぱり切りにくいかな。僕の髪はちょっと毛の流れにクセがあって、完全にまっすぐなわけじゃないから、やりづらいんじゃないかな」

「たしかに、そうですね。だけどなんとかなると思います」

耳のまわりの毛を切るときには少し慎重になった。隠れていた耳が厚い髪の下からすっきりと現れると、それだけで鏡の中の顔の印象が変わった。どうですか、と尋ねたら、裸眼なのでよく見えない、と彼は答えた。

「今の視力はどれぐらいなんですか」

「二カ月前にはかったときは両眼とも〇・三ぐらいだった。メガネを外すとほとんど見えないよ。その物体がなにかはかろうじて分かっても、詳細が掴めない」

「詳細が掴めないって、今の言い方、上手《うま》いですね」

笑いながら言うと、彼もつられたように笑った。だけどその笑いは続かず、すぐに底をついてしまったように途切れた。

だいたい切り終えて、後は前髪だけというところまで来ると、私はちょっと困ってしまった。前髪を切るためには正面に向き合わなくてはならない。背後に立ったまま切るという技術はさすがにない。しばらく全体の長さを整えながらお茶を濁していた。

葉山先生は目を閉じて、なんだか気持ち良さそうに手の力を抜いて膝《ひざ》の上に置いていた。

お互いの呼吸が響くほど、沈黙が続いた。

彼の髪を両手で掻《か》き上げて頭皮に残った短い毛を落とした後
「私、卒業後に一度、道でばったり高橋《たかはし》さんに会ったんです」

葉山先生はふと目を開けた。どうやら居眠りをしていたようだ。

「またなにか言われたの」

いいえ、と首を横に振った。

「向こうは大学の友達と一緒で、どうしてだか、あちらから声をかけてきたんです。わけが分かりませんでした。彼女と一緒にいた女の子が、友達なのか、と私たちの顔を交互に見ながら尋ねてきました。高橋さんはなんでもない顔で、同じクラスだったときはほとんど喋《しゃべ》ったことがないけどね、と答えていました」

「ううん、そうか。自分のしたことは忘れてしまうものなのかな」

「だけど先生、私はそれを聞いて嫌な気持ちになったけど、まったく違うところでは、もうこだわりたくないと思っている自分もいるんです。それに彼女のことがなかったら、私はたぶんあなたとここまで親しくならなかった」

「今ここで髪を切ってもらうこともなかったわけか」

そうですね、と私は笑った。それからゆっくり散らばった毛を踏まないように移動して葉山先生と鏡の間にしゃがみ込んだ。一瞬、きつい眼差《まなざ》しで大きく目を見開いて彼がこちらを見た。顔の近さにどうすればいいか分からず、目を閉じてくれるように頼んだ。

彼は言われた通りに目を閉じた。下唇がかすかに痙攣《けいれん》するように動いてから、すっと閉じた。アルコールの匂いというよりも気配がそこから立ちのぼってくる。私はさきほどよりもさらに慎重に前髪を切っていった。横ではなく縦にハサミを入れて、わざと長さがそろわないようにする。指先がまつげに触れた。はっきりとした眉《まゆ》の形。前髪が短めのほうがきれいな額の形が生きる。頬に触れると、薄い皮膚と脂肪の下に硬い頬骨の感触があった。

はっとしたように葉山先生は目を開けた。

考えるより先に、私は彼に自分の唇を重ねていた。

顔を離すと、葉山先生は無表情のままゆっくりと右手の人差し指をこちらに近づけ、私の唇の端を軽く引っ掻くようにして擦《こす》った。

「そんなことをすると、君にまで切ったばかりの毛が付く」

つま先立ちの足が痺《しび》れてきて倒れないように片手をつきながら言葉を失っていると、彼は軽く自分の頭を振って、ありがとう、と顔を上げた。

「おかげですっきりした。もういいよ、後始末は自分でするから」

「ごめんなさい。だけど私には、もうこんなふうに曖昧《あいまい》な距離を続けていることはできません」

彼は聞こえないふりをした。

「……髪、洗い流さないとだめですね」

私は立ち上がり、シャワーの栓を強くひねった。

葉山先生が驚いたようにこちらを見たとき、彼の顔に向けて熱いシャワーが一気に噴き出した。あわてたように目をつむって顔を伏せた彼はすぐに立ち上がって私の肩を摑んだ。

子供が好きな玩具《おもちゃ》を死守するみたいに、私はシャワーを力いっぱい抱きしめて抵抗した。

胸の中でお湯が暴れて濡《ぬ》れたシャツがずっしりと重たくなっていく。自分の顔にもお湯が飛んできて皮膚の薄いまぶたや頬のあたりがちりちりと痛んだ。腕の内側がやけどのように痺れてきても、葉山先生の手を振り払い続けた。それでも彼が私の両腕を摑んで無理やり引きはがし、シャワーが大きな音をたてて足元に落ちると右足の小指に当たって強い痛みが走った。小さく声をあげると摑まれていた腕の力が緩んだので、手を振りほどいて両腕を高く伸ばし彼の頬を捕まえ半ば自棄《やけ》のような気持ちで唇をまた押し付けると、一瞬だけ迷ったような気配の後に、逆に強く体を抱き寄せられた。

排水口にお湯の流れていく音がして、耳なりのように響いている。吐息と足元を流れるお湯の温度はどちらが高いのだろう。柔らかいだけの唇同士がお互いを押しのけて前歯が何度も音をたてて当たった。

やがて、葉山先生は嚙《か》み付いてきた動物を引きはがすような仕草で私の両肩を押し返した。

無言のままバスルームを出た私たちは、すっかり濡れた体をタオルで簡単に拭《ぬぐ》った。まだ服の表面には切ったばかりの毛が少しずつ残っていた。彼は自分のTシャツとフリース素材の黒いズボンを貸してくれた。

着替えてから脱衣所を出ると、葉山先生の姿がなかった。そっと寝室まで近づいて中を覗《のぞ》き込むと、彼はまだ濡れている髪も気にせずベッドに倒れ込んでいて、ベージュと茶色のストライプ模様のベッドカバーに水滴が飛んでいた。

私は台所でコップを探して水を汲《く》んでから、部屋に入り、コップを彼のほうへ手渡した。彼はゆっくりとその水を飲み干した。その間、私は初めて入った寝室の中をじっくりと見回した。台所から居間にかけて広々としている代わりに、こちらの部屋はそこまで広くなかった。深い茶色の本棚と机、窓際に籐《とう》の大きな椅子が一つ置かれていて、その横には立派なオーディオセットがあった。CDラックにはぎっしりとたくさんのCDが並んでいる。

本棚には演劇関係の雑誌も並んでいる。棚の一番下にしまわれたバックナンバーはだいぶ古そうだ。壁には数枚の写真が無造作に貼《は》られていて、おそらく外国旅行へ出掛けたときのものだろう。そこに写っている風景の中に、今よりも少し若い葉山先生の姿があった。そしてとなりにはゆるいパーマのかかった長い髪をなびかせて、明るく笑っている女の人が並んで写っていた。Tシャツから出た腕が日に焼けている。美人なのに厭味《いやみ》のない笑顔でくったくがないという表現はこういう人のために使うのだろうか。おそらく彼の奥さんだった人だろうとすぐに察しがついた。

その写真に困惑していると、葉山先生がふっと起き上がって私の右手を摑んだ。

「なんだかおかしくないですか」

「おかしいって、なにが」

酔っているのにどこか冷めたような気配を感じた。

「おかしいって、僕の様子が」

「違います。葉山先生、正直に答えてください。この部屋、なんだか女の人の趣味で選んだような物が多くありませんか。そのベッドの上のクッションカバーだって手作りでしょう。それに、あのビデオが並んだ棚」

問い詰めながらも、本当は反論してほしかった。いつものように軽い調子で受け流してくれたら良いと願っていた。

けれど葉山先生は無言だった。

「『ダンサー・イン・ザ・ダーク』はあまり好きじゃなかったって言ってたじゃないですか。それなのに、どうしてわざわざ購入したビデオがあるんですか」

「妻のなんだよ」

「けど、別れたのにどうしてまだ奥さんの物がこんなに」

違うんだ、となにかを観念したような目で彼は呟《つぶや》き、私はぞっとするような嫌な予感にさらされた。

「本当は別れていないんだ」

強く頭を殴られたような気がして、本当につかの間、目の前が真っ白になった。

「どういうこと」

「籍はまだ抜いていない。別れることもやり直すこともできないまま、僕は今ここにいるんだ」

わけが分からなくなって、ただただ呆然《ぼうぜん》としていた。

「何度も、話さなきゃいけないと思った。だけど、どうしても言えなかった」

それでは計算の上で嘘をつかれていたのだ。そんな考えが頭の中をめぐり始めると急速すぎる展開にようやく感情が追いついてきた。

口を開くと呼吸が荒くなっているのを実感し、絞り出すように
「だって、本当のことを話すから秘密にしてほしいって、信頼してるって、君には僕の言葉が正確に伝わっているって言ったじゃないですか」

「言ったよ。だからこそ、君にだけは、話せなかったんだ」

それでは私が今まで信じていたものは一体なんだったのか。

「嘘でしょう」

「そうだ。ぜんぶ嘘だったんだよ」

「今夜、私がここに来なかったら嘘をつき通すつもりだったんですか」

「分からない。だけど今さら正直に話すのは怖かった。隠していたことを話したら最後、今度こそ君は離れていってしまうと思ったんだ」

「ずるいです。そんなのずるいですよ」

「そうだ。僕はずるい人間なんだよ。だから言ったじゃないか、僕は君が思っているほど誠実でも優しいわけでもないって」

「だったら、それこそ今さら私に話してどうしようと言うんですか。はい、事情はよく分かりました。だけどそんなことは気にしません、そんなふうに私が言うと思ったんです

か」

「だって君はさっき、一緒に死んでもいいって言ったじゃないか」

その瞬間、体の底がぼうっと熱くなって、頭の中が真っ暗になった。怒りが込み上げてきて体がぶるぶると震えた。勢いよく目から涙が溢《あふ》れ出した。葉山先生が、ごめん、と気弱な声を出しながら私の頭に手を伸ばしてきたのでその手を強く振り払った。ふざけないでと私は叫んだ。

「私は葉山先生のことが好きで、どうしようもなく好きだったから、少しでも力になりたかった。

嘘をつかれているなんて微塵《みじん》も思わずに、それどころかあなたの苦しみを少しでも共有しているとさえ思っていた。馬鹿みたいじゃないですか。なにも知らずに、分かっているつもりでいたなんて。どうして今さらそんなことを私に教えてしまったんですか。そんな大切なことを隠されていたのに、どうやってこれからあなたの言葉を信じればいいのか分からない」

葉山先生は無言のままじっとその言葉を聞いていた。私は耐え切れなくなって立ち上がった。そしてカバンを摑《つか》んで部屋から出た。とにかく悪い夢のようなこの場から逃げたくて廊下を走った。

マンションの下まで来たとき、急に力が抜けて、また勢いよく涙が流れ出した。私は馬鹿だ、と思った。どうしようもない馬鹿だ、底無しの馬鹿だ、そう思って泣いていたら、階段を駆け下りてくる音がして、振り返る前に後ろから抱きしめられた。振りほどこうとして暴れてもびくともしなかった。途方に暮れて下を向くと、ぼろぼろと涙が真っ暗な足元に落ちた。

「ごめん。今さらこんなことを言っても遅いのは分かってるけど、本当にごめん」

私は黙って首を横に振った。もう言葉を交わすのも嫌だった。

「もう遅いし、電車もないだろう。僕は飲んでるから車で送ることもできない。それでも帰るなら、お金は出すからタクシーを使ってほしい」

必死に説得しようとする口調に、次第に混乱してきた。嘘を嘘として理解しようとするほど、現実に目の前で喋《しゃべ》っている彼が邪魔をする。楽しかった記憶と嫌悪感がごっちゃになって吐きそうになった。

それでもひとしきり泣いてしまうと、ようやく気持ちが落ち着いてきた。私は離してほしいと彼に頼み、その腕から抜け出して、仕方なく部屋に戻った。

部屋の隅に座り込んで力なく壁に寄りかかっていると、僕は台所で寝るよ、と言い残して彼が部屋を出て行こうとした。床から手を伸ばしてその腕を摑むと、彼はその場にしゃがみ込み、今までとは別人のように丁寧に私の髪を撫《な》でた。メガネを外した裸の顔は、なんだか視線の中心をどこに据えればいいのか分からない。短く息を吸い、おやすみなさい、と私は言った。

おやすみ、と彼も呟いてから、明かりを消して部屋を出て行った。

翌日、遮光カーテンの隙間からかすかに漏れる光で目を覚ました。台所へ行ってみると硬そうな床に深い緑色の寝袋を敷いて、その中でじっと身動きもせずに眠っている葉山先生の姿があった。

壁の時計は、十二時を少し過ぎたところだった。そんなに長く眠った気はしなかったのに意外と熟睡したのだな、と思っていると、ふいに足元から声がした。

おはよう、と彼は何度か短いまばたきをしながら言った。

「起きてたんですか」

「うん。目だけ閉じて、うとうとしてた」

私と葉山先生はお互いに表情を強ばらせたまま短い言葉を交わした。それから彼は寝袋から抜け出して台所に立ち、お湯を沸かし始めた。

私たちは言葉少なに朝食を摂った。テレビに映るニュースを見るふりをして会話を避けていると、オリンピックで日本がいくつメダルを取ったと伝えていた。汗や水しぶきの飛び散る画面いっぱいに笑顔が映し出され、歓喜に続く歓喜が聞こえてきた。葉山先生の居間からブラウン管の向こうの世界まではどれほど距離があるのだろう。彼は黙ったままゆっくりとコーヒーを飲んだ。

「普段はそこまで愛国心が強いわけじゃないのに、どうしてオリンピックになると、こんなにみんなが熱狂するんでしょう」

私が呟くと、彼は少しほっとしたような表情を浮かべてから
「国籍が、観客を参加者にしてくれるからじゃないかな」

「こうしてると世界が仲良く見えますね」

「うん。オリンピックが始まるといつも、世界には何一つ問題が起こっていないんじゃないかって錯覚するよ。本当はそんなことはなくて、テロや惨殺が行われてる場所があることを忘れそうになる。ただ、映像の権利自体が高くて、あまりお金のない途上国の中にはオリンピック自体をテレビで放映できない国もあるみたいだね」

そう言った葉山先生はまだ寝起きのせいか、いつもよりもかすかにまぶたが腫《は》れているように見え、それがなんだか子供のようだった。その様子にまだ愛《いと》しさを感じてしまう自分が悲しく、うつむいて顔を見ないようにしていた。

食事を終えてから、葉山先生の淹《い》れた冷たいアイスティーを飲んでいたとき、ふとテレビの横の棚に芝居の台本が置かれているのを見つけた。

指さして、見ていいですか、と了解を取ってから私は棚に近づいた。中だけでなく表紙までだいぶボロボロになっている。それぞれの台詞のところに鉛筆で細かく演出のメモが書き込まれていた。

捲《めく》っていくうちにどきっとした。最後のページの後に白い紙が挟まっていて、部員それぞれの特徴や長所、それに短所も記されていた。私のことも書かれており、なんだか裸を見られているような気分になって、うっすらと手に汗をかいていると

「本当は君が姫の役でもいいと、僕は思ったんだけど」

振り返ると、彼は氷の溶けたコップを片手に持ったまま、私のすぐ背後に立っていた。

「一見、おとなしそうで口数が少ないけれど芯《しん》は強そうなところとか、妙に潔癖な感じとか、正直、君が合っていると思ったんだ」

「だけど、それじゃあ卒業生ばかりがメインの役をやることになりますから。それに柚子ちゃんは上手だと思いますよ。彼女ってすごく美人っていうわけじゃないけど、なんとなく人目を引くというか、華があるでしょう。練習を見ていても、すごく良いですよ」

「まあ、そうだな。彼女が一番、勘が良いし、センスがあるよ。同じように上手《うま》くても、小野君なんかは職人タイプだね」

彼の言葉に相槌《あいづち》を打ってから
「そういえば、私、初めてこの台本を読んだときにちょっと驚いたんです。これって、葉山先生が選んだんですよね？」

そう尋ねると、葉山先生は棚の隅に水滴の付いたコップを無頓着に置きながら
「そうだよ。持っていた演劇雑誌のバックナンバーから選んで黒川に見せて、二人でこの話にしようと決めたんだ」

「だって、この話、家の中で一人孤独だった奥さんが心を病んで、ついには自分は『姫』で、夫は『ジョルジュ』という名の他人だと思い込んでしまう。そういうところから始まってる話じゃないですか」

私はラスト近くのページを開いた。

「『わたくしが……どんなことを不愉快と思うか……どんなことを楽しいと……悲しいと感じるか……ジョルジュ、あなたにわかって？』」

ゆっくり台詞《せりふ》を読み上げた。葉山先生は無言だった。「『あなたにはわかるの？』」

「僕がこの台本を選んだのは、純粋にこの話がおもしろいと感じたからだよ」

彼は淋《さび》しそうな顔で言った。

そして私の手からそっと台本を抜き取って棚に戻すと、急に話題を変えるように
「良かったら、今日は一緒にどこかへ出掛けようか」

私はまだじっと彼のほうを見ながらしばらく迷った後、頷《うなず》いた。

どこか行きたいところはないかと聞かれたので
「そういえば私、茗荷谷に葉山先生を捜しに行ったとき、あのアパートを見つけられなかったんです」

「ああ、同潤会アパートか」

と葉山先生はすぐに返した。

「はい。前に葉山先生の話を聞いてから、一度行ってみたかったんです」

「工藤。残念だけど、茗荷谷にあのアパートはないんだよ。何年か前に取り壊されたんだ」

葉山先生は本当に残念そうに言った。

「そうなんですか。残念ですね」

「だけど、都内に一、二か所ぐらいだったら、まだ残ってるよ。見に行ってみようか」

「はい。行ってみたいです」

「それなら天気もいいし、たしか上野公園が近かったと思うから、そちらにも寄ってみようか」

私は頷いて彼と一緒に立ち上がった。それからまだ少し湿っぽい服に着替えて簡単に支度を済ませ、部屋を出た。


死んでしまおうと思ったのだ。高校三年のとき、毎日、次の朝を迎えるのがうっとうしくておそろしくて、それだけの理由で夜中に眠れなくなり、明け方五時まで悶々《もんもん》とまだ起こってもいない嫌な出来事をくり返し想像して、とうとう夜が明けた頃に近所のコンビニへ缶コーヒーを買いに行った。

コンビニの前でそれを飲んでいたら、ふいに、死んでしまえばいいのだという、ものすごくたしかな意志が湧いてきて、そのときに、まだうっすら霧のかかった町と白っぽい空に溢《あふ》れてきた黄金色の朝日が途方もなく美しかったのを覚えている。こんなにきれいな夜明けを見たのは初めてだと、ぼうっとした頭で感じた。奇妙な幸福感だった。

ほっとため息をつくような安心とは違う。それはなにもない荒野をただ冷たい風だけが抜けていくような、そんな解放感だった。

私は家に戻り、学校へ行く準備をした。そして日記と数冊のノートだけを鞄《かばん》に入れて部屋を出た。いつもの顔で朝食を摂りながら。母の顔を見て、自分がなにかを感じていたか、正直、よく覚えていない。覚えていないということはたぶん、たいしたことを考えたりはしなかったのだろう。

家を出ると、さすがに鼓動が速くなって緊張してきた。改札を通って駅に入り、ホームに着いてからゴミ箱に日記を捨てた。そして高校へ行くための電車に乗った。途中で乗り換えのためにいったんホームへ降りた。

このまま次の電車に乗ったら高校のある駅を素通りして、遠い駅のホームで飛び降りるつもりだった。飛び降りた姿を同級生に見られるのだけは嫌だったのだ。本当にできるのか、という疑問はほとんど浮かんで来なかった。ようやく重苦しい憂鬱《ゆううつ》が晴れて、解放されたというのに、またなにごともなかったかのように逆戻りしてしまうことは考えられなかった。わずかにひるんだ気分を引き締め、じっと、もう楽になることだけ想像して安らかな気持ちになっていた。

だけどそのとき、すぐ横の階段から葉山先生が下りてきた。その駅のホームで会ったことはそれまで一、二度しかなかったので、私はとても動揺した。彼は明るい顔でこちらへやって来ると、おはよう、のあいさつもそこそこに紙袋を取り出して

「先週、貸したビデオなんだけど、完全版のほうを見つけたから、そちらも貸すよ」

私は曖昧《あいまい》に頷いてお礼を言った。そして受け取った紙袋をすぐに鞄にしまった。このま

までは彼と一緒に登校することになる。そうしたら少なくとも今日一日は我慢しなければならない。にわかに気分が真っ暗になって、目の前の線路のほうを見た。朝日に照らされた線路が呼び込むように光って輝いていた。

今、ここで飛び込んでしまおうか。そう思って葉山先生の顔を見た。彼は穏やかな表情で電車が来るほうを見ていた。

この人の前ではそんなことはできない、と思い直した。ホームに電車が滑り込んで来たのを見て私は泣きたくなった。この瞬間を逃したら、私はふたたび本気で死のうとは思わないだろう。そしてまた神経を擦り減らすだけの日常へ戻らなくてはならない。電車の強風で揺れていたスカートの裾《すそ》がゆっくりと落ち着いて、ドアが開いた。行こう、と葉山先生が声をかけた。私は小さく、ハイ、とだけ答えて電車に乗った。

席に並んで座った葉山先生は他愛ない話をしていた。私はほとんど黙って相槌を打っていた。そして、私はこの人が好きなのだと気付いた。

実際は一人だったとしてもやらなかったかも知れない。途中で怖《お》じけづいたかも知れない。だけど妙に実感があった。必死な気持ちで死にたいと願っていたのではなく変な余裕があった。だから、もしかしたら本当に、ぽろっと死んでしまっていた気もする。

とにかくその日、駅で彼に会ってしまったおかげで私はその後の憂鬱な日々をまっとうした。そして今後、もしも彼が私と同じように疲れてなにもかも投げ出そうとしたときには、嫌がらせになってしまっても良いから引き留めよう、それでも逃げられたら犬のように追いかけて引っ張りあげよう、そう、本当に全力でそうしようと、思ったのだ。

山手線のホームに立つとすぐに電車は来た。葉山先生はネイビーのストライプシャツを着てブラックジーンズを穿《は》いていた。普段着はけっこうカジュアルなのだな、と私は思った。

吊《つ》り革に二人で並んで摑《つか》まってから

「私、山手線って苦手なんです」

と私が言うと、彼は、どうして、と聞き返した。

「各駅停車だから、遠くに行くときにはなかなか着かないでしょう。それにいつも混んでるから」

「僕はけっこう電車に乗るのが好きだよ。乗客や、窓の外の景色を見たり。車も便利だから使うけど、実際の足を使うほうが好きなんだ。前に勤めていた高校は自宅からすごく近かったから自転車で通ってたし」

そのとき扉が開いて、数人の乗客に紛れて両手に紙袋を持った老人が入ってきた。

彼がちょうど空いていた席に座ると、両隣の乗客は席を立ってしまった。老人は自分の足元に紙袋を置いた。黒いレインコートのようなものを着て、裾の擦り切れたズボンを穿いていた。顔の表情は白いヒゲと被《かぶ》った茶色い帽子に隠れて見えない。

電車が走りだすと、その老人がなにかぶつぶつ口の中で呟《つぶや》き始めた。さらに彼から離れて座っていた人も、さっと席を立ってしまった。結局、七人掛けの席にはその老人と、本を読んでいる中年のサラリーマンだけになってしまった。私はなにか起こるのではないかと思って見ていたが、その後はとくに変わった様子もなかった。私と葉山先生は顔を見合わせた。同じことを考えているのが分かった。

「座ろうか」

相槌《あいづち》を打つと、私に隅のほうを勧めて、葉山先生はその老人に近いほうに腰掛けた。しばらく私たちはじっと黙って違うほうを見ていた。

「そもそも同潤会アパートってなんですか」

ふと思い出して、どうやら中吊り広告を読んでいたらしい横顔に尋ねると、彼はすぐにこちらを向いて

「関東大震災があったとき、住むところのなくなった人達が大勢いて、そういう人達のために供給されたアパートだよ。数年前まで都内に数か所ほど残っていたけど、今ではほとんど解体されて、今日行くところと、もう一か所ぐらいしかないんじゃなかったかな。青山にあったアパートなんかとくに有名だったけど、君は知らないかな」

「ああ、もしかして原宿駅からまっすぐ歩いた通りに面して建っていた、黒っぽい建物のことですか。中学生のとき、従兄弟《いとこ》が青山のケーキ屋でバイトをしていたからたまに遊びに行ったんですけど、ずっと、このやけに古い建物はなんだろうって思ってたんです」

「そうそう、それ。ほかにも都内にいくつかあって、僕も取り壊される前に見に行ったことがあるけど、今の建物にはない雰囲気があって、そこだけ時間が止まってるみたいだった。あんなに古い建築物が、新しいビルや民家に囲まれて建っている光景は、すごくおもしろかったよ」

「だけど壊されちゃったんですか」

「建てられたのが何十年も前のことだったから、だいぶ老朽化が進んでいただろうしね。だけど長い年月を経て今も残っている物は、それだけで貴重だし価値があると僕は思う」

「楽しみです」

時々、向かい側の席に並んでいる女の子たちが視線をこちらへ投げかけてくる。葉山先生がなにか呟いてるようだったが、うまく聞き取れなかった。

「すみません、ちょっと聞こえづらい」

「隠していて本当にごめん」

彼がとても潜めた小声で、だけどはっきりと呟き、私はにわかに昨夜の衝撃がよみがえってきたように感じて体がぞっとした。

「君は、どうしてもっと僕を責めない」

いまさら、と私は呟いた。

「いまさらなにが言えるのですか」

それだけ告げて黙っていると、彼は、そうだな、と呟いて、後ろの窓枠に軽くもたれて目を閉じた。

私はカバンの中から分厚い本を取り出して読み始めた。『旅の終わりの音楽』という本だった。小野君が旅行前に貸してくれたもので、行き帰りの飛行機の中でずっと読んでいたのにまだラストまでたどり着いていなかった。沈没してしまったタイタニック号の中で演奏をしていた楽団員たちの話だった。タイタニック号の事故は不幸な出来事だけど、人生の最後が音楽で終わるのは悪くないな、と思った。

上野駅が近くなったので、軽く肩に手を触れて揺すった。メガネの奥でゆっくりと目を開いて、彼はすぐに体を起こした。それから窓の外を見て素早く立ち上がった。

ホームに降りた瞬間に向かい風が強く吹いて髪が乱れた。騒々しさが両耳に流れ込んで来る。まぶしさに目を細めると、葉山先生が階段のほうに向かって歩きだしながら

「さっきの老人、童謡を歌ってたみたいだったよ」

と言った。

「葉山先生の知ってる曲でしたか」

「子供の頃に聴いたことがあるような気もするんだけど、ちょっと思い出せない。子供や孫がいるのかな」

駅を出ると、いったんデパートに寄りたいと私は頼んだ。彼は近くの本屋にいると答えた。いそいでデパートの中に入り、適当な店でTシャツを選んだ。青地に白いロゴの入ったTシャツを買い、トイレで着替えた。本屋へ行くと、彼は雑誌コーナーで地図を開いて

いた。

　声をかけると地図を閉じて
「そういう恰好《かっこう》をしていると、年齢よりも若く見えるな」

「ちょっと子供っぽいですか」

「いや、いつも落ち着いた服装が多いから。新鮮で良いよ」

　上野公園は広々としていて、どこを見渡しても緑が濃かった。四方八方で光が揺れていた。訪れた人々があらゆる方向に流れていく。空は真っ青で、時々、聞こえてくる赤ん坊の泣き声さえも明るい。私たちが美術館のほうへ向かって歩いていると、広い道の途中でアイス屋が棒付きのアイスを売っていた。通り過ぎようとする葉山先生の背中をそっと突っ突いて
「買ってもいいですか」

　なんとなく小声で尋ねると、途端に子供をからかうような調子で笑った。

「どうぞ、行ってらっしゃい」

「普段はそんなにアイスなんて食べないんですよ。ただ、晴れてて暑いし、屋外で気持ちの良い日だから」

　そう言うと、さらに笑った後で
「じゃあ僕の分もよろしく。味はなんでもいいよ」

　と財布から五百円玉を出して言った。

アイスは日差しですぐに溶け始めた。ベンチに腰掛けてなめると、シンプルなぶどうの味がした。葉山先生は食べ終わるのが早く、私は残った半分が棒から崩れ落ちそうになってあわてた。

食べ終わると口の中や胃の辺りがひんやりしていた。ふたたび美術館に向かって歩き始めた。


美術館を出ると、まだ外は晴れているものの、遠くの空に厚い雲が広がっているのが見えた。なんとなく不安を感じながら公園の外に出て、近くの喫茶店で休んでいたら、どんどん外の世界は日が陰ってきた。アイスティーを飲み終えてから店を出ると、駅に向かっている途中で雨が降り始めた。近くのコンビニでビニール傘を買い、二人で傘に入った。

葉山先生の左側に立つと、彼の左手に自分の右手が触れた。好きな男の人と歩くときには相手の心臓に近いほうを歩くと良いと、なにかの雑誌に書いてあったことをふいに思い出した。ビニール傘の内側から滑り落ちていく雨粒が見える。水滴というよりは、ぽろぽろとした固体のようだった。

地下鉄の入り口に着いてから、傘を閉じて
「このまま向かうか、それとも少しどこかで休もうか」

「休むと言っても、さっき休んだばかりじゃないですか」

それもそうかと葉山先生は苦笑した。

「雨の中を歩くのはおっくうかと思って」

「じつは嫌いじゃないです」

「じつは僕もなんだ」

そう付け加えて葉山先生は濡《ぬ》れた傘を畳んだ。手のひらが濡れたので、カバンからハンカチを出して渡した。ありがとう、と言って彼は軽く右手を拭《ふ》いた。

地下鉄は空いていた。窓の外は真っ暗で、目をこらしても暗闇しか見えない。じっとうつむいている葉山先生の首筋にはかすかに水滴が付いていた。

すぐに稲荷町《いなりちょう》の駅で降りると、まだ外は雨が降っていた。彼は傘を開いてから腕時計を見た。私も横から覗《のぞ》き込むと四時半だった。あんなに明るかったのに、もう町は霞《かすみ》がかかったように薄暗かった。

本当に駅から歩いてすぐの場所にアパートはあった。アパートというよりはマンションと呼ぶほうが正しいのかも知れない。私たちは低い塀の外に立ったまま、一つの傘の下から古びた建物全体を見上げた。弱い雨の中、濡れたアパートの茶色い壁はとても黒ずんでいて、ずっしりと重たい感じがした。アパートの前には庭が広がっていて、田舎の家にあるような手押しポンプが見えた。その近くにはいくつかの鉢植えが置かれていて、小さな花がぽつぽつと咲いていた。庭に立った樹木がいっぱいに葉をしげらせて、アパートのところどころを覆い隠している。

アパートには明かりの灯《とも》っている窓もあれば、真っ暗な窓もあった。オレンジ色の窓が暗い景色の中にぼうっと浮かび上がって、そこから人の気配が滲《にじ》み出して来る。

「静かですね」

私は呟《つぶや》いた。

「うん」

「人の声がしないからとか、そういうことじゃなくて、この建物自体が静かだ」

「そうだね。だけど無機質な感じはしないだろう」

「はい。窓の明かりがあんなに柔らかく見える。不思議ですね」

傘を持つ葉山先生の手が一瞬だけ私の肩に触れた。

「工藤」

「なんですか?」

いや、と彼は首を横に振った。

「なんでもない」

そう言って黙った。

私たちは淡い闇の中に立ち尽くしたまま、じっとアパートを見上げていた。

しばらくすると、葉山先生がふと私の頬に触れて
「雨のせいか、ちょっと冷えてるな。そろそろ帰ろうか」

と提案した彼の指先も温かいとは言えなかった。

「そうですね」

言われてようやく、まだ八月だとは思えないほど辺りが涼しくなっていることに気付いた。肌に触れる空気がしっとりと冷たかった。

帰りの地下鉄の中で私は彼の肩に寄りかかって眠ってしまった。彼の服からはかすかに雨の匂いがした。短くて浅いけれど、幸福な眠りだった。あるいはこれが最後だと思ったからよけいにそう感じたのかも知れない。

私の家の最寄り駅まで来ると、彼は一緒に電車を降りた。

「家まで送って行ってもいいんだけど」

改札を前にしたときに言われ、大丈夫だと私は答えた。

「葉山先生」

駅を出る人の流れを邪魔しないように、軽く隅のほうへ寄ってから、私は彼のほうを見た。

「昨夜からずっと考えていました」

そう言うと、笑顔だった彼の表情がふっと真顔に戻った。

「うん」

「昨夜のことだけじゃなくて、今までに言われたことをすべてひっくるめてずっと考えていた。もうあなたを追うのはやめようって。本当に最初の頃に戻りたいって」

「最初っていうと、僕が君にいろんなことを話す前ということか」

彼の声はとても静かだった。私は頷《うなず》いた。

「もう、こういうふうに会うのも最後にします」

彼は短い相槌《あいづち》を打ってから
「僕も同じことを考えていたんだ。僕には君を幸せにできないから。今まで、ありがとう。楽しかった」

「私もです」

彼は私の右手を軽く握った。その仕草にはどこか儀礼的な印象があった。それから体温が移る間もなくすっと離した。

私は改札を出た。振り返って手を振ると、彼も軽く手を振って、それからすぐに階段を降りていった。私も駅を出て歩き始めた。高架線の下をくぐろうとすると、頭上から電車の走り込んでくる地響きが聞こえてきた。体の血の気がひいた。もうすでに後悔は頂点に達していた。だめだ、と思い直して歩きだそうとした。どうせほんの少しだけ時間が縮むか伸びるか、その程度の差しかないのだ。だけど次の瞬間には駅に戻るために走り出していた。

券売機で切符を買おうとするとあせりすぎて、よけいにもたついた。電車から降りてきた乗客の流れを押し分けて必死で階段を駆け上がった。ホームに飛び込んだとき、すでに電車は見えないところまで走り去っていった後だった。人のいなくなったホームに葉山先生の姿を探したが、どこにもいるはずはなかった。

足や手の指の先端からゆっくりとちぎれていくように痛みが遠くからやってきて、それはすぐに胸まで届いた。人前で泣くのはひさしぶりだった。嗚咽《おえつ》が連続して漏れて吐きそうになり、下にしゃがみ込んだ。ホームには雨の匂いが立ち込めていた。もうじき月のない夜が訪れようとしている。徐々にまたホームは混み始め、首筋に複数の視線を感じながら、そのままずいぶん長いこと一人で泣いていた。

どうやって帰ったのかはよく覚えていない。気が付くと誰もいない家の明かりを点《つ》けてシャワーを浴び、濡れた髪のまま食卓に向かっていた。目の前のお皿には、自分で温めたレトルトのカレーが湯気をたてていた。こんなときでも空腹になるのだと思うと不思議な気分だった。コップに牛乳をついでから、一人でカレーを口に運んだ。ごはんの温かさが優しかった。パッケージには中辛と書かれたルーは少し甘かったが、残さず食べた。

食後に食器を洗って、冷蔵庫に残っていたビールをほとんど息もつかずに一気に飲み干した。それから部屋に戻ってベッドに入った。

タオルケットを頭まで被《かぶ》ると急に穴蔵《くら》に入ったような安心《しん》感に満たされた。あんなに押し寄せていた悲しさもオブラートに包まれたように、頭の芯まで届かなくなっていた。私は目を閉じた。

目が覚めると明かりが消えて、よく見ると、葉山先生の部屋のベッドだった。半分ほど開いたドアから明かりが漏れていた。起き上がって近付くと、ソファーで彼はテレビを見ていた。

「なんだ、起きてたのか」

彼はそう言うと、おいで、と笑って手招きした。そして自分の膝《ひざ》にかけていた毛布を軽く捲《めく》り上げた。私はとなりに腰掛けた。彼は暖かい毛布を私の膝にも掛けてくれた。肩に寄りかかって二人でテレビを見た。オリンピックの、水泳の男子平泳ぎの決勝戦だった。力強い腕が船のスクリューのように回転してゴールを目指していた。テレビの中から青い光が飛び散ってくる。二人でじっと息をひそめて画面に見入っていた。毛布の中で手が触れたので、軽く握ると、強く握り返してきた。なんだ、と拍子抜けした。

別れたとばかり思っていたけど、彼はこんなに近くにいる。

「私たち、これからも一緒にいられるんですか」

「もちろん、そうだよ」

私は嬉《うれ》しくなって、強く鼻先を彼の腕に押し付けた。目を閉じると顔に温かい体温が伝わってきた。生身の人間がそこにいるという実感があった。

顔を上げると葉山先生は黙ったまま静かに笑っていた。


暗闇の中で目覚めると、そこは自分の部屋だった。ようやく状況を理解すると同時に、なんだこれ、と頭の中で叫んでいた。別れと嘘と裏切られたという気持ちがぐちゃぐちゃに絡み合って責め立てられる。なにを頼りに思ったり、信じればいいのか分からなくなり、高校時代に救われた記憶すら遠ざかっていく。深い混乱が押し寄せてきて手足が震えた。

たまらなくなり、ベッドから飛び起きて、机の一番下の引き出しを開けた。重なったノートやファイルの奥底には小さな薬の箱が二つほど入っていた。二箱とも手にして部屋を出た。台所に立ち、コップに水を汲《く》んだ。

不安、緊張の鎮静がこの薬の効能です、と箱の表書きに記されている。白くて小さい薬をシートから手のひらに出してもたいした量にはならなかった。水と一緒に少しずつ飲み込んで、二箱を空にした。空箱はビニール袋に包んでゴミ箱の奥底に捨てた。そのまま台所の床に座って途方に暮れていると、次第に胃の奥が熱くなってきた。

焼けるような熱さになったとき、強い吐き気が込み上げてきて流しに倒れ込んだ。気持ちが悪いのに上手《うま》く吐けずにうずくまっていると、ベッドのほうで携帯電話が鳴った。

頭の芯がぼんやりしてきたが、ふらふらとした足取りでなんとかベッドまでたどり着くと、葉山先生からだった。もうやめて、と頭よりも体が言っていた。それでも電話に出ると、風に紛れて複数の車のエンジン音が聞こえた。君があれから帰ったのか心配で、と彼が言いかけたのを遮って、もうやめて、頼むから放っておいて、と何度も叫んだ。

こちらの様子がおかしい、とますます心配するような言葉を重ねた彼をどうやって振り切ったのかはよく覚えていないが、全体が鈍ってくるのを感じながら電話を切ってその場で私は気を失った。

気が付くと、床に倒れていた。

頭の中がぼうっとしていて、目よりもずっと奥のほうに霧がかかって、それが視界まで広がっているみたいだった。真っ暗な天井や本棚が影のように見えた。

首だけ動かして時計を見上げると、数時間ほど気を失っていたことが分かった。胃の辺りが燃えるように熱く、おそろしく口の中が乾いていた。少しでも動くと、鋭利な刃物で刺されたような痛みがみぞおちを中心に体中に広がる。それでもなんとかベッドまで戻り、横たわった。背骨の裏まで痛くて、何度も深呼吸した。

ぼうっと暗闇の中で薄目を開けて天井を見上げていると、体の痺《しび》れがはっきりしてきて夜が皮膚の奥まで染み込んでくるようだった。涙が流れてきた。泣くことは苦しいが、泣けないよりは泣いてしまったほうがずっと気持ち良かった。

ゼロに戻ろう、と思った。マイナス1でもプラス1でもなく、ましてや0・1すら残さず、完璧《かんぺき》なゼロに戻ろう。新しく始めるために、葉山先生を忘れる必要がないぐらい思い出さなくなるために。自分をこんなふうに追い込むすべてを手放さなければならないと思いながら、だるさの中で明け方頃、ようやく眠りについた。

翌日の昼、目覚めてからも体調は回復せずに、おかゆすらも口に運ぶと気持ちが悪くなってしまうため、病院へ行って点滴を打ってもらった。胃炎だと判断した内科医は、原因についてはほとんどなにも尋ねなかった。そのことについて問い詰めるには病院のロビーは混み過ぎていた。

そのため、私は診察室の前の廊下で点滴を腕に付けて一人で座っていることができた。

病院の廊下から見える窓の外は日差しが明るくて、汗を拭《ぬぐ》いながら次から次へと病院へ訪れる人達の足音、喋《しゃべ》り声、館内アナウンス、音は光のようだった。軽く目を閉じると、また少し泣きそうになった。

昨日まで一緒にいたのに、今はもうこんなにも遠い。まったく見えなくなってしまった。それでも腕から針を抜かれ、もう大丈夫だと看護師の女性にほほ笑まれると、立ち上がる気力がかすかに戻ってきた。

私はお礼を言ってまだ痛む胃を抱えながら病院を出た。真っ青な空が広がって、急に思い出したように汗が吹き出してきた。今日も蒸し暑い一日になりそうな陽気だ。ぽっかりと空いた体の底が清々《すがすが》しいぐらい淋《さび》しくて途方に暮れる。二人ならなんとかできるのではないかと思っていた、だけど本当は違っていた。

馬鹿馬鹿しくて笑うと、やはり涙が溢《あふ》れた。それでも帰るために私はゆっくりと歩きだした。

14

ひさしぶりに練習へ行くと、まだ誰も来ていなかった。また間違えたのではないかと少し不安な気持ちで準備をしていると、すぐに志緒が明るい顔で入ってきた。

「この前は本当にごめんね」

気にしなくても大丈夫だと私は答えた。

旅行のお土産を渡して旅先での話をしていると、葉山先生はいつもと同じ表情でやって来た。黒川と和やかに話す横顔を一瞬だけ見て、それからもう目で追いかけることはやめた。

葉山先生は片付けが終わるのを見届けると、一人で職員室に戻っていった。故意になのか、それともすでに彼の中では解決してしまったことなのか、私のほうを見ることは一度もなかった。荷物をしまっている途中でカバンの内ポケットを見てお土産を渡し忘れたことに気付いたが、そのままにしておいた。

その後も私は心のどこかで彼がなにか言ってくれることをかすかに期待していた。けれどそういったことは起こらず、葉山先生は自分の生活に一人で戻っていったようだった。私たちの間にたしかにあると思っていたある種の親密さもどこかへ消えてしまった。もっとも表面上はなにも変わらなかった。私が彼を追いさえしなければそれで終わることだったのだろう。

もう自分はまったく関係なくなってしまった、と淋しさに打ちのめされながら思った。

八月後半は練習の日数も増え、本番までの日々はあっという間に過ぎていった。あんなに溢れていた蝉の鳴き声が徐々にボリュームを下げ、空き教室で発声練習をする私たちの声だけが響いていた。

通し稽古《けいこ》の合間、そばにいた小野君が少し軽い調子で
「最近、葉山先生と目を合わせないね。なにかあった？」

いきなりそんなことを訊《き》かれ、私が驚いて
「そんなに露骨だったかな」

と聞き返したら、彼は苦笑して、言った。

「工藤さんは顔に出るからすぐに分かるよ。台詞《せりふ》を嚙《か》んだときとかも、表面的には平然を装うんだけど、内心ではものすごくあせっているだろう。その空気って観客にものすごく伝わりやすいから気をつけたほうがいいよ」

「はい」

私の返事に、小野君はまた笑った。

「それよりも、葉山先生と喧嘩《けんか》でもしたの」

「そんなことはないんだ。ただ、はっきりしただけ」

「どういう意味？」

「ふられたんだ。だからもう、追わないことにしたの。あきらめたんだよ」

「工藤さんはそれでいいの？」

「いいもなにも、それしかないから」

私は笑った。そう言い切るのは、苦しいというよりもむしろ清々しかった。

「そっか。よけいなことを訊いてごめん」

「ううん。こっちこそ、聞いてくれてありがとう」

「工藤さん、この後って少し時間はある？」

夕飯までには帰るつもりだということを告げると、

「近くにバッティングセンターを見つけたんだ。帰りに少し寄っていかない？」

「小野君、野球なんてするの」

「野球はしないけど、たまに行くよ。ちょっと体を動かしたいときとか、ストレスが溜《た》まってるときに」

「私、一度も行ったことないなあ」

「女の子でも、案外、ストレス発散になるかも知れないと思って」

「ストレスが溜まってるように見える？」

「疲れてるみたいだったから。気分転換でもしたほうがいいよ」

膝《ひざ》の上に載せていたタオルが床に落ちた。前かがみになって拾うと、青いタオルの表面には軽く綿ぼこりが付いていた。別れを告げるときのように軽く払って落とした。

「行こうかな」

少し明るい気持ちになって答えると、小野君は、良かった、と笑った。

バッティングセンターは意外に混んでいた。思っていた以上に機械から飛び出すボールの速度が速かったので、怖《お》じけづいて、小野君の打つところを後ろから見ていることにした。緑色のネットの向こうでボールがバットに当たると、思いの外、高い音が響いて、白いボールが強いライトに照らされた夜空に飛び上がった。時々、空振りすると、本来はキャッチャーのいる位置に用意された分厚いマットにボールが当たり、その音はどきっとするほど重かった。

小野君の打ったボールはよく飛んだ。なにをやらせても上手な人だなあ、と私は両手でネットを摑《つか》んで軽く寄りかかり、ぼんやり考えながら見ていた。

最後のボールを打ち終えると、彼はネット越しにこちらを見て

「退屈じゃなかった？」

私は首を横に振った。まわりの音が大きいので、聞き取るために少しだけ顔を寄せた。

「自分でやるよりも、上手《うま》い人がなにかやるのを見ているほうが好きなんだ」

「俺、そんなに上手くないよ」

彼は照れたように笑った。

バッティングセンターの横は小さなゲームコーナーになっていた。そこの隅にあったベンチに座ってジュースを飲んだ。

「それにしてもあっという間だったなあ、この数週間は」

「うん。もうすぐ夏が終わるね」

ゲームコーナーはたいしてお客もいないのに、不自然な機械のじゃらじゃらと騒々しい音がして、声が自然と大きくなる。チラチラと点滅する色とりどりの光、一昔前のアニメ

キャラクターの顔が古い機械のデザイン、よく見ると隅のほうが捲《めく》れた床の赤い絨毯《じゅうたん》。こんなにうるさいのに、どこか淋しいのは時間が止まって取り残されたように感じるからだろうか。

「今年の夏はいろいろあったような気がするな」

「そうだね」

過去形で喋《しゃべ》っていると、妙にしんみりした気分になった。彼もそれを察したのか、すぐに口調を変えて

「ドイツ旅行はどうだった？」

と訊いた。

「パンとビールとソーセージが美味《おい》しかったよ」

ガイドブックそのままだ、と小野君が低い声で笑った。

「町の中心のほうへ遊びに行ったとき、ベルリンの壁の跡が町中に残ってた。と言っても地面に線が引かれてるだけなんだけどね。本当は森とか湖とか、そういうところに行ってみたかったんだけど、けっこう移動が大変そうだったからやめたんだ」

「壁が崩壊する前は西と東でだいぶ雰囲気が違ったらしいね。俺の友達で、子供の頃に旧西ベルリンに住んでたことがある子がいるんだ。父親が向こうの大使館かなにかで働いていて」

小野君が言った。

「その子は外国人だからっていうことで、西と東を自由に行き来してたんだ。だけど、一枚の壁だけでまったく違う国みたいだったことを今でも覚えてるって」

「そうか。壁が崩壊したときなんて、まだ小さかったから、テレビで見た記憶はうっすらあるんだけど、ほとんど覚えてないんだ」

「とくに東は一気にどっと新しい風が吹いてきたんだろうな。そういう感覚って、ずっと日本に住んでる俺にはあんまりよく分からないけど」

「そういえば『アンダーグラウンド』ていう映画があるんだけどね、主人公たちはユーゴスラビアの戦争中に、地下で隠れて武器をつくっていたんだ。だけど仲間に騙《だま》されて、戦争が終わってからもずっと地上ではまだ戦争中だと思って武器をつくり続けてるの。それで、地下で結婚したり子供が産まれたりもするんだけど、一人がとうとう地上に出ちゃうんだ。そうしたら地上にはまったく違う世界が広がっていて、ユーゴスラビアなんて国はもうなくて、町中を疾走する、その場面がすごく印象的だった」

「うん」

「そういう自分の国に対する強い望郷みたいな感覚は薄いけど、それでも帰りたい場所がなくなってしまうことがどれほどつらいかは分かって、だけどそれは失ってからじゃないと意識しないし、気付かないことなのかも知れない」

「なんだっけ、たしかそういう詩ってあったよね。ふるさとは遠くにあって想うものだとか。だめだ、ちゃんと思い出せないな」

私はきょとんとして彼のほうを見た。

「どうしたの」

「小野君って、本を読んだりするの、好きだよね」

「うん。専攻している生物も好きだけど、本を読むのは楽しいよ。なんて表現すればいいのか分からない、曖昧《あいまい》なことをびしっと言い当ててくれる本に出会ったときは感激する」

「……小野君て、けっこうなんでも自分のことを素直に話してくれるよね」

思わず呟《つぶや》くと、小野君は缶のプルリングをカチカチと指で弾《はじ》きながら目を細めた。

「どういう意味？」

「最初に会ったときは、感じが良いわりにあまり隙がないように見えたから少し意外だったんだ」

うーん、と彼は困ったように軽くうなった。

「あんまり悪いところを見せたくないから、最初は表面的にそういう態度を取っちゃうのかも知れない。かっこつけてるだけだって言われたらそれまでだけど。逆にいったん体勢が崩れると、歯止めが利かなくなるところがあるから」

「そうなの？　正直まったく分からなかった。バランス感覚とか、安定感とか、そういうものに優れているように見えてた」

「だから取り繕っている部分が大きいんだと思うよ。俺、今まで女の子のほうから告白されて付き合って、別れるときも女の子から切り出されることがすごく多いんだ。感情の起伏がないわけじゃなくて、むしろ激しいほうだと自分では思うけど、それを外に出さないようにしちゃうんだよ。そういうところが物足りないと思われるんだろうな」

私はジュースを飲む手を止めて小野君の話を聞いていた。

「なんだか、俺のことばかり話してるけど、つまらなくない？」

「ううん。むしろ、ひさしぶりにゆっくり話せて良かった」

「もうすぐ九月だね」

「そうだね」

その後で、小野君がなにか言いかけたような気がした。

「どうしたの」

「芝居の稽古が終わったらもう、こういうふうに会えなくなるのは、つまらない」

そんなこと、と言いかけて黙った。いつか葉山先生が私に告げたことと同じ台詞《せりふ》を私は今、彼に言おうとしていた。会おうと思えばいつでも会える、という言葉にはきっとなんの意味もない。

小野君は駅まで送ってくれた。帰り道でほとんど彼は口を開こうとしなかった。別れ際に、バイバイ、と真顔で言われたとき、ふいに胸が鳴った。小野君の後ろ姿はすっとまっすぐで手足が長かった。券売機にお金を入れて切符を買うと、カラカラと鳴りながらおつりが出てきた。電車がホームに滑り込んできて、片手で小銭を握ったまま急いだ。

15

本番の朝、衣装や小道具を入れた大きめのカバンを手に家を出た。外はよく晴れていて、すぐに汗が流れ出してきてTシャツが背中にべったりと張りつく。小走りぎみに歩いていると湿った前髪が重たげに額で揺れていた。

高校へ着くと、校内から二学期を迎えたばかりの生徒の喋り声が下駄箱のところまで響いてきた。遠くて懐かしい感覚を抱きながら小体育館に向かう。前日に通したリハーサルで注意されたことを思い出していると、小体育館につながる廊下のところで、突然、葉山先生の声が頭上から降ってきた。私は驚いて顔を上げた。

「みなさん、おひさしぶりです。世界史の葉山です」

途端に私の前を歩いていた女子生徒が顔を見合わせてくすくすと笑った。校内放送を通して聞く葉山先生の声はいつもよりも少し高く響く。それにしてもあいかわらずだ、と私はちょっと気恥ずかしくなった。

「本日の午後から小体育館にて、吹奏楽部の定期演奏会と合同で演劇部の発表を行います。劇のタイトルは『お勝手の姫』、出演は三年A組塚本柚子、新堂慶、三年D組金田伊織、そしてあなたたちの先輩である卒業生です。ちなみに演出、舞台監督は僕です。

万が一、そんなことはあるわけがないですが、拍手や笑い、そのほかもろもろの反応がこちらの期待していたものじゃなくても僕が不機嫌になってみなさんの成績を1にしたりはしないので安心して見に来てください」

以上です、楽しそうな口調でそう締めくくって葉山先生の校内放送は終わった。

小体育館に入ると、吹奏楽部の子たちに混ざって黒川と志緒が一緒に椅子を並べる手伝いをしていた。舞台上で窓から差し込む光を受けて金管楽器が濡《ぬ》れたように輝いていた。

荷物を舞台の袖《そで》に置いてから彼女たちのもとへ行くと
「ちょっと泉、さっきの放送、聞いた？」

志緒が私の顔を見るなり言った。

「聞いたよ」

「まったく調子がいいんだから」

二人で言い合いながら舞台の下にしまわれていたパイプ椅子を出していると、ホームルームを終えた柚子ちゃんたちが、小野君と一緒に入ってきた。彼らも混ざって観客を入れる準備が整うと、私たちはいったん体育館の裏にある更衣室で衣装に着替えて来ることにした。吹奏楽部の発表までは、あと三十分もない。

志緒が、探してきた安い古着の着物を着て髪を上げて白っぽくメイクをすると、もともとの顔立ちから受けるきつい印象は残しながらも、凛《りん》とした雰囲気が出た。着たそばから、ああ、暑い、とうっとうしげに足を崩そうとしたので、私と柚子ちゃんで笑いながら止めた。それにしても彼女は痩《や》せているわりにけっこう肩があるので着物が似合うかと心配していたのだが、予想よりも本人の雰囲気に合っている。柚子ちゃんは袖や裾《すそ》に何枚ものレースがあしらわれた薄いピンク色のドレスを着て、髪は私たちが手伝ってゆるく巻いた。私も白いツーピースを着て更衣室を出ると、男子更衣室の前で黒川たちが待っていた。

「そういえば小野君、髪形を変えたわよね？」

志緒がすかさず指摘した。小野君は白いワイシャツにきっちりと黒いネクタイを締め、ぴしっと伸びた黒いズボンを穿《は》いてギャルソンの恰好《かっこう》をしていた。いつもは少し隠れていた額がすっきりと見えている、それに黒かった髪の色もかすかに茶色くなり、前よりも垢《あか》抜《ぬ》けて見えた。

「友達がよく行く美容室でカットモデルを探してるからって、タダだからやってもらったんだ。その代わり全部むこうにおまかせだったから、自分では似合っているかいまいち分からないんだけど」

「俺はけっこう似合ってると思うよ。前よりもすっきりしたし」

背広姿の黒川がそんな感想を漏らした。彼は肩が広いので、父親から借りてきたという焦げ茶色のスーツがよく似合っている。志緒が珍しく誉めたので、すっかり機嫌が良くなっていた。お見合い相手の新堂君も黒っぽいスーツ、伊織君は本当の板前みたいな白い服を着ているが、黒川に無理やり一日だけ黒染めさせられた髪が偽物のようにつやつやと黒光りしているのに笑ってしまった。

「当日も本番前に一度、通しでやりたかったんだけどな」

「仕方ないわよ、新堂君たちだってホームルームがあったし。一応、照明や音の打ち合わせも昨日のうちに終わってるし、大丈夫だから心配しないの」

はい、と黒川は頭を掻《か》いた。

伊織君たちと喋《しゃべ》っていた小野君がふっと私のほうを見て
「工藤さんはそういうスーツが似合うね。雰囲気が落ち着いてるからかな」

にっこり笑ってそう言われたので、私は妙に照れてしまった。

「ありがとう。小野君の髪形も似合うよ」

「ありがとう。だけど俺は」

そこで軽く言葉を切ると、彼は顔を上げて小体育館のほうを見た。

「ムソルグスキーの『展覧会の絵』だ」

ほかの部員たちも一瞬だけ会話をやめた。まだ夏の気配を十分に含んだ熱風に乗って体の奥に響くような堂々とした演奏が聴こえてきた。


本番前の緊張は胃が痛くなるほどなのに、なぜか妙にクセになる。薄暗い舞台袖で自分の出番を待ちながら数分後の光景を想像する。見ている観客の反応、真下からも正面からも照らす照明、そこに映し出される自分。ほかのみんなもそうなのだろう、一人一人が今いる場所とは違う世界を、だけどかぎりなく同じイメージを共有しているのが分かって、きっとそれを一体感と呼ぶのだろう。

私の出番が近くなったとき、反対の袖のほうにいた葉山先生が、がんばれ、というふうに口を動かした。がんばります、と返した口の動きは正確に伝わっていたのかどうか分からないけれど、新堂君の台詞が終わったのを見計らって、私は舞台に飛び出した。

舞台の後で椅子を片付けていると、葉山先生が一人一人に感想を伝えてまわっていた。私のところにも彼が来た。

こちらがお礼を言うと、驚いたように笑って

「忙しい大学生活の合間にありがとう。楽しかったよ。新堂たちにも、卒業前に充実した部の活動をさせてあげることができて良かった」

私は頷《うなず》いた。葉山先生は真顔ですっと右手を出した。私がその手と彼の顔を交互に見ながら戸惑っていると、彼のほうから私の右手を取って強く握った。そういえば私が彼に別れを告げたときもこんなふうに握手をした。この人にとってキスよりも抱擁よりも、これが別れのあいさつの象徴なのかも知れない。

彼が離れた後もしばらく放心していた。黒川が打ち上げをやろうと声をかけていた。私のところへ来たとき、首を横に振った。トイレ、と行って私は小体育館を離れた。建物の裏のトイレまで走ると、もういいだろうか、もういいだろうか、と胸の中で呟《つぶや》いた。

トイレの壁には黒いマジックで書いたラクガキが溢《あふ》れていた。好きとか死ねとか愛してるとか、そういう言葉ばかりだった。こういうのはきっと十年後も百年後も永久不変なの

だ。熱い頬に吹く風が涼しくて気持ち良く涙が流れた。地面に自分の影が落ちて、一瞬だけ濡れて濃くなった土もその影に覆われてすぐに見えなくなった。嗚咽《おえつ》も風の音に紛れてすぐにかき消された。

顔を洗ってまぶたの熱《ほて》りが収まってから小体育館に戻ったとき、小野君が私の荷物を手に待っていた。

「黒川たちは？」

「近所のファミリーレストランへ打ち上げに行くって。俺はこれから実家のほうに戻るから。工藤さんも打ち上げには出ないって聞いたから、途中まで一緒に帰ろうと思って」

私は小野君から荷物を受け取り、小体育館の前を離れた。

道を歩きながら今までの話をしていた。どうしても会話が過去形になってしまう。まだ日差しは強いのに、私たちの間には夕暮れに似たしっとりとした淋《さび》しさが漂っている。

電車に乗ると、私たちは空いた座席に並んで座った。

「四ヵ月ぐらいの間に色々あったな。大学のことよりも、練習のことのほうがよく覚えてるよ」

「私も。もうすぐ前期の成績が届くけど、不安だな。語学の成績が悪そうで」

「黒川に教えてもらえば良かったね」

私が露骨に嫌な顔をすると小野君は笑った。

「練習以外で黒川のスパルタなんて受けたくないな。だけど、黒川ももうすぐ出発しちゃうから、送別会でもしたいね」

「そうだな」

会話する声の調子はお互いにどこか、かさかさしている。明日からどうすればいいのか分からなかった。そんなに練習だけで予定が詰まっていたわけではないのに、突然、白紙の中にほうり出されたみたいで、やりたいことがなに一つ思い浮かばない。

降りる駅が近づいてきたとき、立ち上がろうとしたら
「工藤さん」

急に呼びかけられた。ドアのほうを意識しながら彼を見た。

「なに?」

「このまま俺と長野に行きませんか」

え、と驚いている間に電車が着いてしまった。ドアと彼のほうを交互に見て迷っているうちに電車は駅を出てしまった。

ふたたび揺れ始めた車内に足がふらついて、軽く手すりに摑《つか》まってから
「今から、このまま?」

「タオルや部屋着ぐらいなら貸せるし、もし足りない物があったら駅で買えばいい。だから、五月のときみたいに遊びに来なよ。べつに意味なんて持たなくてもいいから」

さすがにまったく意味を持たないわけにはいかないのではないかと思ったものの、小野君の声がとても真剣だったので、返事に詰まった。その間も電車の揺れで転びそうになる

自分がちょっとマヌケだった。冷静な気持ちとパニックが同時に頭の中で起こっていて変な感じだった。こちらを見上げる小野君は両足の間で軽く手のひらを組んでいて、服装はジーンズにTシャツという普段着に戻っているのに髪形のせいだろうか、やはりいつもとはどこか印象が違って見えた。私のカバンには財布と携帯電話と手帳、それに化粧ポーチと衣装のスーツが入っているだけだ。

煮え切らない私をせかすわけでもなく、だけど言い訳をする隙も与えない表情でじっと黙り込んだまま、小野君は待っている。

新宿で買ったユニクロと百円ショップの袋を持ってバスに乗ると、大荷物の私たちを後から乗り込んでくる乗客が数秒間だけ見た。座席の真上からは強い冷房が吹き出してきて、腕をさすっていると、小野君が自分の背広を脱いで貸してくれた。

「着くまで寝てればいいよ。着いたら起こすから」

お礼を言って座席に深く身を沈めた。

「そういえば、稽古《けいこ》の休憩中に山田さんと話していたとき、誰かに頼み事を聞いてもらいたかったら、実際のお願いよりも無理なことを先に頼むと効果的だって教えてもらったことがある。いったん相手が、先に言われた無理な頼み事を断ると一度断った罪悪感から、次のお願いは引き受けないといけないっていう気持ちが生まれる。心理学で実際にそういうテクニックがあるんだって」

私はまじまじと小野君の顔を眺めた。彼は落ち着いた表情でこちらを見返した。

「どうしたの」

「もしかして小野君、本当に私がついてくるとは思っていなかった?」

まあね、と彼は笑いながら呟いた。

「本当はまた一緒にどこかへ出掛ける約束をする程度で良かったんだ。だけど一生に一度ぐらい思い切ってみるものだね」

私はすっかり脱力して座席の背もたれに頭をあずけた。軽く目を閉じてから、どうしてついて来ると言ったのか、自分に問いかけてみた。たしかに私は一人きりの部屋に帰りたくなかった。私はずるいのだろうか、ふいにそんな考えが浮かんだ。小野君に甘えているのはたしかだ。

だけど、さっきの彼の真剣な顔。あんなふうに言っているけど、やっぱり本当は小野君はべつの誘いなんて用意していなかったのかも知れない。そして、私もどこか遠くへ行きたかった。新しい流れを探して、少しでもその気配を感じたら飲み込まれたかったのだと気付いた。


二回目の長野行きバスは少し到着が早く感じられた。

松本駅からはまだ電車があったので、タクシーではなく鈍行で小野君の家まで向かった。

窓からは海のような田園風景が見える。もっともろくに街灯の明かりもなく真っ暗なので、地平線の表面で波立つ稲穂の影が映るだけだった。駅は無人だった。山の麓《ふもと》のほうに向かって続いていく線路の真上に丸い月が浮かんでいた。

駅を出るときに足元でなにかが飛び上がり、驚いて目をこらすと、石段の上に大きなバッタが乗っていた。

駅からまっすぐな道を二人で歩いた。長野は東京よりも少し涼しい。それにしても、窮屈な靴に包まれたつま先がむくんで痛かった。一軒だけあったスーパーマーケットには大きなシャッターが降りていた。

電話で連絡を受けていた小野君の両親は前回と同じように私を迎えてくれた。その自然さや、荷物を置いて着替えた後ですぐに食卓に出してもらった夕食にちょっと心が痛んだ。

付き合ってるって、と小野君は新宿駅でバスに乗る直前に言った。

「そう言っちゃったんだ。ごめん。工藤さんには悪いと思ったけど、そのほうがよけいなことを聞かれないだろうし、説明もスムーズだったんだ。だけど本当にそういうことは気にしなくていいから」

自分と付き合っているという嘘がとても失礼なことのように彼が言ったので

「ううん。むしろよけいな嘘をつかせて、私のほうこそ、ごめん」

「俺と工藤さんが顔を合わせると、なんだか謝ってばかりだな」

と小野君は苦笑した。

以前は志緒と一緒に使った二階の部屋は、一人だと開放的すぎるほど広く感じられた。

なんとなく隅のほうで買ったばかりの荷物を取り出していると、小野君のお母さんが寝間着を運んできてくれた。

「私ので良かったら使って。こんなTシャツとズボンしかなくて、若い子には恥ずかしいかも知れないけど、我慢してね。まあ、夜中に出歩くような場所でもないし、出歩いても東京と違ってほとんど人に会ったりしないから」

白いTシャツには大きくバックス・バニーがプリントされていた。子供の頃に好きだったそのアメリカのアニメキャラクターを見たのはひさしぶりで、妙に懐かしい気持ちになった。それからウエストのところにゴムが入った黒いズボン。私はすっかり恐縮してお礼を言った。

「事前にちゃんとした連絡もなしに、突然、押しかけて本当にすみません」

「いいのよ、あなたは気にしないで。たぶん玲二が急に誘ったんでしょう。玲二って子供のときからそういうところがあるから」

「そういうところ」

「そう、家で一人で本を読んでばかりいるから、友達がいないんじゃないかって心配してたら、突然、近くのお墓で肝試しをやるってクラスの子を十人ぐらい連れてきたり。普段は、べつにそこまで好きじゃないよー、なんて顔をしてるくせに、夜中に呼び出されて女の子に会いに飛び出したり。一人でいるのも好きだけど、けっこう人恋しいところもあって、時々そういう突発的なことをするのよね。あの子のそういう気まぐれに疲れたら、遠慮なくびしっと本人に言ったほうがいいわよ」

　小野君のお母さんの喋《しゃべ》り方は以前、遊びに来たときとは微妙に違う。私と彼女の距離は変わっていなくても、息子の恋人だということで好意的な親密さが生まれている。これが付き合うということなんだ、と自分たちの嘘を棚に上げて感慨深く思った。なんだかしばらく忘れていた感じだったからだ。

　お風呂《ふろ》に入った後、一人で本を読んでいると、今度は小野君がアルミの灰皿を手にやって来た。彼は黒いTシャツと膝下《ひざした》までのハーフパンツに着替えていた。煙草を吸ってもいいかと言ったので私は頷《うなず》いた。

「ありがとう。親の前だとうるさくて、落ち着いて吸えないから」

　そう言いながら窓辺のほうへ進んでいった。そこはちょうど屋根がななめに低くなっていて、天井が屋根裏部屋のような形をしている。彼は窓辺の狭い空間に身を屈めて落ち着くと、暗がりの中で煙草を出して火をつけた。小さな窓の外には庭の池が見えた。血色の良い唇の下から意外に大きな白い前歯が覗《のぞ》く。その前歯で軽く煙草の端を嚙《か》むと、そのまま浅く息を吐いた。分散した煙が低い天井の下をゆっくり漂った。煙草を吸う小野君の無表情はきれいだった。

「すげえ虫の声」

　彼がふと呟《つぶや》いた。意識すると、たしかに絶えず笛を吹き鳴らしているような高音が響いていた。あまりに騒々しいので逆に気付かなかったのだ。

「こんな田舎だけど、それでも行きたい場所があったら明日、案内するから」

「ありがとう」

と私は言った。

「だいぶ涼しくなったから山のほうの温泉がいいかも知れない。車で行くか、あるいはサイクリングもかねて自転車でもいいけど」

「せっかくだから晴れたら自転車で行こうか」

「分かった。じゃあ、そうしよう。先に言っておくけど、けっこう距離があるから覚悟しておいて」

「え？」

露骨に戸惑った声を出してしまうと、小野君は短くなった煙草の火を消しながら笑った。

「冗談だよ。女の子でも大丈夫な程度の距離だから心配しないで」

「私が自転車を借りても平気かな」

「それは大丈夫だけど、普通の自転車だとちょっと山道はつらいから、電車で最寄り駅まで行ってから駅前でサイクリング用の電動自転車を借りよう」

「そうだね。山のほうまではだいぶ距離があるみたいだったしね」

「うん。前に友達と線路の上を歩いて山のほうまで行ったことがあるけど、たしか二時間近くかかったから」

「その友達って女の子？」

漠然とした言い方だったのでなんとなく気になって尋ねると、彼は首を横に振った。

「小野君は今までに何人ぐらいの女の子と付き合ったの」

その質問に、彼は曖昧《あいまい》に笑い
「前にも言ったと思うけど、俺はふられることが多いですから」

「それは遠回しに付き合った人数が多いことを肯定している」

私も笑いながら指摘した。

「本当は一人とずっと長く付き合いたいんだ」

「そんなふうに付き合ってた女の子は今までにいなかったの」

「いや、いたよ。高校二年から卒業するまで付き合ってた女の子のことが、今から振り返ると一番好きだったんだと思う。相手は前から地元の大学に進むって決めていて、俺もそうするつもりだったのに土壇場で志望校を都内の大学に変えてから、急に彼女のほうが冷めたみたいで、急激に上手《うま》くいかなくなった。その子にふられたショックと、上京したばかりで一人暮らしだったことで、去年はものすごく気弱になってたな」

「テニス部の女の子のこと？」

「テニス部の子の話、覚えてたんだ」

「あれが最初に聞いた小野君の個人的な話だったから」

「後からちょっと後悔したんだ。ふられたなんて恰好《かっこう》悪い話、しなきゃよかったって」

「そういえば小野君のお母さんがさっき、小野君は一人でも大丈夫なように見えてけっこう人恋しくなる人だって言ってた」

「……勘弁してください。俺がいないときに、あんまりよけいなことを吹き込まれないように」

目は真剣だったが声は笑っていた。

「だけど、そういうバランスの悪いときに付き合うと、よけいにお互いの過不足を確認するだけだって分かったから、もうしないよ」

「なるほど」

「工藤さんは今、バランスの悪い時期？」

唐突に言い当てられて言葉に詰まった。床に伸ばした自分の足の先を見ると、親指の爪がだいぶ伸びていた。小野君の目がすっと私の視線をたどって
「そういえば工藤さん、夏の間によく思ったけど、いつも足の爪をきれいにしてるね」

それには理由があった。子供のときにサンダルで転んで親指の爪を剝《は》がしたことがある。それからその親指の爪はどんなに伸びても表面は枯れたような茶色に最初から変色しているのだ。

中学の水泳の時間に友達にそれを指摘されてからはペディキュアを欠かさないようになった。おかげで私の足の爪はいつも女らしい状態にある。だけど本当は自然な色も好きだった。

「バランスは、たしかに悪いかも知れない」

私が顔を上げると小野君は煙草を指の間に挟んだまま息を深く吐いた。

それから彼は急に後悔したような顔付きになって煙草を消した。

窓を閉めて立ち上がり、おやすみ、と小さく呟いた。背後のほうで階段を降りていく音がゆっくりと遠ざかっていった。


開け放った窓から新鮮な空気が流れ込んでくると、家でもよく食べるメニューもやけに美味《おい》しく感じられた。ご飯の上に卵と混ぜた納豆をかける。白いご飯はつやつやとしていて、噛むと水分を適度に含んでふっくらしていた。水が違うせいよ、と小野君のお母さんが自慢げに笑った。

食後に私は小野君のお母さんから白い帽子を渡され、サンダルも借りて小野君と家を出た。

彼の着ている麻の茶色い半袖《はんそで》シャツは風通しが良くて涼しそうだった。日差しは東京よりもまっさらに強く、空気は熱い中にも清々《すがすが》しさを含んでいる。

駅で切符を買おうとしたとき、ふと昨夜の小野君の話を思い出して
「線路の上って今でも歩けるの」

彼は財布を開いた手を止めて
「やってみたい？」

「うん」

「じゃあとなりの駅まで歩こう」

そう言って駅から離れ、踏切の脇から線路に入った。

民家もまばらで、田と川しかない土地にまっすぐ線路が伸びている。サンダルの下で砂利に足を取られて何度か転びそうになりながら山に向かって歩いた。白い帽子のツバの下から見上げる空は真っ青で広すぎてくらくらしてしまう。銀色に光る線路の脇では夏草が揺れている。

小野君はさっきから少し前を歩いていて、その背中もなんだかまぶしかった。

「歩きづらくない？」

振り返った小野君がいつもより大きな声で訊《き》いた。

「ちょっとだけ。でも大丈夫」

彼の足が止まった。追いつくと、彼の左手が私の右手を取った。ふいに鼓動が高鳴る。小野君の手は、手のひらは乾いているのに体温は高かった。見ていたときはほっそり小さく思えた手も包まれてみると意外に大きい。

歩いていると息が上がってきた。遠くにそびえ立った山にはちっとも近付いた気がしない。それでも土と植物の匂いが風で運ばれてくるたびに、新鮮な水を飲み込んでいるような気持ちになる。小野君の手はさらに温かくなってきて軽く汗をかいていた。あるいはお互いの体温のせいかも知れない。

「じつはさっき地元の友達から電話がかかってきたんだ。戻ってくることを知らせておいたから今夜、遊ばないかって言われたんだけど」

「うん。ひさしぶりだろうし、会ってきたらいいと思うよ。ただ私はどうしたらいいかな。待ってたほうがいいなら、そうするけど」

「もしも工藤さんが大丈夫ならうちに呼んでもいいかな？　それが嫌なら、俺が断ってもいいし」

「そんなのは悪いよ」

「いや、そもそもこんなところまで強引に連れてきたのは俺なんだから。そこはまったく気を遣わなくていいよ。それよりもどうしようか、本当に好きなほうを選んでいいよ」

とくに嫌だとは感じなかったので大丈夫だと私は答えた。

次の駅が見えてきた頃、畑の前を通りかかった。麦藁《むぎわら》帽子をかぶったおじさんが私たちの姿を見るなり
「危ないから、そんなところを歩くんじゃないよ！」

少し離れたところから怒鳴った。いそいで線路を降りて脇道へ下った。そのときにつないでいた手も離れた。湿った手のひらに触れる風はひんやりとしていた。草を踏んで滑るように地面に着地すると黒い揚羽蝶《あげはちょう》が枯れた向日葵《ひまわり》の影から二匹、飛び出してきた。目の前をかすめるように鮮やかな羽を広げて私たちがいた線路のほうに飛び去っていった。

「怒られると思わなかったな」

小野君は頭を掻《か》いた。それから顔を見合わせて二人で子供のように笑った。

次の駅で電車に乗り、山の麓《ふもと》のほうまで行った。それからさらに一時間ほど自転車を漕《こ》いで、ようやく山の中腹にある温泉に到着した。うっそうとした森の中に旅館と露天風呂があった。宿泊客のほかにも温泉にだけ入りに来る人が多いらしく、夏だというのに脱衣所はにぎわっていた。

洗い場から露天風呂のほうへ抜けることができた。汗をかいたので、露天風呂のお湯が気持ち良く、顔をお湯で拭うと、体温とは違う熱が肌の奥に染み込んできて深く息を吐いた。まだ明るい山のてっぺんからロープウェイがゆっくりと下りていくのが見えた。

女湯を出ると、休憩室で小野君がアクエリアスを飲みながら待っていた。休憩室では畳の上に寝転がっているおじさんもいて、中には食事をしている人もいるが、だいたいの人はぼんやりとテレビのほうを見ていた。

小野君は奥のほうのテーブルに肘《ひじ》をついて足を伸ばしていた。ジーンズから、膝下《ひざした》までの黒いワークパンツに穿《は》き替えている。半袖《はんそで》の白いシャツがなんだか先ほどよりも清々しく見えた。

「カレーとかうどんぐらいならあるみたいだけど、もしおなかが空いているなら」

私は首を横に振り、自販機でリンゴジュースを買って、小野君の向かい側に座った。

「リンゴジュースなんてひさしぶり」

喉《のど》に落ちるすっきりとした甘さや鼻に抜けるリンゴの香りが気持ち良くて、軽く喉を鳴らしてジュースを飲み干してしまった。小野君もだいぶ力の抜けた様子で壁に寄りかかってぼうっとしていた。まだ艶《つや》のある細い髪は濡れている。首にかけたタオルを握って、時折、汗を拭っていた。

「温泉はどうだった?」

気持ち良かった、と私は答えた。

「ひさしぶりにゆっくりしている気がする。よけいなことも考えなくていいし、来て良かった」

「そうだね。俺も、いますごく幸せ」

嬉《うれ》しそうな笑顔で小野君が言ったので、私はどきっとした。

「ちょっと腹へってきたな。俺、なにか食べるものを買ってくる」

相槌《あいづち》を打つと、彼は財布を手に立ち上がった。まだ少し動揺していた。あんなふうに無防備に言葉を投げ出す人だっただろうか。東京にいるときとは微妙に表情も違う。

ふたたび自転車を漕いで山を下りる頃には日が暮れかかっていた。誰もいないホームで帰りの電車を待ちながら山々の谷間に沈んでいく巨大な太陽を見ていた。

「数分前にはもうちょっと見えていたのに、もうあんなに日が沈んでる」

となりに立っていた小野君に言うと
「うん。それにしても、障害物が多いせいもあるけど、東京にいると太陽が沈むところなんてあんまりじっくり見ないね」

「そうだね。だけど、前はそんなこともなかった気がする」

呟《つぶや》いたら妙に懐かしい気持ちが胸に込み上げてきた。

「前って？」

「そうだ、小学生のとき。放課後に遊んでいたときはよく校庭から夕日が沈むところを見てた。帰るのが惜しくて、だけどもう十分に遊んで体も気分も一日が終わっていくのを感じてた。今から思えば子供のときは夕方が一日の終わりの象徴だったんだ」

「実家に戻ってくると今でも一日が短く感じる。繁華街周辺から離れれば辺り一帯は真っ暗闇で、なんとなく自分だけが取り残されたような気分になる。だから人恋しくなるのかも知れない。夜中に彼女に電話をかけて会いに行ったり、高校のときなんかはそういうことをよくやった。なにもないから喋《しゃべ》ったり散歩したりするだけなんだけど、それでも退屈しなかったのは、それぐらい好きだったんだな、きっと」

「小野君と付き合ったら幸せだろうな」

自分でもどうしてそんなことを言ったのか分からない、ただ無意識にそう口にしていた。

彼は一瞬だけ戸惑ったような顔をしてから
「それ、本気で言ってるの」

静かな口調だった。

私が返事に詰まっていると
「いや、いいんだ。ごめんな、答えなくていい」

なにか言いたいのになにを言えばいいのか分からず、迷っているうちに電車がやって来た。息を吐くような音をたてながらドアが開く。乗ろうとしたら二人同時に右足が前に出た。

夕食の後で急に家の外が騒がしくなって、窓から顔を出すと三、四人の男女が真っ暗な家の前で笑っていた。

小野君と一緒に玄関を出ると

「どうもこんばんはー、小野の彼女ですよね」

いきなり口々にそう言われた。

「指さすなよ。失礼だろう」

小野君が普段よりも強い調子で言った。なんだかどんどん既成事実が出来ていくけど大丈夫なのだろうかと少し不安になった。明るい色のタンクトップを着て色の落ちたジーンズを穿いた女の子がじっとこちらを見ていた。顔の彫りが深くて派手な顔立ちをした女の子だった。

私があいさつすると、相手も軽く笑って

「東京から来たの」

ほんの少しだけ訛《なま》りのある喋り方で訊かれた。

「当たり前だろう。小野が東京から連れてきたんだから」

私が答えるより先に誰かがそう言った。小野君がうかがうように私の横顔を見ている。

「それじゃあ玲二と同じ大学なんだ。頭、良いね」

「いや、彼女は違う大学だよ。俺の友達が彼女と高校で同級生だったんだ」

ふうんと彼女は相槌《あいづち》を打ちながら首を傾けた。耳にかけていた長い髪が右肩の上を滑り落ちていった。感じが悪いわけではないけれど、そこまで私に興味があるわけでもないという雰囲気だった。

小野君の友達は二階の部屋で深夜まで話していった。私はビールを片手に壁に寄りかかって周囲の話を聞いていた。

「小野はさ、卒業したらこっちに戻ってきて就職するんだろう」

そう訊《き》かれた小野君は、中央に広げられたポテトチップスの袋に手を伸ばしながら
「いや、それはまだ決めてない。もしかしたら東京で就職するかも知れない」

「どうしてだよ。こっちにだって学校はあるじゃん。生物の教師なんて、どこでやっても同じだって」

「あれでしょう、玲二は彼女がいるから東京で就職したいんでしょう」

その問いに、小野君は困ったように笑って
「そういうわけじゃないよ。地元は好きだし、楽しいけど、東京にいるとやっぱりおもしろいから」

「どうして？　人は多いし、水はまずいし。たしかに新しいものは多いし最初のうちは楽しいかも知れないけど、玲二はすぐに帰って来たくなるって」

そう言って彼女が小野君の肩を叩《たた》いたので、どきっとした。けれど小野君はすっと軽く身を引くと
「おまえ、もう酔ってるだろう。弱いんだからあんまり飲むなよ」

「大丈夫だよ。帰りは透《とおる》に送ってもらうから」

そう言って彼女は高い声で笑った。その声を聞いていたら、次第になんだか気持ちが落ち込んできた。しばらく無言でビールを飲み続けた。誰かがとなりで、強いね、と笑った気がした。

気が付くと、散らかった部屋の中で小野君一人が片付けをしていた。驚いて立ち上がろうとすると視界が揺れてすぐに膝をついてしまった。その音で振り返った彼が
「すぐに布団《ふとん》を敷くから、座ってて」

私は恥ずかしくなって
「ごめん。私、いつの間にか寝てたみたい」

「あいつらのことだったら大丈夫。さっき帰ったから。それよりも、あんなふうに初対面の集団の中にいきなり参加させられて困ったよね。やっぱり断れば良かった。俺のほうこそごめん」

「ううん。それはいいんだ。ただ」

「ただ?」

「あの女の子の声が」

「あの女の子って言うと、真紀《まき》のことか」

「ダメだな。彼女が口を開いたときに声が似てたから驚いちゃって。思い出したらどんどん落ち込んできた」
・小野君は押し入れを開けて手早く布団を敷いた。それから少し離れた床に座り込んで
「真紀の声が誰に似てたの」

布団に横になると、血液が体内を循環するのをやめて頭の底に沈殿していくような気がした。自分の額に手を置いたら、とても熱かった。

「三年のときにクラス替えがあって、同じクラスになった女の子たちとは最初からなんとなく合わない気がしてた。喋ってると、なんとなくテンポとか会話の内容とか、違和感があった」

どうして私はこんなことをべらべら喋っているのだろう、だけどアルコールがほどよく胸のつっかえを押し流したように初めてそこまで抵抗なく口が動いていた。

「それでもべつに嫌われてるわけじゃないと思ってた。だけど体育の授業中にくじ引きでとくに気の合わなかったグループの一人と同じバスケのチームになったとき、その子からすれ違いざまに耳元で舌打ちされた。練習中に、あんたなんかいらないんだよ、て笑いながら言われたときは体が震えた。悔しかったわけでも悲しかったわけでもなくて恐怖に近かった。それまではただの妄想だったことが現実に起こって、そんなに彼女たちから拒否されていたことを知らされた、そのときのクラスメイトにさっきの女の子の声がすごく似

てたから動揺しちゃって」

「工藤さん」

「うん」

「俺、そのときの工藤さんに会って、なんとかしてあげたかった」

私は首を横に振った。

「あのときの私は意味もなくなにかを警戒して、いつもびくびくしてた。そんな自分を見られるのは嫌だな。小野君と出会ったのが教室の中じゃなくて、それに卒業して一年も経った後で良かったと思う」

それに、と心の中でふと思った。そのときに会っていたら、果たして小野君は私と親しくなっていたのだろうか。むしろクラスの中心にいるような女の子たちと仲良くし、私の影にも気が付かなかったのではないだろうか。それは悪いことではなくて、むしろそのときの自分と通じ合うようなら、小野君が小野君ではなくなってしまうような気がした。

今でもよく思い出す。体育の授業が嫌で、保健室へ行くようになるとすぐに葉山先生が様子を見に来たこと。昼休みに一人で廊下を歩いていたときに、工藤、と明るい声で呼び止められて社会科準備室で彼がメキシコへ旅行したときのスライド写真をこっそり見せてもらったこともある。

「メキシコのホテルでライターや時計を置きっ放しにしたら、その日のうちに盗まれたんだよ。そのことで僕がガイドに文句を言ったら『あなたは盗まれたと言うけれど、掃除をしようと部屋に入ってそれらの物を見つけた人間は、きっとこう思ったのだろう。《今、自分の目の前にこれらの品があるのは神様が贈ってくれたからに違いない。だからありがたく頂こう》と。きっと持って行った人間は罪悪感すら感じていませんよ』て。なんてむちゃくちゃな国だと思ったけど、それはそれで理に適《かな》ってるような気もしたな」

暗い部屋の中で見た、なにもない、だだっ広いだけの道や石造りの住居。青すぎる空の下で笑っている日に焼けた人々が夢のようだった。

なにもいらないと思っていた。そんなふうに一緒にいるだけで手に余るほどだったのにいつの間にか欲望が現実の距離を追い越して、期待したり要求したりするようになっていた。どんどん贅沢《ぜいたく》になっていたんだな、と思った。

ふと意識が途切れて、五分ぐらい眠ったかと思いながら目を開いたら、窓の外では夜が明けていた。寝転がったまま寝返りを打って窓を見ると、もう夜がだいぶ遠ざかった時間帯、空が暗闇から青ざめていく頃だった。布団の外で床に横たわった小野君はクッションを抱えて眠っていた。前髪に軽く寝癖がついて、うっすら口が開いて上唇が捲《めく》れている。いつもは落ち着いて大人びた顔は子供のようだった。

その寝顔を見ていたら、彼がいきなりがばっと起き上がった。

両手を床について上半身だけ起こしたまま、自分がどこにいるのか分からないという表情でまばたきをくり返した後、急にはっきりとした声で
「俺、やっぱり工藤さんのこと、好きだよ」

その唐突さに私のほうがまだ夢を見ているような気がした。

それだけ、と低い声で呟《つぶや》くと同時に彼はまたクッションの上に倒れ込んだ。ありがとうと呟いたけれど、おそらく小野君の意識は先に途切れていた。立ち上がって彼の体を転がすようにしてなんとか布団の上に寝かせた。そして白いカバーに包まれた羽毛布団を肩まで掛けた。

布団から出て初めて気付いたが、明け方の空気は晩夏と思えないほど冷たく澄んでいる。小野君の手の甲にそっと触れるとやはり冷たくなっている。私の体も、背中や腕は温かかったが、足のつま先は体温が低かった。

窓を開けると、山の頂上から浮き上がってくる黄金色の夜明けが広がっていた。かすかに震えながらぼうっと布団の上で膝《ひざ》を抱えて明けていく空を見ていた。

小野君が目覚めてから、私は今日の午後には東京へ帰りたいと告げた。朝食の後で荷物をまとめて彼のお母さんにあいさつした。小野君は時刻表で電車の時間を調べて、バスに乗るところまで送ると言った。

鈍行で松本駅まで着いてから、私たちは広い駅前のターミナルでバスを待った。日差しが明るくて、町を歩く人々もゆっくりしている。見慣れていた薄着から、ジャケットを一枚羽織ったような姿に変わっている人が目についた。

バスが来る時間が近づいたとき、となりに立っていた小野君が口を開いた。

「俺はたぶん来週ぐらいには東京に戻ると思う」

私は相槌《あいづち》を打った。

「了解です。その後で黒川のお別れパーティをするんだったよね」

「工藤さん」

「うん？」

「俺と付き合ってください」

となりを見ると、小野君は駅前のビルの間からやってくるバスのほうを見ながらすっと目を細めた。それから彼がこちらを向くと艶《つや》のある髪の上を光が一瞬だけ撫《な》でるように揺れ動いた。

「一度は断られてるから、これが最後です。あなたが俺のことを嫌いじゃなくて、だけど特別に好きでもないことは分かってる。それでもかまわないし、前に好きだった相手を忘れてなくてもいいんだ。一緒に過ごして楽しかったから。苦しくても、都合の良いことだけ覚えていてみせる。だから俺と付き合ってほしいんだよ」

けど、という言葉を口にしかけたら、小野君は眉を寄せて身構えるような表情を作った。

「けど、とか、でも、とか、そういうのは言わないで」

「分かった」

頷《うなず》いてから短く息を吸った。

「私、小野君と付き合う」

彼がこちらを見た。私も彼のほうを強く見た。

「本気で言ってる?」

「うん」

「いいの?」

「うん。私も小野君と一緒にいてすごく楽しかったから」

しばらく沈黙が続いた。バスがターミナルに到着して、駅近くの土産物店から走ってくる乗客が乗り場から少し離れたところに立っている私たちの脇を擦り抜けていった。

「分かった」

ありがとう、と呟いてから
「俺が東京に戻ったらまた、ゆっくり話そう」

ようやく笑顔になって彼は言った。私も笑って頷いた。

「とりあえず今夜、電話する」

「ううん。新宿駅に着いたら私のほうからかけるよ」

それだけ伝えてバスに乗った。荷物の入ったナイロンバッグを膝に載せて窓の外を見ると、小野君が手を振っていた。私も手を振り返した。バスが発進するまで彼はそうしていた。

バスに揺られながら私は背もたれに頭をあずけて目を閉じた。東京に帰れることが嬉《うれ》しかった。懐かしい自分のベッドとか、明日までに返さないと延滞のビデオとか、そういうことを想像すると、地味ではあるけどはっきりとした待ち遠しさが込み上げてきた。長野が嫌だったわけではなく、むしろその逆だったから余裕が生まれたのだろう。数日前の私はビデオのことなんて考えもしなかった。

行きは二人で揺られたバスの中で、となりの席の見知らぬ男性のヘッドホンから漏れてくるベースの音を聴きながら、私はこれからのことを考え始めていた。

16

長野から戻ると、東京はまだ残暑の真っ只中だった。一日ほど家でゆっくり休んでから、翌日の夕方に志緒のバイト先に顔を出すと、彼女は驚いたようにレジから顔を上げた。

さほど広くない店内には外国製の調味料や食材が棚中にぎっちりと並べられていた。一つでも商品を倒したら、そのままばらばらと床にすべてが落ちてきそうな密度だった。

紅茶の缶を手にレジへ向かうと、いらっしゃいませ、と言った志緒の声は形式的というよりはむしろ疑問形に近かった。

「泉がここに来るなんて珍しいけど、なにかあったの」

「小野君と付き合うことになったんだ」

そう告げると彼女は一瞬だけ露骨に戸惑ったような目をした。

「この前、二人が一緒に帰ってからなんの音沙汰《おとさた》もなかったから、なにかあったのかも知れないとは思っていたけど、さすがにそこまでは予想していなかった。どうしてそうなったのか聞かせてよ。あと少しでバイトが終わるから」

「うん。分かった」

店の奥のほうから店長らしき人が出てきた。志緒は素早くレジを打ち終えると、八時の閉店までどこか喫茶店で待っていてほしいと小声で告げた。

本屋で文庫本を買ってから近くの喫茶店に入ると、冷房が効いていて急に酸素が濃くなったみたいだった。奥の席で冷たいミルクティーを飲みながら本を読んでいると、十五分ほど遅れて彼女がやって来た。

彼女はなにも注文せずに正面の席に腰掛けた。

「なにを読んでるの」

「『キス』っていう小説。長いこと離れて暮らしていた娘と父親が、恋愛関係に陥る話なんだけど」

「おもしろい？」

「うん。買う前はもう少しノンフィクション物っぽい雰囲気かと思ってたんだけど、予想よりも描写が緻密《ちみつ》で繊細で良いよ」

「前から思ってたけど、泉は年齢の離れた男女の恋愛の話が好きね」

「そうかな」

「どうして小野君と付き合う流れになったの」

直前の指摘と次の質問にはなんの関係もないはずなのに、地続きの話題のように言われた気がした。

「あの公演の後、小野君と一緒に長野へ行ってた」

「それはどちらが言い出した話？」

「小野君のほうから。でも、それで一緒に行くって同意したのは私」

そこで彼女はちょっと声を潜めると
「向こうで小野君と、そういう関係になったの？」

私は笑いながら首を横に振った。

「なにもしてないよ。小野君は、そういう段階を踏み越えたりしないで、ずっと一定の距離で接してくれていた」

「泉は小野君のことをちゃんと好きなの？」

「うん。夢中になっている、ていう感じとは少し違うけど。一緒にいると安心するし、もっと会っていたいと思った。そういう意味で、ちゃんと好きだよ」

「強引に押し切られたり、ちょっと一緒にいるうちに情が移ったわけじゃないのね」

「うん」

そういうことではない、と私は答えた。

ようやく志緒は納得したように軽く息を吐くと、白い革のハンドバッグを開いて内ポケットから細い銀の指輪を取り出した。それを左手の小指に嵌《は》めながら
「それを聞いて安心した。小野君と泉だったら上手《うま》くいくと思うよ」

「うん。ありがとう」

「クロちゃんにも伝えておくね。出発前にそういう話が聞けて、あの人も喜ぶと思う」

「そういえば、小野君が帰ってきたら、彼のアパートで送別会をしようって言ってたよ」

「そう。それなら予定を空けておく。木曜日の夜でいいよね。だけど、これが終わったら」

後ろのほうで金属製のものが床に落ちる高い音がした。一瞬だけ振り返ると、店員の女性が床に散らばったフォークを拾っていた。

「泉、聞いてる？」

志緒の声が急に音量を上げたラジオのように飛び込んできた。私はいそいで前に向き直った。

「ごめん、ちょっと後ろに気を取られていて」

彼女は頷きながら手帳を捲《めく》った。青いボールペンでおそらく木曜日のところに予定を書き込んでいるのだろう。

その夜に小野君に電話をした。水曜の夕方には帰ると言った。電話で聞く小野君の声はいつもより少し柔らかくてどこか甘かった。おやすみ、と告げた後にじっと電話を切らずに無言が続いたので
「どうしたの」

「そっちから切って」

俺からは切れない、と笑った。その言葉に私も笑って
「そんなことを言われたら、こっちも切れないよ」

「じゃあ俺のこと、名前で呼んでくれたら切る」

「名前？」

ごめん、とこちらの返事を待たずに彼は苦笑した。

「なんでもない。おやすみ。明日また電話する」

と告げて小野君の電話は切れた。

そういうことか、と気付いたのは電話が終わってからしばらく経った後だった。ためしに彼の下の名前を小声で呟《つぶや》いてみたら、まるで知らない人の名前を呼んでいるみたいだった。

そうやって一つ一つ形作っていくのだなあ、と窓の外の月を見ながらしばらく私はそんなことを考えていた。


小野君のアパートで明け方まで送別会をした翌日、黒川は軽い二日酔いを抱えたまま、その足で旅立って行った。

私と小野君は志緒に遠慮して見送りには行かなかった。その日の深夜のうちに彼女から電話がかかってきた。

真っ暗な夜の中を近所の公園まで出て行くと、黒い半袖《はんそで》のワンピースを着た志緒がベン

チに腰掛けて放心したように宙を見上げていた。その服の色のせいで彼女は暗闇と同化しているように見えた。ただ見開いた目だけがガラスの破片のように近くの街灯の小さな光を映していた。膝《ひざ》の上に投げ出された両手やうっすらと無防備に開いた唇が痛々しく、しばらく声をかけられずに立ち尽くしていた。

こちらに気付いた彼女がふっと無表情のまま手招きして、私はようやく公園の中に入って行った。

「こんな時間に呼び出してごめん」

私は首を横に振った。彼女は自分の横を指さし、私は彼女のとなりに腰掛けた。

「いろんなことを思い出してたの。そうしたらいても立ってもいられなくなって」

「うん」

「怖いのはすぐそばにいなくなったことじゃなくて、もしかしたら、これをきっかけに、お互いのいない生活に慣れていくことで、そうしたら私はいつか、今にもおかしくなりそうなこの淋《さび》しさも忘れてしまうかも知れない」

「うん」

彼女はそこで黙り込んだ。なるようにしかならないよ、と私は言った。ありきたりな言葉だと思ったものの、それしか思い浮かばなかった。

「時間を惜しんでしがみついてると、よけいなことを考えて疲れたり空しくなるだけだし」

「そうね」

ややはっきりとした調子で答えたときには、いつもの彼女の表情に戻っていた。

けれど生ぬるい風の吹くこの夜の中で二人、話したこともいつか忘れてしまうのだろうか。それこそたやすい速度で。


会いたい、という電話が土曜日の午後にかかってきて、見ていた映画のビデオを一時停止した。

「なにも予定がないんだったら一緒にどこかへ出掛けよう」

私は相槌《あいづち》を打ってビデオをデッキから取り出した。薄い白のカーテン越しに見える窓の外はよく晴れていて、乾いた青空には雲一つなかった。

一時間後に駅で待ち合わせることになり、私はいそいで着替えた。小野君の服装を思い浮かべてあまり活動的な雰囲気になりすぎてはバランスが悪いだろうと思い、グレーのプリーツスカートに紫色の半袖のニットを合わせた。ハンドバッグを白にするかベージュ色のものにするか迷って、結局、白いほうにした。

時間通りに到着したけれど、小野君はそれよりも先に待っていた。新宿駅の改札は混雑していて人の流れが速い。その中で立っている彼を見つけて手を振ると、ずっと壁から離れてこちらにやって来た。彼はグレーのジーンズに黒のジャケットを合わせていた。中には白い無地のTシャツを着ている。彼にしては珍しく、グレーの糸で編まれたニットの帽

子を被《かぶ》っていたので、そのことを尋ねると
「じつは額に怪我をしました」

そう言って、軽く帽子を捲って自分の額を見せた。そこにはたしかに白いガーゼが貼《は》られていて、少し血が滲《にじ》んでいるのが分かった。

「大丈夫なの？」

驚いて私は尋ねた。

「実験の準備中に棚の上から顕微鏡の箱が落ちてきて、みごと額に命中。もう傷口はだいぶ閉じてるから心配するほどのことじゃないけど痛かった」

聞いているだけで痛くて思わず眉《まゆ》を寄せたら、小野君は少し笑った。

「頭や顔はとくに危ないから、気をつけてね。だけど、そこまで大きな怪我にならなかったのは不幸中の幸いだったね」

「たしかに」

それから私たちは行き先をその場で軽く話し合った。

「今日はせっかく晴れたし、見晴らしの良い場所に行きたいんだ。俺、高いところがけっこう好きなんだよ」

「それならどこがいいかな」

「大学の友達がやっぱり彼女と出掛けて良かった場所があるから、行ってみようか」

私は相槌を打った。それからふと、小野君の使った彼女という言葉が時間差で染み込んできた。そうだ、私はこの人と付き合っているのだと並んで歩きながら実感していたら、ホームの階段を上がるところで小野君が私の手を握った。手の中は温かくてさらっと乾いていた。自然にこういうことができる人なのだなあ、と思いながら横顔を見上げると、ほぼ同時に彼がこちらを向いて

「三年になったら授業の関係でもっと忙しくなるから、今のうちにいろんなところに行っておきたいんだ」

「たしか中学校の先生になりたいんだよね」

「うん。まだバイトで塾の講師をやった程度だけど、人になにかを教えるのは好きだし、自分でも向いてる気がするんだ。学生でいるのはなんだかんだで気楽だし勉強も楽しいけど、本当は早く働きたいんだよ。やっぱり男は社会に出て一人前っていう気がするし」

小野君の言っていることはとても納得できた。

「なにかを教える仕事は向いていると思うよ。小野君には練習のときにもだいぶお世話になったし」

「だけど泉に教えるのは緊張していたから、あんまり上手《うま》くできなかった気がする」

電車が来てる、と口の中で呟いて小野君は少し駆け足になった。私もあわてて階段を駆け上がった。

電車に乗り込むと座席が一人分だけ空いていた。座るように言われ、首を横に振った。

結局、二人でドアの近くに立ち、私たちは窓の外の風景に視線を向けながら他愛ない会

話を交わしていた。

駅から程近い公園内へ入ると、広々とした芝生は日差しを浴びて光っていた。光は遠くの草木までまんべんなく浸して水に濡《ぬ》れているみたいだ。日差しは焼けるような黄金色をしている。もうすぐ日が沈んで夕暮れがやってくる間際の色彩だった。どこまでも続いていく空に軽く片手を伸ばすと、指の間を涼しい風が吹き抜ける。小高い丘の向こうには巨大な観覧車が静かに回転していた。

公園の中を歩く恋人同士の歩調はそろえたようにゆっくりで、時間の流れが速度を落としているようだった。

私と小野君は観覧車のチケットを買って、長い列の最後尾に並んだ。

「向こうのほうに水族館もあるみたいだな。今日はもう遅いから、もうすぐ閉館しちゃうと思うけど」

「私、あの水族館は行ったことがあるよ。子供の頃に両親に連れてきてもらった」

前髪が揺れ、鼻先に湿った潮の気配をかすかに感じた。海が近いのだろう。観覧車のまわりは公園の中の静けさとはうってかわって会話が溢《あふ》れ、にぎやかだった。私たちよりもずっと年下に思える女の子と男の子が手をつないで一つ前に並んでいる。観覧車のチケットが高かったと文句を言っている女の子の短いスカートから伸びた足は、まだ肉付きが薄くてまっすぐだ。妙に真剣な顔で話を聞いている男の子のほうも黒いパーカに包まれた肩がまだ狭く、首すじの短い後れ毛に幼さを感じた。

「自分が大人になった気はしないのに、年下の子を見ると、若いって思うね」

そっと小野君に耳打ちすると、彼は少し首をこちらに傾けて
「俺も似たようなことを思ってた」

「もしかしたら、こうやって実感のないまま年を取って、いつの間にか老人になっていたりするのかな」

それは危険だなあ、と小野君は軽い感じで笑いながら返した。

「それって、世の中の大人がみんな自分を心のどこかでまだ子供だと思ってるっていうことだろう」

彼の言葉に私も笑った。

「そこまで極端じゃなくても、年齢的な発達と精神的な成熟って別問題だなって思って」

「だけどまったく関係ないわけじゃないと思うよ。年齢が上がれば社会的に許される自由が増えて、それに伴って責任感も生まれてくるのが普通じゃないかな。もっとも最近は一概にそうも言えないけど」

「だけど何歳になっても責任を持ちたくないっていう人もいるでしょう。あるいは責任っていう言葉自体が希薄になっちゃったり。だから子供を育てられない親が増えたりするのかな、て。そんなことを考えたのは今朝のテレビでちょうど子供が虐待で死んだニュースを見ちゃったせいだと思うんだけど。その子供の親も自分が幼い頃に虐待されてたって言

ってるらしくて、もちろんすべての人がそうなるわけじゃないけど、そういうことってパターンとしてものすごく多いじゃない」

小野君は低くうなった。それから列が少し動いたため、自分の前にできた隙間を埋めるため数歩だけ前に進んだ。

立ち止まってから小野君はまた口を開いた。

「そういうのってきっと堂々めぐりなんだ。たとえ誰かのせいで不幸になったとしても、人間は基本的に自由なんだから、その不幸から抜け出す努力をすべきなんだよ。死ぬまで誰かのせいにしていたら、なんのために生きていたんだか本当に分からなくなる」

「だけど抜け出せなかったら？　たとえば自分がいなくなるとほかの人間が傷つくとか、逃げたいと思っていても状況が許してくれない場合は」

「それは優しさという言葉に置き換えることもできるけど、同時にその人の弱さでもあると思うよ。自分がいなくなって傷つく誰かがいたとしても、その人間はやっぱりまた自分の力でなんとかすることが必要なんじゃないかな。寄りかかるのに慣れてしまうと、逆に精神的な足腰がどんどん弱って、よけいにひどいことになるし」

ああ、この考え方がきっと小野君の一番根本的な核となっている部分なんだ、と私は思った。若いからだとか、まだそんなに傷ついたことがないのだとか、そういう否定的な指摘もしようと思えばできる。だけどそんな指摘にはきっとあまり意味がない。そこが変わったらきっと小野君ではなくなってしまうかもしれない部分に自分が触れた気がした。

そんなことを考えているうちに順番がまわってきて、私たちは揺れる観覧車の中に軽く飛び乗った。係員の女性が扉の鍵《かぎ》を外から閉め、距離は変わらないのに正面に座る小野君の体が急に近くなった気がした。

頭上からギシギシときしむ音が響いてくる。徐々に風の音も強くなる。

軽く顔を伏せていると、小野君が不思議そうに

「外を見ないの？」

と尋ねてきた。

「じつは、高い場所が苦手で」

そう告白すると、驚いたような声で

「どうして先に言わないの？　それなら観覧車なんて一番アウトだっただろう」

「高い場所が好きだって言われたから、切り出せなくて」

そう答えながら下を向いていると、ガラス窓から足元に、水で溶いて薄めたような夕暮れの赤が広がっていく。

小野君が立ち上がった。

「俺、となりに行くよ」

「だめ、ちょっと待って。揺れるから立ち上がらないで」

観覧車が傾いた気がして思わず目をつむると、もう着いた、とすぐ真横から声がした。

顔を上げるより先に視界がふっと黒い影に覆われた。顔に小野君のTシャツが触れて彼

の鼓動が自分の額を伝わって頭の奥に響いた。二本の腕に抱かれ、私の背中をゆっくりと叩きながら、大丈夫ですか、と急に保護者のような安心感を含ませた声で小野君が柔らかく尋ねた。

「はい」

そう答えながら、頰が冗談みたいに熱くなるのを感じた。

「良かった、今度からはなんでも正直に言ってな」

短く相槌《あいづち》を打って、しばらく私たちはそうしていた。

そのうちに頭の上のほうから、すげえ、と珍しく砕けた口調の歓声が聞こえてきた。

「泉も軽くでいいから見てみなよ。すごいキレイだから」

おそるおそる胸の中から顔を上げると、たしかに観覧車の外には気の遠くなるような光景が広がっていた。黄金色に染まった芝生やその向こうに広がる海、その反対側には巨大な工場の群れが立ち並び、煙突から吐き出される煙まで燃えるような夕暮れの中に溺《おぼ》れている。地上を歩く人間も自分の手のひらに載るようなサイズにまで縮小されて、性別すら定かではない。

「本当だ、すごい」

高い場所で大声を出すと怖いので、慎重に呟《つぶや》いた声がこもった観覧車の中に低く響いた。

風の音は低いうなり声のように絶えず響いていて、少し二の腕や膝《ひざ》のあたりが寒くなってきた。小野君と触れている部分だけが温かく、ふと顔を上げると彼の顔がものすごく近い位置にあった。
思わず緊張していると、彼はすぐに笑って私の頭を撫《な》でながら
「地上に降りたらなにか食べに行こう」
と言った。

近くに手頃なレストランがなかったので、屋台でホットドッグとお茶を買って、公園内のベンチで食べた。遠くの小高い丘まで延々と続く芝生の風景は暗闇に沈むと波のない海のように見えた。広すぎる夜空の真ん中にふくらみかけた白い月が上がっている。ひとけも次第になくなってきて、手の中のホットドッグの温かさと、右のほうから絶えず吹いてくる風だけが近かった。

となりで小野君がホットドッグを包んだ白い紙を丁寧に捲《めく》りながら
「そういえば泉が帰った後で実家の母親が、向こうの家のご両親にもあいさつしないと、なんて言ってたから、わざわざ国際電話でそんなことを言ったら逆に迷惑だからやめろって言っちゃったよ。俺、外国に行ってるって伝えてなかったから、驚いてたみたいだった」

「そういえば私も言うのを忘れてた。だけど、いつも小野君が友達を連れてくるって言ってたし、小野君のお母さんってもっとラフな感じの人かと思ってた」

「さすがに女の子が一人で来た場合はべつだよ。泉は東京出身だって聞いて、当然、実家

住まいだと思い込んでたみたいだから。いろいろ気をつけろって注意されたけど」

　そこで小野君は妙なことを言ってしまったという顔付きで言葉を切った。聞き流したほうが良いのかと思い、私は唇の端に付いたケチャップを軽く指で拭《ぬぐ》った後で
「私の両親はそんなにうるさいほうじゃないけど、いつか帰国したときには機会があったら、小野君のことも紹介したいな」

「本当に？」

　彼が嬉《うれ》しそうな顔をしたのがちょっと意外で驚いた。

「変わってるね。普通、男の人のほうが親なんかに会うのを嫌がるものだと思ったけど」

「たしかにそういうやつもいるね。だけど俺は嫌じゃないよ。そりゃあ多少は緊張もするけど、べつに普通に礼儀正しくしていればいいんだし。それに相手の家族を知ればもっと相手を知ることになるから」

「小野君、一体私のどこがそんなに好きなの」

　口にお茶の缶を付けたまま彼が軽くむせたので、私はあわててバッグからハンドタオルを取り出して渡した。

「ありがとう。びっくりした、さっきの話は流したくせに、とんでもないこと訊《き》くなあ」

「ごめんなさい。だけど本当に疑問で。私、小野君に好かれるようなことはとくになにもしていないと思うんだけど」

「じゃあ、工藤さんは親切にされればかならず相手のことを好きになるの？」

呼び方が戻っていると思いながら、私は首を横に振った。

「だろう。俺だって同じだよ。言葉にするのは難しいよ。ただ、俺がなにかするとすごく嬉しそうな顔をしてくれるとか、一緒にいると落ち着くとか、そういうところははっきり意識して好きだけど。あとはそうだな、正直に言えば、最初に会ったときから声が好きだった」

「声？」

「うん。大きい声を出しているときでも甲高くならずに柔らかい感じで。一番はそこかな。ごめん、なんだか内面的なことじゃなくなっちゃって」

「ううん。ありがとう。そういうなんでも真剣に答えてくれるところ、小野君の良いところだし、好きだよ」

小野君はお茶を飲み干すと、暗闇の中で鮮やかな電飾に包まれて回転を続ける観覧車のほうを見上げた。広い場所に一つでも大きなものが動いていると、なんとなく落ち着くのは私だけだろうか。それが人工のものでもどこか安心感がある。気持ちがほっとするのだ。

「少し肌寒くなってきたな。そろそろ帰ろうか」

観覧車を見ているのではなく、その後ろのさらに濃くなった夜を見ているような横顔で小野君は呟いた。

そうだね、と答えて私たちはベンチから立ち上がった。

17

十月に入ってからは肌寒い日と暖かい日が交互にやって来て、町中を歩いていると服装の色の濃淡が日によって変わるようになった。

十月二十六日が小野君の誕生日なので、日が近くなった頃にプレゼントを買いに出掛けた。

一人でデパートをまわっていると、黒川と志緒のプレゼントを買いに行ったことがふいに思い起こされた。

大学の授業やサークルが忙しいのか、近頃、志緒と頻繁に連絡を取らなくなっていた。彼女から新しく出来た友人の話を聞くと、楽しい半面、ほんの少しだけ複雑な気持ちになる。九月までの部活の練習で私は高校時代を、それも一握りの楽しかった部分だけを今になって思いきり味わっているような幸福感を覚えていた。それは甘い感傷かも知れない、だけど個々に違う場所での日常があるのだということを忘れるほどの楽しさだったから、すっかり体に穴が開いてしまったような気分で過ごしていた。

そんなことを考えながらふらふらと雑貨の売り場を歩いていた。小野君は特別に強いこだわりがあるというタイプではない、けれどいつも持っている物や服装の趣味には統一があるし、その基準から大幅に外れた物を見たことがない。

迷った末、落ち着いた銀色のジッポー・ライターをあげることにした。そういえばライターはいつも百円の物を使っていて、それが彼の手の雰囲気にあまり合っていないと常々感じていたことを思い出したのだ。ガラスケースの中から一つを選んで出してもらい、それを手に持ってみると、適度な重さがあって、手のひらに馴染《なじ》む感じがした。わざと古びた雰囲気に加工されているところも、妙にぴかぴかしている銀色より良かった。

それを買って帰った夜、小野君に電話をかけた。

ずいぶん長く呼び出し音が鳴ってから、急に強い風の音と一緒に彼の声が聞こえた。私まで一瞬で部屋から屋外へ連れ出されたように感じ、彼の住むアパートの前に広がる雑木林の風景をまぶたに思い浮かべた。今夜も窓から見える月は明るい。

「ごめん、友達が来てたからすぐに出られなくて」

疑う余地もないほどはっきりした調子で彼は言った。

「それなら切ろうか」

「いや、今は煙草を買いに行くって言って出て来たから。それに三人も来てるから、俺がいなくても勝手に盛り上がっているよ」

小野君は友達が多くて私も彼の交友関係のすべてを把握しきれていない。そう漏らしたら、余裕だね、と志緒にからかわれたことがある。大学も違うし付き合ってからまだ日も浅い、そういう二人だったら心配になるのが普通なのだろう。

「それなら今夜は友達が泊まっていくの？」

「うん」

「いいな、楽しそうだね」

「今度、泉も泊まりに来ない？」

え、と思わず聞き返すと、彼はさらっとした口調のまま
「今週の金曜日、先方の用事で家庭教師のバイトがなくなったからちょうど会いたいと思ってたんだ」

少しだけ黙ってベッドの上から空中を見つめた後で
「じゃあ、そうしようかな。行くときに買い物をして夕飯でも作るよ。小野君が食べたい物があったら考えておいて」

「それなら俺、一緒に作りたいものがあるんだけど」

私は立ち上がって本棚から料理の本を引き出しながら、なに、と尋ねた。

「餃子《ギョーザ》。もう出来ているものを買ってくるんじゃなくて具から作って、自分たちで包むところもやりたい」

だいぶ予想していなかったことを言われたので、ちょっと戸惑った。

「それはいいと思うけど、でも、どうして餃子なの？」

「子供の頃に大勢のお客が来るとき、母親がよく作ってたんだ。中身にチーズとか明太子《めんたいこ》とか入れて食べたのがうまかったなあ、と思って。思い出したらひさしぶりに食べたくなった」

「分かった。じゃあそうしよう」

と私は答えた。

電話の後でコンビニへ行く用事を思い出して、黒いジャケットを羽織り、短い薄紫のマフラーを巻いて家を出た。

暗闇が周辺の雑音をすべて吸ってしまったように静かで、息を吐くとうっすら空気に白さが溶けた。近くの団地の奥にある公園を通ったとき、なんとなくふらっと立ち寄ってみた。

ブランコとベンチと砂場しかない、まわりを大きな団地に囲まれた公園はぽっかりと開いた穴のようで、見上げると夜空に星が光っていたが、まだまばらだった。もっと寒い時期になればよく見えるのだろうか。この公園で夏の終わりには志緒が泣いたのだ。

ベンチに腰掛けて、ぼんやりと宙を仰ぎながら、ふと一週間ほど前のことを思い出した。


十月の半ば頃、はげしい雨の降った日があった。

私と小野君は有楽町《ゆうらくちょう》で映画を見る約束をしていたが、あまりに雨がひどいので二人で待ち合わせた新宿で動けなくなり、湿っぽい空気の立ち込める地下道をべつの映画館に向かって歩いていた。数十秒ほどで急にあちらこちらの階段から地下道に人が流れ込んできてとても慌ただしかった。

そのとき、急に足元がふらついて、見ると、履いていたミュールのバックストラップが根元のほうから切れてしまっていた。立ち止まると同時に小野君がこちらを見た。

「どうしたの」

「靴が壊れたみたい。困ったな」

「それなら戻ろう。戻ったところにたしか靴の修理をする場所があったはずだから」

そう言われて戻ると、たしかに地下道の中に修理屋はあった。スリッパを貸してもらい、靴を直してもらっている間、それを片足に履いて近くの壁に寄りかかっていた。

「ごめんね、付き合わせちゃって」

「いや。かまわないよ。こうして二人で話をしているだけでも楽しいし」

足の裏にコンクリートの固さをはっきりと感じる。片方だけでも靴を脱いで壁際にいると急に目の前を行き交う通行人たちが、自分と関係のない風景の一部のように思えた。四方から聞こえているはずの数え切れない雑音も一束になってブラウン管の向こうから流れて来ているみたいだった。

「路上で靴を脱いでいるって変な感じがするね。妙に無防備で落ち着かない」

言いながら小野君のほうを見ると、彼は後頭部を壁に付けて、少し高い位置を見ていた。一瞬だけ間があってから、あわてたようにこちらを向いて
「ごめん。少しぼうっとしてた」

「昨日までレポートの提出で徹夜だったんでしょう。出掛けて大丈夫だったの」

その日の小野君は黒いストレートのワークパンツを穿《は》いて水色と白のボーダーの長袖《ながそで》の

上に薄いグレーのコーデュロイシャツを羽織っていた。そして腕にはちょっとがっしりとした感じの茶色い革の時計を着けていた。彼の服装はいつもなにかを強く主張したりすることはない、その代わりにとても隙がない。たとえば私は彼の柔らかい髪に寝癖が残っていたり、シャツにはっきりと皺《しわ》が残っていたところを見た記憶がない。

そんなことを考えながら彼のほうをじっと見ていたせいか、小野君は首を傾げながら軽く苦笑すると
「そんなに眠たそうな顔をしてる？」

私は首を横に振った。彼は短いまつげを揺らして、何度かまばたきした後に片手で軽く目を擦《こす》った。

「そんなことはないよ。ただ、疲れてるのに無理をさせたんだったら悪いと思って」

「いや、無理はしていないよ。ここのところ実験とレポートのくり返しでしばらく忙しい日が続いてたけど、ようやくちょっと落ち着いたから」

「そっか。なら良かった」

「うん、だから泉は気を遣わなくていいんだよ。それに、気を遣われるとなんだか他人行儀な感じがして逆に淋しいし」

私は笑った。けれど彼がそう感じるのと同じぐらいに、私は小野君の隙のなさに距離を覚えている。それを伝えたほうがいいのかどうか迷っていると
「だけど俺も泉とこうして一緒にいることにまだ慣れていないから、そっちにも気を遣わ

せちゃうのかも知れないな。なんだかまだ不思議な感じがするんだ」

「そうなの？」

通行人の服や靴から少しずつ運ばれてきた雨粒で地下道がゆっくり濡れていく。むっとした臭いは先ほどより強くなっていた。喧噪《けんそう》が耳に痛いぐらいだった。

「私は最近、小野君と一緒にいることのほうが自然に感じるようになってきたよ」

私の言葉になんだか小野君はなにかをあきらめるような笑い方をした。

「それは俺のほうがきっと不安だから。好きだっていう弱さがあるんだ」

「その言い方だと、まるで私が大して小野君のことを好きじゃないみたいだよ」

真剣に反論すると、小野君は少し意地悪さを含んだような口調で
「そんなことは言わないよ。だけど、どちらの気持ちのほうが強いかも、俺は分かってるつもりだよ」

悲しくなって彼の顔を見上げた。てっきり苦笑していると思って見た小野君の表情は、むしろ強ばっていた。たった今まで喋っていたとは思えないほど唇は固く閉ざされている。しばらくお互いに相手を捕まえていたが、ふっと、小野君のほうが先に目を伏せた。この人は不安から抜け出す言葉を探している、だけどきっと私がなにを言っても信じないのだろう。

悔しさと途方に暮れた気持ちが入り混じって、かすかに息を吐くと目頭が熱くなった。じろじろと通り過ぎる人がこちらを見ているのが分かって恥ずかしかった。小野君は驚

いたように表情を緩め、それからさらに緊張したような気配を見せた後で、ゆっくりとこちらに顔を寄せ、唇を重ねた。

　ふっと力が抜けて、目を閉じると、小野君の温かい体温に足の先から頭まで包まれた気がした。甲高い女の子たちの会話が、赤ん坊の泣き声が、おそらくサラリーマンの携帯電話で喋る声がその体温の後ろのほうで響いている。視界が閉ざされて急に聞き分けられるようになった。小野君の唇は微動だにせず、触れたまま動かなかった。お互いの息が止まってしまうかと思った。

　ゆっくりと小野君が離れていくのを感じて私は目を開いた。

　数秒間の沈黙の後で、路上でこんなことしたのは初めてだ、と彼が呟《つぶや》いたので、そうか、路上じゃなかったらあるんだな、と当たり前のことをぼんやり考えた。自分で首筋に触れてみたらはっきりと分かるほど熱かった。

　それからすぐに修理が終わったと声をかけられ、私はいそいで店頭でお金を払ってスリッパを返した。自分が脱いだスリッパを見て軽く噴き出すと、黙ったまま小野君が不思議そうにこちらを見た。ミュールはきれいに修理されていて、履くとまた少し地面から足の裏が遠ざかった。

　店を離れて紀伊國屋《きのくにや》書店のほうへ歩きだしてから
「さっきのスリッパ、中敷きが妙に豪華な薔薇《ばら》模様だったから、それがおかしくて」

　そう教えると、小野君も笑って

「どうみてもただの健康サンダルだったのに。すごいセンスだな」

「店の人、声をかけるタイミングをはかってたんじゃないかな。そう考えると、ちょっと恥ずかしいな」

たしかに、そう言ってようやく小野君はいつもの穏やかな笑顔を見せた。

その日は結局、新宿で違う映画を見てお茶を飲んだ後に別れた。改札で別れる間際に離した手に昨日までとは違う親密さが残ったような気がして、一人でホームに立っていたときもしばらく手のひらを見つめていた。


金曜日、大学の帰りにそのまま小野君のアパートに行くと、ドアに鍵《かぎ》が掛かっていなかった。

靴を脱いで玄関を上がると彼は部屋の隅でCDの整理をしていた。見たことのない雰囲気のばらばらな大量のジャケットが床に広がっていた。どうやらカラーボックスに入らずにしまい込んでいた物も多いようだった。

「ずっと聴いていない物もあるから、いらないやつは売ろうと思って」

「クラシックもけっこうあるね」

と私は床に広がったCDをながめ、その枚数に感心して呟いた。

「全部聴いたわけじゃなくて、親が薦めて買ってくれたのに、あんまり興味が湧かなかったものも多いよ。このヨーヨー・マなんかはよく聴いたほうだけど」

そう言って数枚のCDを重ねた後、彼はカラーボックスには戻さず分けて置いた。

「ちょっと待って、今、そっちに重ねたCDもいらないの」

私が手を伸ばすと小野君の左腕に軽く触れた。服と服が擦れる程度だったが、妙に動揺して体を引いてしまった。

小野君は気付かなかったふりをして、CDのほうを見たまま
「そうだけど、なにか気になったものがあった?」

「ロッド・スチュワートがあったから。『レディ・ラック』が好きなんだ、もしも収録されていたら譲ってもらえないかな」

「いいよ。ロッド・スチュワートは好きなんだけど、間違えて同じものを二枚買っちゃったんだ。泉にあげるよ」

そう言って彼はCDを渡してくれた。ケースの表面に入った細かなキズや歌詞カードの隅が折れている感じに親しみを覚えた。

「こういう聴き込んだCDって、数少ない、小野君の隙を感じる部分だね」

なんとなく嬉《うれ》しくなって言ったら、彼はきょとんとした表情をした。

「隙ってどういうこと」

「いつもよりも身近に感じるっていうことかな」

窓の外で犬の鳴き声が聞こえた。言葉を切って、一瞬だけ窓のほうを見た。もう夕暮れが訪れて雑木林に染み込んできている。小さな白い犬を散歩させる若い男の人がゆっくり

と林の中を横切っていくのが見えた。

視線を小野君のほうに戻すと、彼は手を伸ばして私の髪に触れた。そして三回だけ、ゆっくりと撫《な》でた。

それからすぐに立ち上がった。

「夕食の買い物に行こう」


恋人がなにをさせても器用だというのは複雑な心境になる。

やや危惧《きぐ》していたことではあったが、小野君の包んだ餃子《ギョーザ》は私のよりも形がきれいだった。具の量や皮の折り方で味にも微妙な違いが出る。私の餃子のほうがやや大ざっぱな味で、それでもチーズや明太子《めんたいこ》のほかにキムチなんかも入れて焼き餃子と揚げ餃子を作り、ワカメスープとごはんで食べると、普通に外食するよりもずっと満足したね、とお互いに言い合った。

食後に紅茶を淹《い》れ、私がお土産に持ってきたマドレーヌを出した。ふっくらした生地からはかすかにアーモンドの香りがした。それを食べながら二人でテレビを見た。

ベッドを背もたれにして寄りかかると、すぐとなりの小野君がゆっくり足を伸ばした。ジーンズがカーペットに擦れる音がした。小野君の体からは良い匂いがする。そっと横顔を見ると少し縦長でほっそりした耳が視界に飛び込んできた。耳たぶが薄く、その形をなぞるようにきれいに髪が切られている。

「小野君はどれぐらいの割合で美容院へ行っているの」

彼は自分の前髪を軽く見上げながら
「二ヵ月に一度ぐらいかな。髪が伸びるのが早いから、けっこうまめに行くよ」

「だけどヒゲはあんまり生えないね」

私が指摘すると彼は片手で自分の頰を撫でた。

「そうだな。髪はすぐに伸びるわりに、体毛が薄いほうなんだ。だから毎朝まめに剃《そ》らなくても、あんまりヒゲは生えないな」

「そういえば、腕なんかもあんまり」

そう言いながら、食事のときに暑くなってシャツの袖《そで》を捲《まく》った彼の腕を、じっと見下ろした。さらっとした皮膚には細くて色素の薄い毛がまばらに生えているだけで、ほとんど存在感がない程度だ。

そっと彼の右腕が動いたかと思うと、すぐにその腕に捕まった。抱き寄せられて最初は軽く口づけしていたが、すぐにせわしなく耳の後ろや首筋、まぶたの上を吐息が移動して小野君の激しさに初めて触れたような気がした。彼の重みに身を任せると、体が床に張り付いたように押し付けられた。

はっきりと目を開けると目の前に小野君の顔があった。緊張でも不安でもない、ただまっすぐにこちらを見下ろしていた。

「いいの」

私は小さく頷《うなず》いた。小野君は上半身を起こし、素早い動作で着ていたシャツを脱いだ。うっすらと縦に線の走った腹筋の重量感を視界で感じた。たしかに彼は自分で言ったとおりに体毛が薄かった。肩はそんなに広くない、それよりも腕が長く、ただ痩《や》せているのかも知れないと思っていた体は意外に隅々まで形が整っていて、その精密さはかならずしも分かりやすい男らしさを想起させるわけではなかったけれど、丁寧なつくりのきれいな体だと思った。

脱いだシャツを床に放り、それから彼は素早く立ち上がって明かりを消した。

部屋の中が沈黙と暗闇に包まれた。

体が離れてから小野君はベッドを降りた。床に畳んで重ねてあった服の中から、ナイロン素材の黒いズボンを取った。それを穿《は》いている間にくるぶし、膝《ひざ》の裏、尾てい骨のあたりから腰まで、ゆっくりと順々に布の下に隠されていくのをベッドに横たわったまま私は見ていた。背骨が薄明かりの中で白く浮き上がっている。

柔らかいタオル地のシーツに頬を寄せるとすぐに眠気が忍び寄ってきた。かすかに寒い暗闇の中に上半身はまだ残したまま、すくっと立ち尽くした小野君の後ろ姿は実体ではなく、残像のようだった。

小野君はそのままベッドに戻ってくると、となりに横たわった。

「大丈夫だった？」

うん、と答えると彼は困ったような顔で眉《まゆ》を寄せた。

「俺は大丈夫じゃない」

「だけど想像した」

「なにを?」

「小野君がほかの女の子とそういうことをしてるときを」

彼と自分の呼吸が重なったり、微妙にずれたりしながら響いていた。

「想像する必要ないよ。だいぶ前のことだし、そんなことを言ったら俺だって毎日いろんなことを想像してるよ。一緒にいないとき、どんなふうに過ごしてるのか。なにを考えているのか。もしかしたら泉は違う人のことを思っているのかも知れないけど俺には分からないから」

「小野君はけっこう不安が強いんだね。もっといつでも安定しているんだと思っていた」

「がっかりした?」

私は天井を見つめたまま首を横に振った。

「あなたが思っているよりも、きっと、私はあなたのことが好き」

うん、と低い声で彼が呟《つぶや》き、それからふたたび起き上がった。

「俺、汗かいたからシャワー浴びてくる」

小野君が入って浴室の明かりが灯《とも》ると、ガラス越しにシャワーから噴き出した水の流れていく影が映っていた。水面のようにガラスの表面をなぞり、小野君の体のシルエットが浮かび上がっている。私は持ってきた寝間着に着替えてからテレビの電源を入れた。

シャワーを終えた小野君が、髪をタオルで拭《ふ》きながら出てきて
「なにを見てるの」

台所に立ちながら言った。

「ちょうど『僕の村は戦場だった』をやってたから」

「それ、なんだっけ」

尋ねながら小野君は冷蔵庫を開けて、中からサイダーのペットボトルと生レモンを取り出した。

「古い映画。中学生のときに一度、見たんだけど、けっこう忘れちゃうものだね」

「泉は音楽よりも映画が好きだよな。俺は映画はあんまり詳しくないから」

そう言いながら彼はサイダーの入った二つのコップと半分に切ったレモンをテーブルに運んだ。

「どうしてレモンなんか？」

「サイダーだけだと甘すぎるから、いつも思いきりレモンを絞って入れるんだ。泉はこのままのほうが良ければ、使わなくてもいいけど」

せっかくなのでマネをすることにして、私はレモンをコップに向けてかなり大量に絞った。

飲んでみると、強烈なすっぱさがサイダーの甘さと炭酸にうまく溶けて、たしかにおい

しかった。部屋の中が乾燥しているせいか、ほとんど息もつかずに飲んでしまった。

「本当に、レモンを入れるとおいしいね」

「だろう。実家にいたときから、この飲み方なんだ。これで酒を割っても合うんだよ」

相槌《あいづち》を打ってからモノクロの画面に視線を戻した。主人公の少年は真顔のときでもどこか悲しげな表情を浮かべているように見える。

「昔から映画が好きだったの」

小野君が尋ねた。

「そうだね。年代、ジャンルを問わずに映画は好き。とくに自分が感情移入できる映画を発見したときには嬉《うれ》しくていつもわくわくする。映像と音楽と言葉がすべて合わさって一つの世界を作り上げていて、そこにすっと上手く入り込めたとき、もう自分が違う世界にいる気がするから。浸ったり悲しんだり、笑ったり、そんなふうに揺さぶられるのが楽しくて仕方ないんだ」

「話を聞いていると、けっこう古い映画のほうが詳しいみたいだよね。最近の流行ものだけ追うっていう感じじゃないもんな。友達や同年代の知り合いで同じぐらい話せる人ってそんなにいないんじゃないのかな」

「うん、だけど」

そう言いかけてふっと口をつぐむと、小野君が不思議そうな顔をしたので
「だけど一人で楽しめる世界だから。ただ、良い作品だったときほど誰かに話したくはな

るけど」

「それなら俺に話してよ。今まではあんまり興味がなかったけど、せっかくだからこの機会に色々と見てみたい」

　私は頷いた。

　映画を見ているうちに途中でうとうとしてきた。眠っていいよ、囁《ささや》くような言葉が聞こえて小野君の肩に寄りかかる。そういえば長野行きのバスの中でも同じことを言われた、私を先に眠らせてくれようとした。私なら後まで起きているのは取り残されたようでどこか淋《さび》しい、だけど自分は逆だと彼は言った。

「自分の寝てる姿ってあんまり見られたくない、だってさ、なんだか」

　つられたように眠りかけてもまだ彼の滑舌は良く、だけど言葉は徐々に途切れていく。転がるようにして二人でベッドに戻った。テレビの画面がつけっ放しで、暗闇にぼんやりと光り続けている。

　目をつむるとまだ口の中にサイダーの味が残っているのが分かった。コップを持っていた右手の親指とひとさし指を擦《こす》り合わせてみるとかすかにべたついていて、鼻の奥に抜けるようなレモンの香りとの違和感を抱きつつ、私と小野君は途切れ途切れの言葉を交わしながら、お互い違う夢の中に落ちていく。

学園祭っていつ、と訊《き》かれ、手帳で調べてみたら小野君の大学の学園祭と同じ日程だった。

18

小野君が
「残念」
と笑ったので
「だけど自分のほうは行かないと思うよ」
そう告げたら、彼は私の贈ったジッポー・ライターで煙草に火をつけながら
「それなら俺のほうの学園祭に遊びに来る?」
と誘ってきた。大学にいるときの小野君、というものに興味があったので、私は頷《うなず》いた。
二人で眠っていたとき、なにやら部屋の片隅で携帯電話がブルブルと震えている音で目覚めた。それが自分のジャケットのポケットから響いていることに気付くまでにはだいぶ時間がかかった。
こんな夜中に誰だろうと思いながら、あわててベッドから抜け出してポケットを探った。
画面を見て、一瞬、息が止まりそうになった。ボタンを押しながらそっと玄関で靴を突っかけて部屋の外に出ようとした。もしもし、と小声で呟きながら振り返ると、ベッドで

小野君は静かな寝息をたてていた。私は後ろ手でドアを閉めた。

「いきなり連絡してごめん」

私は顔を上げて夜中の冷たくて新鮮な空気を吸い込んだ。白いフェンスの向こうには見慣れたプールがある。プールは季節が過ぎてからすっかり水面が藻に覆われて、底が真っ暗に見える。

「なにか用事があったわけじゃないんだ」

藻の隙間からかすかに覗《のぞ》く水面に映った月明かりをじっと見つめながら私は呟いた。

「本当にいきなりですね」

「葉山先生」

うん、と彼は語尾を上げる調子で聞き返した。

「こんなふうに夜中はちょっと」

「ごめん。起こしたかな」

「そういうわけじゃないです。だけど」

「うん」

「最近は小野君と一緒にいることも多いので」

しばらく間があってから、うん、と今度はだいぶ落ち着いた感じの相槌が返ってきた。

「付き合ってるのか」

はい、と私は答えた。

「そうか。ごめん、知らずに突然、電話をかけたりして。ただ、元気な声が聞ければ良かったんだ」

「大丈夫、元気にしていますよ」

できるだけ平常心を心掛けた言い方で告げると、彼も穏やかな調子で相槌を打った。

「それなら安心した」

「はい。それにしても、どうして急に電話なんて。もしかして、またなにかあったんですか?」

急に心配になって、反射的にそう尋ねてしまった。だけど葉山先生はその言葉をやんわり否定すると
「耳から離れなかったんだ」

彼は静かな声でそう言った。

「夏に別れた後で電話をしたときに聞いた君の声が耳から離れなかった。もうやめてくれ、放っておいてと泣いている君の声がずっと頭の中に残っていて、眠っていても夢で何度もあのときの声を聞いた。だけど小野君と一緒にいると聞いて、安心したよ。君が幸せになって本当に良かった」

もうかけないようにすると言って彼の電話は途切れた。

部屋に戻ってからも、しばらく気持ちが落ち着かなかった。それからふと平和な小野君の寝顔を見て、こんなふうにすぐに動揺するのは軽薄だな、と反省した。もう気にするの

はやめよう、そう自分に言い聞かせてベッドに戻った。

小野君の通う大学は敷地が広くて自然が多かった。色とりどりの立て看板が並んだ正門を抜けてまっすぐに続く並木道を進むと、校舎に取り囲まれた広場が現れた。出店の数も多く、お客の年齢も幅広かった。走り回る子供の歓声も聞こえてきて、なんだかアットホームな雰囲気を漂わせている。

突き抜けるような青空の下、色づき始めた葉の裾《すそ》がきれいな赤色に染まっていて、風に吹かれるたびに揺れた。

小野君と一緒に出店をまわっていると、彼がじつに多くの人に話しかけられるので驚いた。

「玲二、安くするから買っていって」

ふいにそんな声が私たちを背後から包んだ。振り返ると、焼きそば屋の前で女の子がこちらに向かって手を振っていた。日差しに照らされた髪の色が明るくて、それに負けないぐらいに肌の色が白い女の子だった。肩が小さくて痩《や》せている、白いエプロンの下にVネックの柔らかいピンク色のニットを着て、黒いミニのプリーツスカートを穿《は》いていた。黒いブーツの上からでも足の細さが目立った。

だけど小野君はそちらを一瞥《いちべつ》しただけで、すぐに前を向いて歩きだした。あーあ、という複数の女の子たちの声が後ろから聞こえてきて、私はあわてて小野君の後を追った。

追いつくと、彼は私の手を握りながら
「あれがテニス部の」

と苦笑した。私は思わず納得して、もうだいぶ遠ざかった屋台を振り返った。もう違う男性客のグループを相手に焼きそばを売っているようだった。ほかの女の子も可愛い子たちばかりだったので、あれならお客が途切れないだろうと他人事《ひとごと》のように考えていると
「未《いま》だに名前で呼ばれるから、すごく嫌なんだけど」

「そっか。たしかに別れたら戻してほしいかも知れないね」

そう言うと、小野君はひどく困ったような顔をした。

「どうしたの」

「他人事みたいに言うから、反応に困って」

そう言われて私も返答に困ってしまった。だけど嫉妬《しっと》する気持ちよりも意外さのほうが先立ってしまう。

「私とまったく違うタイプだったから、ちょっとびっくりして」

「だから合わなかったんだって」

だけどそんな彼の言葉には、そうだろうか、と素朴な疑問を感じた。

「でも可愛い子だったし、服装は最近の感じだったけど清潔感があったね。そういうところは小野君と似ていると思ったよ」

なによりあの健全さ、とくに小野君には意識的に自分の健全さを保っているようなとこ

ろがあるけれど、彼女は意識する必要がないほど健康的に見えた。

　広場の隅で中国人留学生の人達が開いていた出店を見つけ、鉄鍋を上手に使いこなす手さばきに見とれて、炒飯《チャーハン》と肉まんを買った。どちらも本格的な中華料理屋の味がして、二人でベンチに腰掛けて、おいしい、と言い合いながら食べた。

　それから校内に展示されているという小野君の友達の絵を見に行った。がらんとした教室の壁に数点ほど学生の絵が展示されていて、その中でも一番大きなキャンバスに海辺の風景が描かれていた。モチーフはちょっと平凡な感じがしたが、窓から差し込む光が青い油絵の具の上で揺れると、光が反射してかすかに本物の水面のように見える瞬間があった。

　小野君がとなりでぼそっと
「来年の夏になったら、一緒に海に行きたいな」

　そうだね、と私も言った。

　夕方になってから小野君のアパートに戻った。彼が部屋の明かりを点《つ》けると、一日歩きまわった足がすっかり疲れていることに気付いた。

　もう見慣れた部屋の中で私は少し脱力してベッドの上に座り込んだ。小野君は黒いジャケットを脱いで壁に掛けるとすぐにとなりに腰掛けた。

「そういえば、訊《き》きたいことがあったんだけど」

　なに、と私は尋ねた。

「この前の夜中に一度、俺が眠っているときに部屋を出て行かなかった？」

彼が眠っていると思い込んでいた私はびっくりした。

「電話がかかってきたから、起こしたら悪いと思って」

「電話って誰から？」

答えに迷っていると、彼はふと怪訝《けげん》な表情でこちらに手を伸ばして
「悪いけど、ちょっと携帯電話を見せてくれる？」

やましいことがあるわけではない、私は言われた通りに彼に携帯電話を出して渡した。

小野君は着信の画面を開くと、しばらくじっと黙り込んでいた。それは重たい沈黙だった。

やがて彼は覗《のぞ》き込むようにこちらの顔を見て
「どうして電話がかかってきたの？」

「分からないけど、小野君と付き合ってるって言ったらすぐに切れたよ」

そう告げると、小野君は心の底から戸惑ったような表情をした。

「どうして今さら葉山先生が出てくるのか分からないんだけど」

「だけど、べつに私のほうからかけたわけじゃないから」

ふうん、と鼻先で打った相槌《あいづち》が寒々しい調子だったので、私は黙った。

「動揺した？」

なにが、と訊き返すと、彼は試すような目でこちらを見ていた。

「いきなりあの先生からそんなふうに連絡があって、動揺したのかって訊いているんだよ。

どうして俺に教えてくれなかったの」

「隠してたわけじゃないよ。よけいな心配はかけないほうがいいかと思って」

「俺が心配するようなことを言われたの」

いそいで首を横に振った。

「そういうわけじゃないけど」

「じゃあ、どういうわけなんだよ」

「深い意味はないと思ったから。単に、あの人にはほかに話す相手がいなくて、だから」

そう言った途端に小野君があきれたように笑ったので、私は押し黙った。

「話す相手がいないって、ちゃんと仕事だってしているし、どちらかと言えば社交的な人だったし。泉以外にも話す相手なんていくらでもいるだろう」

「だけど、みんな知らないから」

「なにを」

小野君の口調が少しずつ馬鹿にしているような雰囲気を帯びてきたことに気付き、怖くなって、口を開きかけた。けれどにわかに押し止《とど》めるものがあった。

「なんでもない」

「いま、なにか隠した？」

「べつに隠してないよ。ただ、今の話とは関係のないことだから」

「関係ないかは聞いてから判断するよ」

私は首を横に振った。

彼はふっと表情の消えた顔でため息をつくと
「今まで俺に隠れて連絡を取ったりしてたの」

私は驚いて、さらに強く首を横に振った。

「そんなことはしてないよ。それにもう連絡しないって向こうも言ってたし」

「そんなことは分からないよ。今さら電話をかけてきたりするのが良い証拠だよ。俺と付き合ってることなんて、さほど意味がないんじゃないの」

「意味がなくなんかないよ。葉山先生はそういう人じゃないから」

「黙れよ」

言ってから、小野君はすぐに後悔したようにぎゅっと眉《まゆ》を寄せた。

「ごめん、言いすぎた。だけど、お願いだから今度から連絡があったときにはすぐに教えてほしいんだ」

数秒前の強い口調が一転して、今度はおそろしく不安定で気弱な声だった。

「うん、分かった。心配かけて本当にごめん」

そう答えると、ようやく彼はいつもの穏やかな様子を少し取り戻して
「それならこの話はもう終わりにしよう。俺も、もう忘れる。今日はこのまま泊まっていけばいいよ。明日は俺、午後からバイトだけど、それまでは一緒にいられるから」

「そうだね」

彼が着替えるというので、私は立ち上がってお風呂場《ふろば》のほうへ向かった。それから洗面台で前髪を上げて洗顔料を泡立てた。手のひらの中で粉が泡に変わってふくらんでいく間、小野君に黙れと言われたことが頭の中をめぐっていた。一瞬、彼の目に今まで見たことのない強い怒りが宿っているのを見てしまった。恐怖を追い出そうと目を閉じて、出来た泡をそっと肌に付けて擦《こす》ると、今度は葉山先生の言葉が洪水のように溢《あふ》れ出して脳裏から喉《のど》に流れて体の底までまっすぐに落ちていくような気がした。いろんな感情が絡み合って静かな混乱がやって来た。

落ち着くために顔を洗い流して、それからいつも通りに夕飯の支度を始めた。

ふたたび戸惑いを感じたのは眠る前のことだった。

入浴の後に歯磨きも済ませ、私は部屋の明かりを消してベッドに行った。小野君は先に横たわって待っていた。

すぐに彼が抱き着いてきて、私はちょっとそういう気分だとは言い難かったが、ここで嫌だと言えばさらに彼を傷つけるような気がして身を任せていた。

服を脱いだ小野君の体はとても冷たかった。とくに手のひらとつま先が擦れるたびにその体温の低さにびくっと反射的に体が縮こまった。

彼が入ってこようとしたので

「まだ付けてな」

「たまには大丈夫だよ」

一言だけ呟《つぶや》くと、そのまま彼は入ってきた。押し返そうとするより先に彼が全身をこちらに預けてきたために身動きが取れなくなり、なにより小野君がさきほどのような発言をしたことがにわかには信じられずに天井を見上げたまま呆然《ぼうぜん》としていた。それは愛情という言葉とは果てしなく遠い場所にある行為だった。無意味な振動の下で私は体中の体温が奪われて自分の体がプラスティックかなにかに変化していくように思えた。すべてがぎこちなく、じっと身を硬くして時間が流れるのを待ったが、次第に不安のほうが勝ってきて、やめてくれるように彼に頼んだ。けれど小野君は聞こえないふりをした。

結局、途中で向こうのほうから体を離したため、それと同時に私も起き上がっていそいで服を着た。

小野君は私が服を着る姿をじっと無表情のまま見ていた。それから自分の額を片手で押さえて

「ごめん。俺、今日はちょっとおかしい」

私はなにも言えなかった。一つだけ分かっているのは、彼はまったく私を許していないということだけだった。

「もう寝よう」

と仕方なく私は言った。

電気スタンドの明かりで本を読みながら、私は小野君が眠るまで起きていた。無言で本を捲《めく》っていると、小野君が白い枕カバーのほうをじっと見たまま

「そんなふうには見えないかも知れないけど、子供の頃は、うちの両親はけっこう仲が悪かったんだよ」

　そんなことをにわかに喋《しゃべ》り始めたので、私は本を閉じて彼のほうを見た。

「とくにまだ祖母《ばあ》ちゃんが生きていた頃はなにかと細かいことでもお互いに突っかかって喧嘩《けんか》ばっかりしてた。父親の妹の家が祖母ちゃんをこちらに任せっぱなしで、それで母親だけが面倒を見ていたし、一緒に暮らしてるとお互いの嫌なところが見えるせいか、祖母ちゃんも離れてる叔母《おば》さんの家のことばかり誉めたり、良い顔したりするんだよ。だから俺も祖母ちゃんのことを良く思っていなくて、細かい嫌がらせをした。どれも子供のやることだから些細《ささい》なことで、料理の途中で指を切ったときに絆創膏《ばんそうこう》があるのに『ない』って言って持っていかなかったり、お湯の温度をものすごく高めにして一番風呂を勧めたり。だから祖母ちゃんが入院したときも俺は心のどこかでほっとしていたのかも知れない。

　泉はいつも俺のことを優しいとか良い人だって言ってくれるけど、そんなことはないんだ。ほかが上手《うま》く回るためなら自分に必要のない一人が犠牲になってもかまわないと思ってるところがきっとあるんだと思う」

「そういう理由があったなら、仕方ないことだよ。誰しもそういう部分はあるし、とくに幼い頃は自分を中心に据えて考えてしまいがちだから。特別、小野君が悪い人間だとは思わないよ」

「さっき、一瞬、いなくなればいいと思ったんだよ」

「あの先生が泉の前からいなくなってくれればいいって、そう思ったんだ。そうすれば俺自身も平穏でいられるし、苛立《いらだ》ったりせずに優しくしていられる。それでも俺になにも悪い部分がないって言えるの」

「え?」

言葉が返せなかった。息を押し殺したようにじっと小野君は黙っていたが、やがてゆっくりと沈黙をほぐすような寝息が聞こえてきた。私はため息をついた。

まぶたさえ閉じていれば、彼の表情はいつも通りだった。耳にかかった髪を軽く撫《な》でると痙攣《けいれん》したように横顔がかすかに動いた。

思い起こせば、彼は時折、自分が先ほどのような態度を取るかも知れないという懸念を私に伝えようとしていたのだ。言葉の端々に不安を滲《にじ》ませていたではないか。自分で言うほど安定していないという言葉は幾度となくくり返されていたのに、私はそこまで問題にしていなかった。そう思うと、彼に対してものすごく申し訳ないことをしたと感じた。けれど、頭の片隅を先ほどの一方的なセックスが過《よぎ》ると、思考がそこで立ち止まってしまった。コミュニケーションではなく、力に任せて支配してしまおうとする作業。それに小野君に問い詰められたとき、葉山先生の事情を隠す気持ちが先行したことに私は戸惑っていた。この期に及んで私には未《いま》だ守るものがあるというのだろうか。ふと視界の隅でなにかが動いていて、天井を見上げると小さな羽虫が消えた蛍光灯のまわりを飛んでいた。窓の外から降り積もるような虫の鳴き声がする。床に落ちた洋服や本棚の影は淡い暗闇の中で長く引き伸ばされていた。

目覚めたとき、小野君は台所に立っていた。彼の向こうからは湯気が立ちのぼっていて部屋の中はまぶしい光で満ちていた。私が起き上がると、彼はこちらを振り返って笑いながら
「今、朝ごはん作ってるから。ちょっと待ってて」

その一言で昨夜のことがすべて夢か幻だったような気がした。

出来上がった目玉焼きに私は塩コショウを、小野君は醬油《しょうゆ》をかけて食べた。食卓の上にはキュウリの漬物とごはんとみそ汁が載っていた。みそ汁は家で作るものよりも少し味が濃かった。彼は半熟の黄身がお皿にこぼれないよう箸《はし》で上手く切り分けながら
「バイトが終わるのが、たぶん六時頃だと思うんだけど」

「そっか。それじゃあ終わるまで待っていようかな」

「本当に？」

「うん。夕飯でも作っておくよ」

彼がにわかに黙り込んだので、私がちょっと心配になっていると
「俺のこと、嫌いになったかと思った」

その一言で昨夜の出来事の重さが蘇《よみがえ》ってきたような気がした。

「そんなに簡単に嫌いになったりしないよ」

だけど笑いながらそう答えた。

「そうかな」

「そうだよ」

「急にいなくなったりしないよな」

「うん」

そう答えると、小野君の切れ長の目が閉じたか否かのぎりぎりのところまで伏せられて、つかの間、視線の先が定まらない方向に向いたように見えた。その表情の裏にどんな感情が行き来しているのか私には分からなかった。

彼は口元だけで静かに笑った後、お茶碗《ちゃわん》に残っていたごはんをふたたび食べ始めた。

食事の後で小野君は軽くシャワーを浴び、寝癖のついた髪を軽く梳《と》かしてまだ新しいブラックジーンズとグレーのシャツに着替えてジャケットを羽織ると、私の頭を二、三度ほど撫でてから、近くのレンタルビデオ屋のカードをテーブルの上に置いて部屋を出て行った。

私も台所に残っていた洗い物を片付けてから髪を整え、財布とカードを手に外へ出掛けた。外は曇っていて身動きしない灰色の雲が空を覆っていた。空気が芯《しん》から冷たかった。

大通り沿いにある大型のレンタルビデオ屋は明るくて、お客も多い。新作のほとんどが貸し出し中だったため、古い洋画のコーナーへ行ってみた。夜までたっぷり時間があるので、今まで敬遠していた映画を借りてみることにした。葉山先生が薦めてくれた映画の中で『存在の耐えられない軽さ』だけを見ていなかった。二本組という長さと重たいタイトルの両方に今まで抵抗があった。レジでカードを出すと一瞬だけ店員に顔を見られたがそれ以上はとくになにも言われなかった。

帰りに近くのスーパーマーケットで夕飯の買い物を済ませて歩いていると、いつの間にか靴の先に小さな黒い染《し》みが付いていた。空を見上げると、今度は頰に水滴が落ちてきた。私は少し急ぎ足になりながら雑木林を抜けてアパートに戻った。

お湯を沸かしてインスタントコーヒーを入れてから、私はテレビの前に腰を下ろした。映画が始まると、窓の外から雨の音が聞こえてきた。すぐに強くなるかと思ったが、一定の静かなリズムを保ったまま降っていた。少し部屋の中は暗かったものの、明かりを点《つ》けるほどでもないので、そのまま映画を見ていた。

映画は悪くなかったが、それほど趣味に合うものでもなかった。正確に内容を理解するにはもっと長い年月が必要ではないかと思った。しかし、一本目のビデオが終わろうとした間際、急に張り詰めていた神経の糸を切られたように泣けてきた。その涙が、くしゃみやあくびと同じぐらい自然に流れたものだったので、驚いて何度も自分の頰に触れてみた。窓の外では雨が降り続いている。この部屋からすぐに飛び出して帰りたくなった。けれど、今、自分の帰りたがっている場所はもうどこにもないことも分かっていた。それは私の底で眠っていた記憶の中にだけある場所だった。

ビデオが終わってしまうと、私は台所に立ってゆっくり夕飯の支度を始めた。雨の午後は昼間と夕方の境界線が曖昧《あいまい》で、窓にはただ全体的に暗くなっていく一枚だけの景色が張り付いていた。雨粒に揺れる世界の動きもやけに規則的に見えた。

料理を終えた後で本を読みながら待っていると、ドアの開く音がして、ようやく小野君が帰ってきた。

「なにを作ったの？」

と彼は鍋の中を覗《のぞ》き込んだ。私は立ち上がって
「ミネストローネ。野菜とか鳥肉とか大豆とか、一度に色々な種類が摂れるからいいかなって思って」

「ふうん。けっこうすごい物を作ったね」

「だけど切って煮るだけだからけっこう簡単だったよ。スーパーマーケットで料理の本も立ち読みしたし」

そう答えて笑うと、彼も笑った。

「それじゃあすぐに夕食にしよう」

小野君は夕食の最中に教えている家庭教師先の家の子の話をしてくれた。

食事の後で少し休んでから私はそろそろ帰ると告げた。

「あさって提出のレポートがあるから」

「分かった。ちょっと残念だけど」

ビデオを手に部屋を出た私は、傘を差した。まだ霧雨の降る暗い道をゆっくりと歩き出した。

長い帰り道を延々と歩いている間も乾いた暗闇を潤すように雨は降り続けていた。

19

別れたほうがいいんじゃないの、と静かな口調で志緒は言った。

私がじっと押し黙っていると、彼女は手にしていた赤いアンゴラのセーターと私の顔を交互に見てから、セーターを棚に戻した。赤いふわふわとした毛が落ちて彼女の黒いコートの袖《そで》にうっすら付いていた。それをむっとしたように払い、なにを探しているのかと話しかけてきた店員を受け流してから

「泉の態度にも誤解を招きやすいところはあるけど、だからって、小野君のその反応はどうかと思うわよ。また同じことがあったらどうするの」

分かってる、と答えると彼女は私の目をじっと見て

「分かっているふりをしてるだけで、本当は考えないようにしているでしょう」

「そうかも知れない。だけどいきなり別れるっていうのは」

「たしかに今はちょっと簡単すぎる言い方をしちゃったけど、多少は責任を感じているからこそ言っているの。恋人同士だって毎回かならず合意の上じゃなきゃ、体の関係を持つべきじゃないと思う。たかが一度や二度のセックスだと思って甘くみてると後からひどいことになるわよ」

　志緒の言うことはもっともだった。正しすぎて反論もできずに言葉を失っていると、彼女は薄い真っ白な生地のアコーディオン・スカートを手に取って、試してくると告げて試着室のほうへ歩いていった。私は彼女が着替えている間、ぼうっと店の白い壁に寄りかかっていた。たしかに私は今、意識的に思考を止めている。見ないふりをして時間が過ぎるのを待っている。

　志緒が試着室から出てきて、上品すぎていまいち似合わなかった、と漏らした。私が軽く笑った後で
「そういえば黒川から連絡は来てるの」

最近、名前を聞いていないと思って尋ねると、志緒はあっさりと
「あんまり。勉強が忙しい上に、メールが苦手みたいだから。まったく、喋るのは得意なくせに文章になるといきなり寡黙になってどうするのよ」

「淋《さび》しくないの」

「この前は電話でちょっと喧嘩《けんか》になった。向こうがすぐに謝ってきたけど、あれは本当に反省しているんじゃなくて、ただ電話料金を気にしていただけと見た」

　真顔で彼女がそう言ったので、私は笑った。

「仕方ないよ。長電話も続ければすごい額になるだろうし」

「まあね。クロちゃんは一つのことにしか集中できなくなるタイプだから、万が一ほかに好きな女の子でもできたりしたら、すぐに分かると思うけど、今は確認しようもないこと

を疑ったりしても意味がないし。もう続けられないと思ったらそのときはきっぱり別れるけど、正直、まだまだ遠ざかったり嫌いになったりはしないな。顔だけなら大学にも良い人はたくさんいるけど、クロちゃんほど信用できる人って珍しいから」

「そんなふうに思える相手がいるっていうのは本当にうらやましいな。ずっと仲良くしているところを見てきたから、二人には続いてほしいよ」

「泉は小野君に対してそういうふうには思えないの」

「彼とはまだ、付き合いが短いから」

「だけど葉山先生とは付き合っていたわけでもないのに親密な感じがあったじゃない。精神的につながっているっていうか。小野君とどんなに長い時間を過ごしたり何度も寝たって、同じものが得られるわけじゃないのよ」

「そういうふうに見えていたのかな」

「え？」

「私と葉山先生はそういうふうに見えていたんだなって。自分の思い込みだけじゃなくて」

「知らなかったの？　あんたと葉山先生、一時期だけど噂にまでなっていたのよ。私だって何度かクラスの子に訊《き》かれたし。もしも本当に二人になにかあるなら、ウカツに気付かれるような態度は取らないだろうと思ってたけど」

いいえ、けっこうウカツなんです、と思わず心の中で呟《つぶや》いてしまった。

しばらく店内をうろついていると黒地に淡いピンク色の糸でステッチがされたワンピースを見つけて思わずハンガーごと棚から外した。両脇のポケットにはわざと大きな黒いボタンが縫い付けられていて、黒にピンクという派手になりがちな色の組み合わせでも、クラシックなデザインのせいか落ち着いた雰囲気が漂っていた。

値札を探して服の裏側に手を入れていると、また後ろから志緒が来て

「クリスマスは小野君と一緒に過ごすんでしょう」

「うん。一応、約束はしてる。当日は向こうにバイトがあるみたいだから、夜中から会うことになってるけど。ああ、やっぱりワンピースは高いね」

「そういえば泉、最近、香水を変えた？」

私はワンピースを棚に戻しながら首を横に振った。

「最近つけてないから。たぶんトリートメントの匂いだと思う」

「どうして使わなくなっちゃったの。高校生のときに初めてのバイト代で、前から雑誌で見て憧《あこが》れてた香水を買ったって、すごく喜んでたじゃない」

「そうだったね。懐かしいなあ、あの頃の高い買い物って本当に一つ一つが一大決心で、その分すごく大切にしたたな」

高校生が香水なんて、と父にはしょっちゅう揶揄《やゆ》されていたが、だからこそ背伸びをしたかったことを思い出した。だけどあの香水はすでに葉山先生のものだ。思い出が強すぎて、もう使う気にはなれない。

「クリスマスが一人なのはべつにいいけど、アメリカはきっときれいだろうなあ。いっそのこと貯金をはたいてでもクロちゃんに会いに行っちゃおうかな」
あながち冗談でもない口調で志緒は苦笑いして、それから今度は黒いプリーツ・スカートを手に試着室へ戻っていった。

大学の後期試験は一月に入ってからなので、十二月までは比較的、時間に余裕のある日が続いていた。出される課題の量もそれほど多くはない。一方、同じ大学生でも理系で教職もとっている小野君は授業だけでおそろしい忙しさだった。今のうちに短期のアルバイトを増やそうと思い、派遣会社に登録した。仕事の内容はいろんなスーパーマーケットへ行って、試食品をお客に試してもらうことだった。
私を面接した男性は冬だというのに日に焼けて小麦色というよりは赤茶けた肌の色をしていた。それから、さも誰でもいいのだという口調で
「学生さんで多いのが仕事の当日キャンセルで、それだけは避けてくださいね。もしもそんなことになったら登録を解除しますからね」
ガムを噛《か》んでいるわけでもないのに彼が喋ると、くちゃくちゃ、という音が言葉の中に混ざる。はい、と強めに相槌《あいづち》を打っていると
「仕事は現場の責任者の言うことにしたがってください。なにか事前に聞いていた話と大幅に事情が違っていたり、問題が起きたときだけは本部に連絡を。後はできるだけ臨機応

変でがんばってください」

「分かりました」

その一言で私はその場で採用になった。

初めのうちは慣れないことも多く、いきなり行ったスーパーマーケットで勝手が分からずに何度かおどおどとしてしまった。土曜日のバイトの後でぐったり疲れてバスに揺られていると小野君からメールが入ってきた。メールを読んでから窓の外を見ると、すっかり日の暮れた街は買い物客でにぎわっていて、その中をバスは強引に通り抜けていく。

駅に着いてバスを降りたところで電話をかけた。彼は家でレポートを仕上げていたと言うので、ごはんを作りに行く約束をして切符を買った。

小野君のアパートで台所を借りて、買ってきた鳥肉を食べやすい大きさに切った。出し汁の湯気が立ち込めると、良い香りだと言いながら後ろから小野君が近づいてきた。

ふっと後ろから両腕が伸びてきたとき、なぜか一瞬だけ体が強ばった。背中にひとまわり大きな体の影を感じる。流しで手を洗うふりをしてすっと避けてしまった。小野君はとくに気にしてない様子で、出来上がるのが楽しみだと言いながらテーブルのほうへ戻っていった。

湯気のたつ親子丼を食べながら、バイトはどうだったのかと訊かれたので
「おばさんにパンを買ってきてくれって言われた」

ぼそっと呟くと、彼は食べている途中だったごはん粒を軽く噴き出しそうになっていた。

「なに、その漫画みたいな話は」

「一緒に新発売のチョコレートの試食を配っていたおばさんだったんだけど、途中でおなかが空いたからどうしてもパンを買ってきてくれって言われて。だけどその間に売り場の責任者の人が見回りに来て、私がサボっていたんだと思われて散々、叱られた」

「そのおばさんが事情を説明してくれなかったの」

「トイレへ行くって言って消えちゃった。戻ってきても知らん顔だったし」

「泉はちょっとぼうっとして気が弱そうなところがあるからなあ。だから、つけ込まれるんだろうな」

たしかに彼と一緒にいる私は受身で、そう見えるかも知れないが。自分ではそんなふうに思っていなかったので、少し違和感があった。

入浴を終えてベッドに入ると疲れてすぐに眠気がやってきた。けれど小野君が体を寄せてきたので、疲れているから今日は眠らせてほしいと頼んだ。

「そっか、ごめんな」

彼はそう言って体を離した。こっちこそごめんね、そう笑って目を閉じた。うつらうつらしていたとき、急に肌寒くなるのを感じた。目を開けると暗闇の中で黒い影が揺れていて、胸の辺りに軽い息苦しさを覚えた。まだ起きぬけの頭で混乱していたが、ふいに着ていたフリースのパーカを脱がされかけていたことに気付いた。

「どうしたの」

愕然《がくぜん》として問いかけると、小野君が困ったような顔で
「ごめん。もう少し触っていたかったから」

私はどうすればいいのか分からなくなって、眉《まゆ》を寄せたまま彼の顔を凝視していた。暗闇の中で壁に貼《は》られたGREEN DAYのポスターが浮き上がっている。

志緒の言葉が脳裏によみがえってきた。まぶたを閉じると、また足や胸に自分の体重以外の負荷がかかってくる。もういいや、投げ出すような気持ちで力を抜くと、また寒さの中に肌がさらされて、体がかすかに振動を始めた。一度、考えることをやめてしまうと、幸福感がない代わりに苦痛もない、むしろ脳が感覚的な部分を閉ざしてしまったようになにも感じなくなった。耳元で聞こえる言葉も鼓膜を揺らすだけでそれ以外、どこにも響かない。薄目を開けると小野君の顔がすぐ近くにあった。額にうっすらと汗をかいて蛍光灯のかすかな明かりに光っていた。ベッドに両腕をついた肩の筋肉の隆起をじっと見ていた。

それからふたたび目を閉じると、突然、葉山先生の顔が浮かび上がってきた。それも高校に通っていたときの、一番頼りにしていた頃の姿で。驚いてはね除けるように目を開けた。

今度ははっきりと小野君と目が合った。どうしたの、と彼が小声で尋ねてきたので、なんでもないと答えて目を伏せた。それでもいったん思い出してしまうと記憶は次から次へと溢《あふ》れてきて、もう二度と戻れない子供時代を懐かしむような気持ちに似た感傷が胸の底から引きずり出されてきた。彼から見えないように顔をそむけると一気に涙が流れてきた。

いつの間にか小野君の体は離れ、枕に顔を埋《うず》めた彼がこもった声で大丈夫かと尋ねてきた。大丈夫だと早口で答え、いそいで涙を拭《ぬぐ》った。

となりから小野君の寝息が聞こえてきてからも、しばらく眠ることができなかった。ぼうっと天井を見上げたまま放心していた。時計の秒針を刻む音がする。どこかで犬が鳴いている。頬に触れると乾いた皮膚の上にかさかさとした感触が残っていた。

小野君と別れたい、とはすぐには思わなかった。話し合ってどうにかできるものなら努力したい、とこのときの私はまだ考えていた。けれどその一方で、彼と寝たくない、とはっきり思うようになっていた。

そうなると今度は自分が果たして本当に彼のことを好きなのか自信がなくなってきた。言い訳や理由をつけて、結論を先延ばしにしているだけではないのか。そんな違和感が積もり重なっていき、次第にはっきりと形を現して、あの日が来た。

その日、私は片道一時間以上もかかるスーパーマーケットでのバイトを終えて、夜の十時過ぎに最寄りの駅に戻ってきた。駅からの帰り、近道をしようと思って裏のほうの細い道を歩いていた。

そのとき、犬の散歩をしている男の人に背後からすっと追い越された。まだころっと手足が丸くてしっぽも短い、小さな柴犬が可愛らしくて数秒ほど目で追っていた。柴犬の飼い主は黒っぽいズボンを穿《は》いてグレーのコートを着たごく普通の男の人だった。年齢は私とさほど変わらないぐらいに見えた。

彼は突き当たりの道を右に曲がり、私は左に曲がった。夜中の住宅街はおそろしく静かで、頬が冷たい風に痛く、首元のマフラーを顔のほうまで巻き直した。

ふと後ろからの足音に気付いて振り返ると、なぜか先ほど違う道を曲がった男の人がまた背後を歩いていた。ある程度の距離は空けていたものの、ぞっとして頭の中が真っ白になりかけた。連れている柴犬の短く柔らかそうな毛並みが暗闇の中で揺れている。相手の顔までは見られずに、急ぎ足になった。駆け出したかったが、相手を刺激すると恐ろしいと思い、なにより自分の誤解ではないかという理性が先立って、私はいったん住宅街を抜けてコンビニや商店のある通りまで出た。その通りは街灯も明るく、まばらだけど人通りもあった。次第に速度を落としてゆっくり歩いていると、犬を連れた人はまた背後から私を追い越していった。救われた思いで胸を撫《な》でおろし、念のため、近くのコンビニに立ち寄って雑誌を読んだりして時間が流れるのを待った。

十五分ほど過ぎた頃だろうか、もう大丈夫だろうとコンビニを出て通りから裏道に入ったとき、また背後から足音が聞こえてきた。もうすでに恐怖心は収拾がつかないほどにふくれ上がっていたが、今度は目の前に白いコートを着た女の人が歩いていたため、勇気を出してふっと振り返った。見つめた暗闇の中で、まっさきに柴犬の姿が飛び込んできた。

振り絞った勇気はすぐに萎《な》えて、恐怖心から私は走りだした。そして大きく道を迂回《うかい》して先ほどの通りまで戻った。

明るいコンビニの前でハンドバッグから携帯電話を取り出すと、運悪く、電池が切れかかっていた。公衆電話を探して辺りを見回していたとき、少し離れた電柱の陰で先ほどの犬を連れた人が立ってじっとこちらを見ていることに気付いた。遠目から顔をよく見て、まったく知らない人だと再確認した。コンビニから少し離れたスーパーマーケットの前に電話ボックスを見つけた私は、いそいでそこに駆け込んだ。

電話ボックスからは遠くて犬連れの人の姿は確認できなかった。はやる気持ちで数枚の小銭を取り出して公衆電話のボタンを押した。

何度かの呼び出し音で小野君は出た。バイトが終わったばかりだと言った彼の声はどことなく素っ気なかった。

それでも事情を説明すると、驚いたように

「それは同じ方向だったんじゃなくて、本当に泉の跡をずっとつけてくるの」

と訊《き》かれて強く相槌《あいづち》を打った。

「たぶん間違いないと思う。何度か道を曲がってみたけど、そのたびに後ろにいる」

「近くに交番はない？」

「駅のほうまで戻ればあるけど、少し遠いのと、その途中の道が暗くて。それに親が外国だから、下手に刺激してつきまとわれたりしたらまずいから」

「そっか。それなら、ひとまずうちに来たほうがいいな」

ありがとう、とお礼を言うと、次の言葉までやや間があった。私は不思議に思いながら耳に受話器を押し当てていた。ひさしぶりに手にした受話器は耳からはみ出すほどの大きさがある。

彼の言葉を待ちながらうっすらと目を細めると視界に映った通りの明かりがブレて滲《にじ》んだ水彩画のように見えた。

「泉さ」

なに、と聞き返したのとほぼ同じタイミングで

「もしも俺が迎えに行くって言ったら、もっと俺のことを好きになってくれる?」

一瞬、私はなにを言われたのか理解できなかった。

「小野君、それ、どういう意味?」

いや、と彼は表情のない声で呟《つぶや》いた。

「べつに裏はないよ。そのままの意味だけど」

「この前から思っていたけど、小野君、最近なんだか変だよ」

突然、もうやめてくれよ、と彼はなんだか崩れていくように言った。

「その呼び方、もうやめろよ。三カ月付き合って小野君はないだろう。本当は俺のことなんか好きじゃないくせに困ったときだけ俺に頼るなよ」

肩に掛けたカバンが急に重さを増したように感じた。

「……ごめんなさい。だけど好きじゃないっていうのは違うよ、私はちゃんと」

「だったら目の届く場所に、あんなものを置いておくなよ」

そう言われて、急にピントが合ったように察しがついた。同時に強いめまいがした。

「もしかして私の手帳を見たの？」

彼は無言だった。流れ込むように後悔が胸の中に押し寄せてきて、だけどそれはなにに対する後悔なのか分からなかった。

「今でもあんな物を持ち歩いてる、そんな状態で信じろなんて言われても無理だよ」

「だからって、どうして勝手に人の物を見るの」

「付き合ってるんだから見たってかまわないだろう」

「その考え方はおかしいよ。それに、あの手紙を書いたのは二年も前で」

「やっぱりそんなに前のものを肌身離さず持ってるなんて、未練がある証拠だろう」

「だから無理やりセックスするの？」

一瞬だけためらった後で、そうだよ、と小野君は呟き、そう言った声にはほんの少しだがいつもの穏やかさが含まれていた。

「ああしているときだけは信じられるような気がするんだ」

「その気持ちも分からなくはない。だけどそれなら、私の気持ちはどうなるの。正直、あなたとあんなふうには寝たくないんだよ」

「仕方ないよ」

仕方ない、呆然《ぼうぜん》としたまま私は馬鹿みたいに彼の言葉をくり返した。

「安心できるようになったら、あんなふうにはしないよ」

気が付くと私は受話器を置いていた。

それから狭い電話ボックスの中にしゃがみ込んだ。もう立ち上がる気力もなく、先ほどの犬連れの男性を探すこともできなかった。夏に長野に行ったときのことが思い起こされて、いたたまれない気持ちでくすんだガラス越しに一つ、また一つ店が閉まって暗くなっていく通りを見ていた。どこで間違えてしまったのだろう。ここまで彼を追い詰めた、私が悪いのか。葉山先生から電話があったことを問い詰められて以来、たびたび小野君は同じようなことをした。押さえ込むようにセックスをした。そのたびに気持ちが擦り減っていくのを感じて、疲れが限界に達していた。

恐怖を感じる気力もなくなってふらっと電話ボックスを出ると遠くのほうに見えていた犬連れの男性の姿はなかった。だけど部屋に戻る気にもなれず途方に暮れて歩き始めた。すれ違う人々がみんな遠く、もうどこへ行けばいいのか分からなかった。ただ体にまかせて、残っていたかすかな余力で歩いていた。

自転車の駐輪場で、私はコートのポケットに両手を押し込んでうずくまっていた。時折まぶしい光が横切っては、またすぐに暗闇が戻ってきた。寄りかかった冷たいコンクリートの壁には色とりどりのスプレーで描かれたラクガキの跡。ブーツの中で痺《しび》れて感覚のなくなっていくつま先。すぐとなりにある鍵《かぎ》付きのゴミ捨て場から腐臭が流れてくる。それは夜中の寒気に紛れていくぶんか薄まっているようにも感じたけど、臭いを嗅《か》ぐたびに皮膚に染み込んで、もういくら洗っても取れなくなってしまうのではないかと感じた。

暗闇の中から何度目かの足音が近づいてきたとき、すぐには身動きを取ることができなかった。うつむいてばかりいたので首の筋が同じ方向にばかり伸ばされて、顔を動かそうとすると攣《つ》ったような痛みを覚えた。それでも茶色い革靴の先が見えたとき、泣き出しそうな思いで顔を上げてしまった。

グレーのロングコートを着て黒いカバンと買い物袋を手にした葉山先生が驚いたような顔で真上からこちらを見下ろしていた。

彼の背後から白い月光が降りそそいでいる。いつかの逆だ、と思った。

「君、一体どうして」

彼は怪訝《けげん》そうに目を細めたまま片手を差し出してきた。摑《つか》もうとしたけれど、すぐには動けなかった。それでもなんだか心底ほっとして、ぼろぼろと涙が流れてきた。

「ごめんなさい。来たらいけないって分かっていたのに、ごめんなさい」

「それはかまわないよ。君が来たくなったら、いつでも来ればいいんだ。そんなことよりもとりあえず部屋の中に入ろう。なにがあったか説明してくれるね」

だけど私は首を横に振った。どうして理由なんか言えるのだろう。私があなたをまだ好きだと小野君が思っていて、そのことが彼を傷つけていると。

「なんでもないんです。ただ顔が見たかっただけなんです」

ああ、と葉山先生は悟ったようにため息をついて、それから買い物袋を地面に置いた。

袋の中から大きなグラノーラの箱がのぞいた。

「君はよく真っ青な顔で準備室に来ては、そう言ってたな。なんでもないって」

そう言いながら両手で私の体を抱えて立ち上がらせようとした。痺れていた足がふらついたものの、私はなんとか立ち上がった。

「顔を見るなり泣くなんて一体なにがあったんだ」

私の両腕から手を離しながら彼は眉《まゆ》を寄せた。

「泣くことはストレスの緩和になるんでしたよね、たしか」

「ため息もそうだよ。だけど体内から吐き出さなきゃならないほど溜《た》め込む前に相談するべきだよ。君には山田も小野君もいるじゃないか」

その言い方がとても優しかったので、かえってつらくなった。返事ができずにいると
「もしかして小野君となにかあったのか」

「なにもないです。小野君はいつも優しいです」

「この前、僕が君に電話をした後、彼が嫌な思いをしたんじゃないかと心配になったんだ。そのことでなにかあったなら僕から事情を説明するよ」

あいかわらず鋭い人だ、と心の中で思った。あるいは私の態度が露骨すぎるのか。だけど彼にはなんでも見抜いてしまうようなところがあった。

「違います。ただ、バイトの帰り道に駅からずっと知らない男の人がついてきて、そのことで小野君に電話をしたら途中から口論になって」

するとすると葉山先生が憮然《ぶぜん》として
「君、そこからうちまで一人で来たのか」

「そうです。だけど電話の最中に、その知らない男の人はどこかへ行ったから」

「そんなのいったん姿を消して、また後からこっそりついて来るかも知れないじゃないか。連絡をくれればすぐに僕が迎えに行ったのに」

今度は私が憮然とする番だった。

「そんなこと、できるわけないじゃないですか」

「どうして」

「小野君が来ないからって、あなたに来てくれなんて」

「言えばいいじゃないか。僕はいつでも飛んで行くのに」

「なんで今さらそんなことを言うの？」

彼は強ばった表情で目を伏せて何度かまばたきしてから、またこちらを向き直り
「今さらじゃない、僕はいつだってそう思っている」

「だって私が別れを告げたときも、小野君と付き合っているって言ったときもあなたは平気そうにしていて」

「平気なわけないだろうっ」

初めて大きな声を出され、反射的に呼吸が止まった。

「ただ、小野君と一緒にいるほうが君は幸せだと思ったんだ。僕はね、いつだって君が心

配なんだ。苦しんだり傷ついたりしないで生きているかどうか。それが守れるなら僕の独占欲なんてどうでもいいし、執着を見せないことを薄情だと取られてもかまわない。だけど、こんなふうに後から知らされるのだけは嫌なんだよ」

私はなにも言えなかった。目頭から頰を伝って止まらぬ涙が熱かった。

「そんなこと言わないで。もう遅いよ、葉山先生」

「仕方ないんだ。僕は君の求めるものをなに一つ与えることが」

瞬間、頭にかっと血がのぼった。

「あなたはいつもそうやって自分が関われば相手が傷つくとか幸せにできないとか、そんなことばかり言って、結局、自分が一番可愛いだけじゃないですか。なにかを得るためにはなにかを切り捨てなきゃいけない、そんなの当然で、あなただけじゃない、みんなそうやって苦しんだり悩んだりしてるのに。それなのに変わることを怖がって、離れていてもあなたのことを想っている人間に気付きもしない。どれだけ一人で生きてるつもりなの？あなたはまだ奥さんを愛しているんでしょう。私を苦しめているものがあるとしたら、それはあなたがいつまで経っても同じ場所から出ようとしないことです」

一気に喋《しゃべ》ったせいで過呼吸になりそうになった。

葉山先生は身動き一つせず、凍ったように立ち尽くしていた。

私は肩で呼吸をしながら強く涙を拭《ぬぐ》った。それから、帰ります、と告げた。

「送ってい」

「いいです。送らなくて」

「けど、また帰りに変な奴がいたら」

　そう言って彼は顔を上げると駅へ行く道のほうを見た。もうすっかり人の通りもなくて静まり返っていた。

「……それなら自転車を貸してもらえませんか。明日には返しに来ますから」

　そう頼むと、葉山先生は首を横に振って
「前に自転車に乗った女性が襲われた事件を聞いてから、僕は自転車もあまり信用していないんだ。僕が車で君を送っていくことはできないのか」

「いきなり来て、心配をかけてすみません。だけど、今、あなたに送ってもらうわけにはいかないから」

　分かった、と小さく呟《つぶや》いてから彼はコートのポケットに手を入れて革のキーケースを取り出すと、その中で一番小さな鍵を外してこちらに差し出した。

「家に着いたらかならず僕の家の電話を一度、鳴らしてくれ。それまでは起きているから」

　分かりました、と言って私は鍵を受け取った。

　葉山先生の自転車は青くて全体がほっそりしていた。サドルの位置を大幅に下げてもらい、見送る彼にお礼を言って、暗闇の中を漕《こ》ぎ出した。

　途端に止んでいたと思っていた風が生まれて、もうだいぶ体温のない手をさらに凍らせるように冷やす。ぎゅっと奥歯を嚙《か》みしめて震えながら走った。

途中で高校のそばの川に出た。近頃、雨が降っていないせいか水嵩《みずかさ》が少し減って、流れる音もそんなに響いてはこない。水面は飲み込まれそうに暗くて、その道沿いをしばらく走っていたが、ふと立ち止まった。自転車を止めて肩に掛けていたカバンを開き、手帳を取り出した。

手帳から手紙を取り出した私は、悔しさで胸がいっぱいになった。封筒の糊《のり》でとめた部分がかすかに波打っている。きれいに、そしてものすごく慎重に剝《は》がして、中身を読んだ後、また貼《は》り直した跡だ。私が寝ていた隙にその作業をする、小野君の暗い背中を想像した。腹が立つのは彼の行為じゃなくて、忘れたふりだけして中途半端に捨てられなかった、ずっとはっきりさせることから逃げていた自分だった。葉山先生のことを本当は責められない。私もまた、同じことを小野君にしていた。

私は手紙を真ん中から破り、さらに重ねて何度か破った。そして川に放った。淡い水色の紙片がぱっと吸い込まれるように川底へ落ちていこうとしたが、途中で風にさらわれてさらに遠くへ飛ばされていった。それからさらに手帳の内ポケットに指を入れて中身を引っ張り出した。

きっと小野君はこちらも見たに違いない。それは私と葉山先生が一緒に写った、たった一枚の写真だった。卒業証書を抱えた私のとなりに、少し離れて葉山先生が立っている。この数十分後にキスをするとは思えないようなよそよそしさがある。私は今より子供っぽい顔をして、あからさまに緊張しながらも嬉《うれ》しそうに笑っている。葉山先生の表情からは上手《うま》く感情が読めない。

その写真も真ん中から二つに破ると、もともとそれぞれが独立した一枚ずつの写真のように見えた。すぐに川に投げようとしたけれど、今度は腕が動かなかった。それでもしばらく考えた末に手を離した。分断された写真はすぐに川に飲み込まれて消えた。

翌日、小野君から謝りの電話がかかってきた。手紙は捨てたと私が告げると、彼はかすかに嬉しそうな気配を声に滲《にじ》ませて

「ごめんな、そこまでしなくても良かったのに。だけどありがとう」

自転車は明るいうちに葉山先生の家に返しに行った。駐輪場に止めてから鍵《かぎ》と簡単なお礼の手紙を郵便受けに入れてすぐに立ち去った。

20

真夜中の電話で飛び起きた。

いつもなら、眠っているときには鳴らないようにしている携帯電話を今夜にかぎって音を大きくしたままで忘れていたというのは、きっと偶然であって偶然ではない、なにか嫌なタイミングだったのだろうとだいぶ後になってから思った。

電話に出たとき、となりで眠っていた小野君も、うっとうしげに暗闇の中でまばたきを

くり返しながらこちらを見ていた。葉山先生の声が聞こえたとき、私は以前の恐怖を思い出して、危うく電話を切りそうになってしまった。しかし、彼はまったくそんな隙をこちらに与えない素早さで用件を告げた。

私は部屋の電気をつけて、机の上からボールペンを手に取り、新聞紙の余白にいそいで聞いたばかりの病院の名前を書き込んだ。

それから振り返って、なにかという顔をしていた小野君に

「柚子ちゃんが歩道橋から飛び降りたって。頭から落ちて、いま病院に運び込まれて、だけど危ないって」

そう早口に告げた。彼は一瞬だけ強く眉《まゆ》をひそめて、それからすぐに詳しい説明を求めた。私は電話の向こうの葉山先生に、今すぐに病院へ行くことを伝えて電話を切った。

部屋着から洋服に着替えている間、小野君は、一体なにがあったのだろう、と落ち着きのない動作と共に同じ言葉をくり返していた。私はそのたびに首を横に振った。葉山先生が事故のことを私に伝えたとき、その声は驚くほど落ち着いていて乾いていた。私たちとの年齢差を感じさせる大人の対応だった。

私と小野君はアパートを飛び出て、大通りでタクシーを捕まえて飛び乗った。

タクシーに乗り込んでしまうと、暗闇に引かれた幾重もの線のような街灯の光が窓の外を流れていく。私と小野君の口数は自然と少なくなった。

「無事なのかな」

一番おそろしい言葉を彼がふっと口にした。

それしか語ることがないのに、それについて語りたくはなかった。葉山先生の声が含んでいたのは不確かな事実を伝えるための落ち着きではなく、深い絶望の中の冷静さだという気がしてならなかった。電話で伝えなかったが、おそらく彼はもっと詳しいことを知っていて、それは電話では憚《はばか》られる種類の内容だと気付いていた。

「分からない、だけど無事だといいね」

そんな返事だけしてから、またすぐに黙った。

タクシーが到着して、小野君の財布の中に現金がなかったので、私がいそいで払って車を降りた。病院の敷地内は真っ暗で、広い駐車場を横切ると、夜間の緊急外来用の入り口を見つけた。

看護師の女性に案内されて向かった病院の廊下には、葉山先生、それに伊織君や新堂君がいた。それに会ったことのない、柚子ちゃんの友達らしい二人組の女の子。背恰好《せかっこう》はほとんど大学生と変わらない、けれど泣いている化粧っ気のない横顔は、たしかに柚子ちゃんと同じ年齢だということを感じさせた。

葉山先生はほかの子たちを廊下の椅子に座らせて、自分は壁に寄りかかって立っていた。グレーのコットンパンツに、ゆったりしたオリーブグリーン色のVネックのニットを着ていた。その上に黒いコートを羽織って、コートの裾《すそ》は彼が壁を離れた拍子に少し揺れた。

彼の顎《あご》にはうっすらとまばらなヒゲが残っていた。私たちの姿を見るとすぐ、まっすぐに大きな歩幅でこちらに歩いてきた。

「夜中にすまなかったね。だけど呼んだほうがいいと思ったんだ。山田だけは連絡がつかなかったけど。塚本はいま、集中治療室だよ」

「それじゃあ、中には入れないんですね」

その質問に葉山先生の表情が一瞬だけ強ばった。

いや、と小声で彼は否定した。

「入れるよ。というよりも、名前を呼びかけたり話しかけたりするために、呼んだんだ。今のところ僕たちにできることはそれぐらいしかないから」

その言い方にぞっとして顔を上げた。

「葉山先生、柚子ちゃんの容態は」

「電話では言えなかったんだ」

彼は今にも泣き出しそうな顔でそう言った。


集中治療室の中には長居できなかった。たとえ自分に今できることがそれだけだとしても、その場に立っているだけで胸の中がかき乱されて、堪えられなかった。ベッドの真横に立った柚子ちゃんのお母さんは想像よりもずっと若くて可愛らしい人で、そのことが私たちをよけいに途方に暮れさせた。壁もベッドもほとんどが白いせいだろうか、病院の蛍光灯の光はやけに目がちかちかして、柚子ちゃんの顔には細かな傷しか付いておらず、思いの外、きれいだった。頭には一ミリの隙間もなく包帯が巻かれている。顔色は青白いというより色がなかった。普段なら体温でところどころ微妙に赤らんでいたり青ざめている顔の肌色は、すべて同じトーンで塗り替えられていた。

掛け布団の下で胸のあたりがおおげさに上下している。その呼吸は人工呼吸器だと柚子ちゃんのお母さんが鼻詰まりの声で教えてくれた。

柚子ちゃんのお母さんからそうしてほしいと頼まれて、そっと柚子ちゃんの手を握るとまったく力のこもっていない指先を感じることができた。稽古《けいこ》の最中にはあんなに柔軟に体を動かすことができた彼女の手に触れたことは前にもあった。エチュードで柚子ちゃんが人形の役を演じたとき、あのときには彼女の体は脱力しきった状態だと思ったけれど、本当はまったく違った、人間の体にまったく力が入っていない状態というのはこういうことなんだ、彼女のやや肉厚で爪の先が丸い、小さな手に触れながら考えていると、涙が出てきて止まらなくなった。

彼女のお母さんに悪いと思い、私の背中に手を当ててくれていた小野君には残ってくれるようにと告げて、病室を出た。

葉山先生はほかの女の子たちを宥《なだ》めたり、新堂君に話しかけたりしていた。忙《せわ》しなく廊下を歩き回る姿を見ながら立ち尽くしていたら、小野君が戻ってきて私の左肩に手を置いた。

「どうしてこんなことになったんですか」

肩に手を置いたまま、葉山先生に近づき、大人びた声で小野君が尋ねた。

「落ちた瞬間を見た人はいないんだよ。ちょうど赤信号のときで、車が止まっていたから撥《は》ねられることもなくすぐに病院に運ばれた。だけど落ち方が悪くて、頭から首の後ろまでを強く打っている」

そのとき、新堂君が真っ青な顔で椅子から立ち上がった。彼は黒いフード付きジャンパーを着ていて、その下はよく見るとジャージ姿だった。彼はふっとトイレのほうへ歩いていった。

だいぶ長い時間が過ぎた。私たちは言葉もなく廊下に立ち尽くしていた。新堂君はなかなかトイレから出て来ずに、医者や看護師の女性が時折、交代で集中治療室に入っていった。

柚子ちゃんのお母さんは一度も集中治療室から出て来なかった。

やがて、ようやくトイレから戻ってきた新堂君が、ふらっと私たちのほうへ歩いてきた。伊織君が大丈夫かと声をかけたが、彼はすぐに首を横に振って、それから葉山先生の腕を摑《つか》んだ。

「柚子が来たんです。おとといぐらいに俺のところに来たんです。それで、何も言わずに手紙を置いていったんです、俺はぜんぶ知ってたんです」

顔は伏せていて表情が読めなかった。いつもの淡々とした口調が激しく乱れていた。

葉山先生は彼を連れて、集中治療室へ向かった。それからだいぶ長いこと、中でなにやら話し合っているようだった。話の判別はつかず、泣き声ぐらいしか分からなかった。

しばらくして、葉山先生が一人で戻ってきた。

彼は同級生の子たちに、今日はひとまず帰るように促した。

「みんな、僕の車で送るから。全員は乗れないから、工藤たちはまだ残っていてくれるかな。そうしたらまた戻ってくるから」

いいえ、と小野君が答えた。彼はまだ私の肩に手を置いていて、その手がかすかに強さと重さを増したような気がした。

「俺たちは大丈夫です、自分たちで帰りますから」

それはごく控えめな言い方だったが、私はそっと小野君の横顔を見た。葉山先生は一瞬だけ黙ってから

「分かった。それじゃあ、君たちにはまた明日のうちに連絡するから」

そう言った後で、葉山先生は残っていた子たちを呼び集めた。私は小野君に促され、さっき来た廊下を引き返そうとした。それでも、ふいに気にかかって一度だけ振り返った。

そのとき、葉山先生も振り返ってこちらを見ていた。それはたぶんほんの二、三秒程度の時間だった。身震いがするほど、淋《さび》しげな表情をしていた。空しいでも、不安でもない、ただ淋しさだけがそこには広がっていて、私の足元まで押し寄せてきた。

立ち尽くしていたとき、小野君が私の手を引いた。我に返って、振り切るように歩き出した。病院を出ると、さっきまでの閉塞感《へいそく》が嘘のように、冷たくて乾いた風が広い駐車場

全体を突き抜けるように吹いていた。小野君は近くのコンビニでお金を下ろしてから、タクシーを拾った。

タクシーに乗った私はもう、たった一つの考えに取り付かれていた。

タクシーを降りてから、ずっと、私は言葉を失っていたが、やがていつもの雑木林に差しかかったとき、ふと道の真ん中で立ち止まった。

背の高い街灯が樹木の枝の間から光を降らし、月が二つ真っ暗な空に浮かんでいるように見えた。虫の鳴き声が足元からも背後からも響いて次第に鼓膜をぼんやりと覆い始めた。小野君は少し広くなった雑木林の道の真ん中で、振り返ったまま、ものも言わずにこちらを見ていた。

「どうしたの」

不安げな目で彼は言った。

「小野君」

「なに」

「ごめんなさい」

「……さっきからなにを言っても上の空だと思ったんだ」

静かだけど鋭さを含んだ声だった。鼓動が破裂しそうに高鳴り、足が震えた。

「やっぱり私、戻りたい」

一瞬だけ右頰を引きつらせてから、小野君は脱力したように息を吐いて立ち尽くした。

「戻りたいって、べつに一緒に戻るのはかまわないよ。だけど、そういうことじゃないんだろう」

私は頷《うなず》いた。

「私、葉山先生のところに戻る。本当にごめんなさい」

身勝手なことを言っているのは分かっていた。それでもタクシーに揺られていた数十分の間に、それ以外のことが考えられなくなってしまった。

「それならどうして俺と付き合ったんだよ」

「付き合ったときは大丈夫だって、上手《うま》くやっていけるって思った。だけどやっぱり」

もしかしたら明日になれば気持ちは変わって、なにごともなかったかのように、過ごしていくこともできるかも知れない。だけど私は後からこの夜を流してしまったことをきっと後悔する。

「あの先生が今のおまえになにをしてくれたんだよ。たしかに過去には世話になったのかも知れないし、俺がそのときに戻ってあの先生の代わりをすることはできないよ。だけどこの数カ月間一緒に過ごして来たのは俺だろう。一生懸命だったんだ、俺だって。そこまで好かれていないところからスタートして、ここまできてやっと良い関係を築いていたと思ってたんだよ。それがどうして今になって、また振り出しに戻るんだよ。今までの時間は泉にとってそんなに意味のない時間だったんだ」

「意味がなかったわけじゃないんだよ。だけどあの人は本当にほかに誰もいなくて、私が小野君と付き合っているから言わないだけで、私を呼んでる。それが分かるから、ごめんなさい。本当にごめんなさい」

「自分がそう思いたいだけなんだよ。泉が思い込んでいるほどには、向こうは泉のことを好きじゃないとは考えないの」

私は首を横に振った。

「だったら、それでもかまわない。ただ私はもう、小野君とは一緒にいられない」

なんだよそれ、と力無く彼は呟《つぶや》いた。

「俺が一生懸命に色々やってきたことよりも、大してなにも返してくれないあの先生のほうが大事だって、そういうこと」

「ごめんなさい」

「ふざけんなよ」

小野君は落ち葉を踏み鳴らしながら素早くこちらに歩み寄ってきた。それから憮然《ぶぜん》とした顔で私を見て

「本当に悪いと思ってるなら、今すぐこの場に手をついて謝れよ」

次の言葉を待たずに言われた通りに地面にしゃがみ込んで手をつくと、視界のすべてが落ち葉に埋もれて、彼の表情が読めなくなった。濡《ぬ》れた土がべったりと手のひらに付き、正座をするとスニーカーに守られた足が不自然な方向に曲がっているのを感じた。

落ち葉に額が当たるほど頭を深く下げて何度も、ごめんなさい、とくり返した。小野君はなにも言わず、動き出す気配もなかった。本当は小野君はこんなふうに謝られたいのではないと頭の中で分かっていたが、私が彼に対してできることはもうこれしかなかった。

どれくらいの間、そうしていただろうか。両手が冷たくなってきて、足が痺《しび》れ始めた頃に小野君は本当に小さな声で、起きろよ、と言った。

地面から顔を上げると、彼は無表情でこちらを見下ろしていた。背後に広がる雑木林の紅葉が闇の中で大きくざわめいていっそう鮮やかに映っていた。

「もう、いいよ。行けばいいよ」

おそるおそる立ち上がると、スカートから出た膝《ひざ》に大量の土や木の枝が付いていた。痺れた足が震えるのを堪《こら》えながら歩きだそうとすると、急に後ろから腕を摑まれて強い力で引っ張られた。

「嘘だよ。お願いだから行くなよ。俺、なんでもするから」

「離して」

「こんなの納得できないよ。もう一度、もう一ヵ月でいいから考え直して」

「私、もう小野君にはなにもしてあげられない」

「なにもいらないんだよ。ただ泉が一緒にいてくれればいいんだよ」

だから、私は振りほどこうと強く腕を引きながら言った。

「一緒なんだよ。小野君がそう言ってくれるのと同じ気持ちで、私は葉山先生を見てる」

ふいに腕が離れて、固い地面に崩れるようにして膝をついた。重い痛みが膝から足の先まで伝わってきた。今度こそ立ち上がって最初は速足で、足が慣れてきてから木の葉を蹴《け》散《ち》らして暗闇の中を駆け出した。

雑木林を抜けて大通りに飛び出すと、中学生ぐらいの男の子たちがコンビニから出て来たところだった。その中の黒いニットキャップを被《かぶ》った一人が私の姿を見て怪訝《けげん》な表情を浮かべ、すぐとなりの友達になにか囁《ささや》いていた。さほど気にならず、道いっぱいに広がっていた彼らの間を擦り抜け、信号が変わるのを待ちながらぼんやりと夜の町を眺めていた。息を吸うと、その冷たさに喉《のど》の奥が痛くなった。胸が締めつけられたように苦しく、急に走ったせいで二の腕や太腿《ふともも》がだるい。手足の先はまだ冷たいものの、背中から顔にかけては、かすかに熱くなっていた。

オレンジ色の街灯が夜道を照らし、暗闇まで仄《ほの》かにオレンジの色を付けていた。そこに信号の赤や車の白いヘッドライトが浮かび上がり、時々、色つきの光は空中で交錯してまたすぐにすれ違っていく。ずっと先のほうで工事をしている、振っている人の姿ははっきりと分からない、ただ空中で交通整理のライトがゆっくり揺れているように見えた。

私は横断歩道を渡りながらハンドバッグから携帯電話を出し、葉山先生に電話をかけた。なんと声をかければいいのか分からなかった。彼は病院の駐車場の隅に、車を駐《と》めて待っていた。私が運転席のほうの窓に近づくと、彼はドアを開けて中から出てきた。

私の姿を見た彼は驚いたように顔をしかめて
「どうしたんだ、傷だらけじゃないか」

「転んだんです」

彼はまったく信じていない目で、足の先から顔まで私を慎重に観察した後、背広の内ポケットからハンカチを取り出した。

「とりあえず膝から血が出ているから、これで拭《ふ》いたほうがいい。今、近くのコンビニで消毒液かなにかを買ってくるよ」

走りだそうとした彼を私は呼び止め、地面の少し高くなったところに座り込んだ。そのまま足を地面に放り出して後ろ手をつくと広々とした夜空が見えた。葉山先生も無言でとなりに腰を下ろした。

ふと、葉山先生が思い出したように
「そういえば君、小野君は？　こんな時間に一人で戻って来たら心配するんじゃないか」

「別れたいって言ったんです」

私は血の滲《にじ》んだ膝を見ながら彼にそう告げた。

葉山先生は驚いたような顔をしたが、どこまで本心でそう感じているのかを判断することはできなかった。

「別れたいって、さっきまで仲良く一緒にいたのに、どうして」

「あなたに、呼ばれた気がして」

彼は息を止めるように黙った。

私は目を閉じて返事を待った。

やがて、短く息を吐く音が聞こえた。靴が軽く地面を蹴って砂の鳴る音も聞こえてきた。それにコートの袖《そで》が擦れる音。かすかに漂ってくる香水の甘い匂い。死の気配。髪の間を擦り抜ける風。台本を捲《めく》る柚子ちゃんの真剣な目。大学の食堂で食欲がないと告げたときの大人びた横顔。なんでこんなことになってしまったのか分からない。

「本当は君にそばにいてほしかった」

私は目を開けた。

葉山先生はまっすぐに前を見たまま、かすかに肩を上下させ、今にも途切れてしまいそうな苦しい呼吸の中、声も出さずに泣いていた。

「あんなに頭も良くて能力があった、なにより生きることを楽しんでいた塚本がどうしてこんなことになるのか。僕は悔しいんだ、なにかほかに方法があったはずなんだ。それを見つけて与えることができなかった」

私は地面の上に放り出されていた彼の手を思わず握った。

硬い指が手のひらの中でゆっくりと死んでいくように動きを失った。手を握ることしかできないなんて、まるで子供のときに帰ったみたいだと思った。葉山先生は黙ったまま泣いた。互いに手のひらにだけ汗をかくぐらいまで、ただ、ずっと手を握っていた。

＊

新堂君へ

突然、こんな手紙を出してごめんなさい。

きっと新堂君はこの手紙を受け取って、ものすごく困惑すると思います。

私も本当はあなたにこのような手紙を出したくはないのです。あなたの中にある私の印象をそのままの形で残しておきたかった。

だけど誰かにすべてを打ち明けたいと思ったときに、新堂君の顔がまっさきに浮かんできた。だからこの手紙を渡します。読み終えた後、ほかの誰かに見せてしまってもかまいません。それは新堂君の判断に任せます。私はべつに秘密にしてほしいわけじゃなくて、その判断のすべてを任せても新堂君なら大丈夫だと思ったので、こうやって手紙にしているのです。あるいは単純に、手紙を書き終えて手放した時点で、私はこれから語る事実の持ち主じゃなくなる、そうなりたいと願っているだけなのかも知れない。

だから長くなると思うけど最後まで読んでくれたら嬉《うれ》しいです。

あれは今年の冬休みのことでした。

その夜、私はカラオケボックスのバイトがありました。それが終わった後で少し近所のファミレスで友達と話していました。そのせいで帰りが遅くなってしまい、電車に乗って駅に着いたときにはすでに十時を過ぎていました。

駅のそばには大きな地下駐輪場があって、私はいつもそこに自転車を駐めているのです。そしてその駐輪場は八時を過ぎると受付の人も帰ってしまい、無人になるのです。

私もさすがに一人で怖かったので、できるだけいそいで階段を降りて自転車を取りに行きました。変な人でもついて来てはいないだろうかと細心の注意を払って何度かふり返ったけど、背後から誰かが来る様子はありませんでした。

だけど置いてあった自転車の鍵《かぎ》を出そうとカバンを開けたとき、いきなり背後から誰かが走ってくる音がしました。驚いて振り返ったときにはもう後ろから抱きつかれて、私はあんまりびっくりしたので、自分ではその場で叫んだ気がしたけれど、実際は本当に小さな声をあげただけでした。逃げようとあばれていると、足をすくわれて地面に引きずり倒されました。そのとき膝《ひざ》に何かが刺さるのを感じました。後になって見てみたら、それは太い釘《くぎ》でした。アゴも強く打ったため、その衝撃で前歯が割れました。じゃりっと砂を噛《か》んだような感じでした。気がつかなかったと思うけど、じつは今の私の前歯は差し歯なのです。

だけど、そのときはわけが分からなくなっていたので、前歯も膝も、不思議とそこまでの痛みは感じませんでした。

飛びかかってきた男は、よく映画なんかの銀行強盗の場面で使われているような（両目とロのところだけがぽっかり空いたやつ）ふざけたニット帽をかぶっていて、そんなに体は大きくありませんでした。そこで具体的になにが起こったのかは書きたくありません。だけどそんなこと、分かるでしょう。

私が帰ったとき、母はまだ仕事で、家には誰もいませんでした。私はなにも考えずに汚れた服を着替えてケガの手当てを自分でしました。母を待ってこのことを伝えようとは微《み》塵《じん》も思わなかった。翌朝になってから、私は母に自転車で転んだのだとケガの説明をしました。そして歯医者へ行くためのお金をもらい、なにごともなかった顔で歯の治療に行きました。

その出来事の直後には、とにかくショックが強すぎて、まだ自分の身に起きたことをきちんと理解できませんでした。それに漫画やテレビの中の不幸な事件が実際に自分の身の上に起こったこと、それが最悪の出来事であったにせよ、そういうことに巻き込まれた自分の境遇がなにか特別なように思えて、その錯覚が一時的にでも私の気持ちを昂揚《こうよう》させていたのだと思います。

だけど三日もたつと、急にひどい自己嫌悪に襲われ始めました。特別どころか、自分が馬鹿みたいにちっぽけで、なんの価値もない、くだらない人間に思えてきた。それから翌月の生理が来るまで、ほとんど一睡もできなくなりました。眠っていると恐怖心が追いかけてきて、安らぎから弾き飛ばされる感じがするのです。苦しみが私自身を夢の世界にすら逃がしてくれないのです。だから遅れずに生理が来たときには、心底、ほっとしました。

神様に感謝して嬉し泣きすらしそうになった。だけど、そんな安心もつかの間です。逆に子供ができたりしてなかったことで、あの出来事は私と犯人だけが知る事実でほかになんの証拠もなく、相手はこれからものうのうと生きていくのだと考えたら愕然《がくぜん》としました。

あの男に引きずり倒されたとき、私はとにかく死ななければいいと思いました。

だからやっぱり実際にはほとんど抵抗もできなかったのかも知れません。じつは正直、よく覚えていないのだけど、そんな気がします。

だって、絶対にいやだっていう嫌悪感よりも、そのときは痛い目や死ななければいいって、服従する気持ちのほうが強かった。本当はそれ以外にほとんど考えなんてなかったのです。もしかしたら相手を怒らせないように、私は媚《こ》びるような態度さえ取っていたのかもしれない。

そう思ったときはぞっとして、トイレで何度か吐いたりしながら、かならず朝まで眠れなくなります。眠ろうとすると、おまえはあんなやつのすることを受け入れようとしたって、みっともない人間で責任は自分にあるんだって、そう責められるような気持ちになる。そうなると、もういても立ってもいられなくなって、無意識にふっとなにかを考えてしまう時間や眠るのがこわくなるのです。

あのとき、私はすっぱりあきらめながら、ああ世の中はこういうことが本当にあるんだ、そして私にも起こるんだ、と妙に悟ったような気持ちになりました。もしかしたら、あの気持ちが絶望って言うのかもしれないなんて、後から思ったりもした。

友達にはケガのことを坂道を下るときに自転車で転んだなんて言って、「ドジだなあ」なんて笑われて、私は誰からも疑われなかったことに心の底からほっとしたけど、なんだかそれで本当にすべてから自分が切り離されたような気もした。

だけど夜道はこわかった。本当にいつもこわかったです。かならず逃げるように走って帰った。部活で遅くなったとき、いつも新堂君が送ってくれていて、普通にしていたけれど本当は命の恩人みたいに感謝していました。だけど一つだけごめんなさい。そんな新堂君を前にしているときでさえ、私の中にはいつも恐怖があった。新堂君だっていつどうなるか分からない、そしてもし彼がそんな人だったら、それは一度ひどい目にあったのに二人きりになった私が完全に悪いんだって、そんなふうに考えていました。

もちろん一方で、冷静な頭の中は分かっています。あのときの男がぜんぶ悪くて、世の中にはそういう人がたしかにいるけど私を守ってくれる人もかならずいるのだと。

だけどすべてをあの男のせいにしたとき、やっぱり私はそんなやつを、いくら死にたくなかったからって一瞬でも受け入れようとした自分をおぞましく思うのです。そしてなにもかもが堂々めぐりを始めるんです。

私にはだんだん、なにも感じないように、考えないようにする癖がつきました。

そして私は妙な行動を取るようになりました。あれから私はケガをすると、自分で手当てをしているふりをしてピンセットでガーゼをつまみ、なぜか傷口をわざと広げるようにしてぐりぐりと強く押し当ててしまうのです。

どうしてそんなことをしてしまうのかは分かりません。そうやって痛みがピークに達するまで傷つけてからじゃないと、ようやく本当に手当てを始めることができないのです。そうしないとケガをしたという実感がない、痛いということがよく分からないのです。私は自分が壊れてしまったように感じます。最近では朝、起きて顔を洗ったりごはんを食べることすら苦痛です。そういう基本的なことが一番つらいです。母も私の不調には気が付いていて、だけどなにも語ることができない中で、上手《うま》く話が通じなくて何度か口論になりました。時には苛立《いらだ》ちがピークに達して突発的に家を出てしまうこともあった。

それでとうとう表面的には母ときっちり話し合って、無理に受験する必要はないから、とにかく卒業までなんとか高校には通うことを約束しました。そして、来週ぐらいから一度、母の知人が勤めている総合病院の心療内科に相談に行くことが決まりました。だけど私はたぶん、その場でなにも語ることができないと思う。今、お風呂《ふろ》から出たら膝の釘が刺さったあたりがしびれるように痛んできて、急にすべてを言いたい衝動に駆られて、だけどこの気持ちもきっと明日には消えて跡形もなくなっているのでしょう。この手紙をあなたに渡せるかどうかも、書いている時点で分かりません。

こんなに重たい話を長々とごめんなさい、新堂君にはずっと事情も分からぬまま心配をかけてしまいましたね。だけど、これがすべてです。

最後まで読んでくれて本当にありがとう。

塚本　柚子

21

事故が起こってから三日目の朝に柚子ちゃんは亡くなった。正確には、もう人工呼吸器を外さなくてはならないと彼女のお母さんが決断したのだ。柚子ちゃんが生まれたときに彼女のお母さんは、まさか自分がそんな選択をしなければならなくなるなんて、思いもよらなかっただろう。

葉山先生は仕事の後で毎晩、病院へ駆けつけては、枕元で柚子ちゃんに話しかけたり、疲労しきっている彼女のお母さんや祖父母たちを慰めていた。私もできるかぎり病院にいたが、それは本当に気の遠くなるような時間だった。すでに目覚める可能性はほとんどない、誰もがそれを察してあきらめの気配が充満している。その濃い気配の中で、大丈夫だ、なんとかなるという言葉も途切れがちになってくる。

そのじわじわと潮が引いていくような感じが頂点に達した頃、柚子ちゃんの人工呼吸器は外された。

その瞬間、立ち会っていたのは身内の人々だけで、私たちは廊下に出ていた。やがて柚子ちゃんのお母さんが部屋から出て来て、本当にありがとうございました、と言って私たちに頭を下げた。今この瞬間、彼女がこの世界に対して感謝できることはなにもないのではないかと思ったが、そんな考えは心の中だけに留《とど》めて、深く頭を下げ返した。本当にすみません、と新堂君が顔を伏せたまま絞り出すような声を出した。彼のそんな声を聞くのは初めてだった。あなたのせいじゃないという周囲の言葉に彼は首を横に振り続けた。

葉山先生は新堂君を送っていくと言って、彼を連れて病院を出て行った。

身内の人々にお悔やみの言葉を告げ、一人で病院の駐車場へ出ると、冷たい風が吹いて暗闇の中を黄金色の落ち葉が舞っていた。ちょうど葉山先生の車が道路のほうへ消えていくところがかすかに見えた。テールライトの明かりが遠ざかって小さくなっていく。

私は病院のすぐ目の前の喫茶店に入った。小さなアンティークのテーブルが二つだけ置かれ、後はすべてカウンター席という造りだった。天井が低く、照明は薄暗い。店に入ってすぐにココアを頼んでから奥のほうの席に座った。首に巻かれていた白いマフラーを包帯のようにゆっくりほどき、傍らの椅子の上に置く。そこにたたんだコートを重ね、背もたれに寄りかかった。店内に流れる今にも途切れそうなクラシックはサティだろうか。静けさだけが浸していた。

やがて、ココアが運ばれてきた。真っ白なティーカップから熱い湯気が立ちのぼって、その真ん中に生クリームが浮かんでいた。口をつけると急にかっと胃が熱くなって、思わずセーターの上から胸を押さえた。やがて熱が引くと、舌の上にはしがみつくような甘さだけが残った。少しずつココアを飲みながら、私はなんの約束もないものを待った。

一時間近く経った頃だろうか。葉山先生から電話がかかってきて、病院のほうへ戻ってきたという連絡を受けた。

「君はもう帰ったかと思った」

「戻ってくるだろうと思って、待っていました」

私は空になったカップを見ながら答えた。

電話を切るのとほぼ同時に葉山先生が店内に入ってきた。彼は首に巻かれていたというよりは半ば掛かっていただけという雰囲気のマフラーを取り、グレーのロングコートを脱いで椅子の背に掛けた。そして私の向かい側に腰を下ろした。一瞬だけでも無理に笑おうとしたのが分かったが、どうやら失敗したと気付いたようで、べっ甲のメガネを外して軽く自分のまぶたを右の手のひらで撫《な》でてから、また掛け直した。

「なんでこんなことになったんだろう」

終わったことを語るには、あまりにその口調がなに一つあきらめ切れていなかったので胸が詰まった。

「犯人が許せないです」

「ああ、そうだね」

「性犯罪で捕まった人間は、強制的に去勢してしまえばいいんです」

「いや、それだけじゃあぬるい。死刑だよ」

「じゃあ去勢してから死刑です」

「最後には死刑になるところをあえてね」

「意味ないでしょうか」

「そんなことはないよ。僕もそう思うよ」

「以前、本でこんな拷問の話を読んだことがあります。手足をつないで一切の食事を与えず、極限状態になったところで腐り切った鼠の肉を、拘束された人の口元に近づけるんです。そんな肉は当然、食事なんて呼べない代物だけど、それでも飢えで死にそうな人は必死でその鼠の肉を食べようとするんです。死ぬまでそれをくり返すんです。読んだときにはひどい話だと思って気分が悪くなったけど、今、あれをやればいいのに。目には目をと言うけれど、なにも悪くないのにひどい目にあった人間と加害者が同じ苦しみで、どうして救われることができるんでしょう」

私は彼のほうに視線を向けた。葉山先生はすぐに打ち切るように首を横に振った。

「だけどダメだ。たとえどんなことをしても、塚本はもういない」


喫茶店を出てから車で送ってもらう途中、一度だけ葉山先生は、小野君はどうしているのかと尋ねた。

「さっき電話で、柚子ちゃんのことを伝えました。お通夜とお葬式の日にちが決まったら教えてほしいと言われました」

「君が別れると言ってから、彼と連絡は取っていたのか」

「はい。翌日には電話をして、彼の部屋で話をしてきました」

「君は」

「なんですか」

「小野君のことが好きだったんだろう」

はい、と私は答えた。

「彼は最後までそれを信じていなかったし、それは私のせいです。だけど私はたしかに彼のことが好きでした」


小野君のもとを飛び出した翌朝、話がしたいと電話で告げたら、彼はしばらく黙ってから、どこか外で待ち合わせをしようと提案してきた。

「ううん。今日のうちに、私のほうからそっちの部屋に行くよ。お昼頃でいい？」

相槌《あいづち》を打った彼の声がとても優しかったので胸が詰まった。受話器を置いた後で部屋においてある小野君から借りたCDや本を片付けて紙袋にまとめた。

昼過ぎに彼の部屋に着くとすぐに、お茶を飲むかと訊《き》かれたので首を横に振った。長居はしないことを告げると、彼は苦笑して
「別れることに決めたら、もう一秒でもここにはいたくない？」

と言われた。

「そういうわけじゃないけど、悪いから」

ずいぶん他人行儀になっちゃったんだな、そう言いながら彼は壁に片手をついて少し体を傾けた。傾いたほうに前髪が流れるとうっすら額に残っていた傷痕《きずあと》が現れた。

私が黙っていると
「お茶ぐらいは飲んでいってほしいんだ。ゆっくり話したいし」

その言葉に少し迷いながらも
「分かった。それなら一杯だけ」

そう答えて靴を脱いだ。

テーブルでお湯が沸くのを待っている間、小野君は台所でせわしなく煙草を吸っていた。ぎりぎりの短いところまで吸うと、すぐにその煙草をもみ消し、また新しいものをくわえて火をつけた。右足のかかとが素早いリズムを取るように落ち着きなく床を小刻みに踏み鳴らしている。

「あんまり吸うと、体に悪いよ」

途端に彼は責めるような目でこちらを振り返った。

「そんなことを心配するなよ。もう泉には関係ないんだから」

私よりも彼自身を傷つけるような口調だったので、返す言葉が出ずに沈黙した。

彼はコーヒーのカップを二つ運んできた。出された砂糖をコーヒーの中に入れてスプーンで混ぜていると、先に口にした小野君がカップから顔を上げて
「毒が入ってるかも」

いいよ。そう答えて熱いコーヒーを半分ほど一気に飲むと口蓋《こうがい》がしびれたように一瞬、感覚を失って舌の先が痛くなった。ＭＤコンポからはさっきからニール・ヤングの曲が流れている。彼の好きな一枚だった。音楽は部屋中に満ちて、気まずい沈黙の上に柔らかく覆いかぶさる。小野君はじっとうつむいていた。

「柚子ちゃんの容態は、どうだった」

「なんの反応もない。もう目が覚める可能性は低いって、葉山先生が」

その単語に小野君が反応したので、すぐに言葉を切った。

「いやだって言っても、行くんだよな」

彼はなぜか自分の両手のひらをふっと見つめながら、そう呟《つぶや》いた。

「うん」

「荷物は、その隅のほうに置いてある東急ハンズの紙袋がそうだよ」

「ありがとう。私もこれ、小野君から借りていた物を持ってきたから」

そう告げてテーブルの上に紙袋を置くと、彼はそれを見ずに立ち上がった。反射的に肩をびくつかせてしまった。その様子に気付いた小野君はふっと強ばった表情をほどいて、ものすごく悲しそうな顔をした。私はなにか言い出そうとしたけれど、それを遮るように彼は勢いよく窓を開けた。新鮮な冷たい空気が部屋に流れ込んできた。

雑木林は青空を枝の間から透かし、色付いた葉の鮮やかさをさらに際立たせていて、それはぞっとするぐらいに美しかった。小野君は窓枠に手を掛けてじっと外を見ていた。

表情の消えた横顔は青ざめていて、優しく流れてくる音楽もその硬い沈黙に割り込むことはできないみたいだった。

彼はしばらくそうして黙ったまま立ち尽くしていた。

私はコーヒーを飲み干し、膝《ひざ》に両手を置いたまま、彼が動き出すのを待っていた。

「あのときは雨だったな」

ふいに小野君が口を開いた。

「最初に泉にふられたときは、こんなに晴天じゃなくて、たしか雨が降ってた」

私が黙っていると、小野君は窓枠からゆっくり手を離した。

「今日が雨じゃなくて良かった。同じ天気の日にふられたら、これからずっと雨が降るたびにつらい気分になっただろうから」

「本当にごめんなさい」

「謝らないでほしいんだ。どっちが悪いとか、そういう話じゃないんだから」

「けど」

「これ以上、言わせるなよ」

私は立ち上がって空のカップを流しに置いた。それから部屋の隅に置かれた紙袋を手に玄関で靴を履いた。

振り返ってきちんと別れを告げようとしたとき、小野君がまっすぐにこちらを見て
「最後に一つだけ聞かせて。泉が俺のことを、一瞬でもいいから、あの先生より好きだっ

たときがあったのか、教えてほしいんだ」

私が沈黙していると、彼はため息をつくように笑って
「分かった、今の反応を見たらすっきりした。もう行っていいよ」

「今まで本当にありがとう」

「うん」

私はドアを開けて、ゆっくりと歩き出した。

しばらく歩いていると背後から視線を感じた。振り返ると窓のところから小野君がこちらを見ていた。彼は手を振っていたが、私が手を振り返すと、途方に暮れたように空中でふっと手を止めて、壊れた人形のように腕を下に向けて放り出した。

本当に楽しかったっ、にわかに彼が窓から身を乗り出してそう叫んだ。

私は大きく手を振ってから、ふたたび前を向いて、枯れ落ちて泥にまみれた木の葉を踏みながら徐々にアパートから遠ざかった。息を吐くとかすかに白く残り、季節の移り変わりを感じた。彼と過ごした日々を思い出して泣きそうになったが、ここで泣くのは自分の役目ではないと堪《こら》えた。いろんな場所に出掛けたし、一緒に食事をしたり抱き合って眠った、つねに小野君よりも葉山先生のほうが好きだったなんて、本当はそんなわけがないだけど言えなかった。

見知らぬ団地の前で、葉山先生は車を駐《と》めた。そのまま道路脇に寄せて路上駐車してし

まうと、ちょっと降りよう、と言い出した。よく分からないまま私は言われた通りに車を降りた。

広々とした敷地には、ずっと奥のほうまで同じ形の団地が立ち並んでいた。敷地の出入り口付近に地図が立てられていて、A棟、B棟、C棟、と手前の建物から順番にアルファベットが振り当てられている。二人で敷地の中に入ってみた。ちょうどB棟とC棟の間ぐらいの位置、二つ並んだ棟の向かい側に大きな樹木が立っていた。

葉山先生がその木をすっと指さした。

真下から見上げた樹木は、思いの外、遠目に見るよりも大きくて圧倒された。そして、その太い枝の先のいたるところに電線が絡まってライトアップされていた。落ちかけた葉の間から小さな明かりが無数に点灯しているのが見える。ものすごい数だった。一つ一つの明かりは他愛ない大きさだけど、それが大きな樹木の全体となると、樹木自体が光っているようで、つかの間、寒さを忘れて見入っていた。そういえばクリスマスが近いんだ、とようやく思い出した。背後に立つコンクリートの団地とは対照的に、暗闇と光だけのコントラストがものすごく暖かく感じられた。

ツリーがいらないですね、と私はとなりに立っていた葉山先生に言った。

彼は薄く開いた唇から白い息を吐きながら

「クリスマスなんて四年前にやったのが最後だ」

「けっこう前ですね。奥さんがいた頃ですか」

うん、と彼はいつもの子供みたいな相槌《あいづち》を打った。

「不思議だな、相手にあげたプレゼントはもう忘れたのに自分がもらったものは覚えてる。ポール・スミスの黒いジャケットだった。もらった後は気に入ってしょっちゅう着ていたのに、一度クリーニングに出してから、そういえば見なくなった」

そこで葉山先生はちょっと言葉を切った。

「この前、君が夜中にうちへ来た後、僕は妻に会いに行ってきたんだ」

私は無言のまま彼のほうを見た。

「妻の実家は北海道で、空港から延々と電車に乗って行ったところにあるんだ。もう向こうでは雪が降っていて、ホームで電車を待っている間、空気が服を抜けて直接、体に刺さるみたいに痛かったよ。逆に電車の中はとても暖かくて、広い窓からは海とそれに雪が見えた。どこまで行ってもそんな感じだった。それから一時間ぐらいでようやく妻の実家がある町に着いた。観光客が土産物屋や市場をうろついている以外、ほとんど人通りもなく店も閉まっていて、町全体が眠っているようだった。僕はすぐには妻の実家に向かわずにしばらく町を歩いていた。空は曇っていたし視界が雪に取られてよく見えなかったけれど、肌に触れる空気は乾いていて妙に清々《すがすが》しかった。そのとき、いろんなことを考えた。妻のことも君のことも。僕はね、怖かったんだ。色んな人を傷つけまいとして、本当はやり直すことからずっと逃げていた。僕は足が痺《しび》れるまで歩き続けた。それからようやく決心がついて妻の実家に行ったよ。

ひさしぶりに会った彼女は化粧っ気もなくて、だけど以前よりも少しふっくらして、だいぶ明るい顔をしていたよ。僕は出会ったばかりの頃を思い出した」

「葉山先生が奥さんと出会ったのって、たしか大学生のときでしたよね」

「うん。サークルの部室で初めて顔を合わせたときから、魅力的な人だと思っていたよ。頭の回転が早くて聡明なのに、無邪気なところもあって、一緒にいると飽きることがなかった。感情の起伏には多少、不安定なところがあったけれど、彼女が自分の前で激しく落ち込む姿さえも、当時の僕には心を開いてくれているように思えて嬉《うれ》しかった」

私は想像した。葉山先生が彼女にひかれていく姿を、なんの迷いもなく一緒になろうとしたところを。苦しさと温かさが同時に胸の中に訪れて、ゆっくり体の奥底に飲み込まれていった。

「結婚することになったとき、僕には家庭が必要だと言って彼女が大好きだった教師の仕事をすぐに辞めてくれたこと。同居したいと言ったときも、僕や母を悪く言わなかった。ただ、不安だ、と一言だけ僕に告げた。そのときの顔は今でも覚えている。大丈夫だと宥《なだ》めた自分が今でも馬鹿みたいに思える。彼女がいなくなってから、罪悪感と後悔が毎晩、交互にやってきて、気が狂いそうだった。半年ぐらいひどい不眠症で眠れず、前にいた高校のほかの先生たちがたびたび裁判だなんだで僕が休んでいるのを不審に思っているのが伝わってきて、いろんなことに疲れ切って、気を抜いたら倒れそうだった。それで、今の高校に移ることにしたんだ。もっとも場所が変わったからって、現状はなにも変わらないと分かっていた。けど」

「けど？」

「君だよ」

「私？」

聞き返すと、彼は相槌を打った。

「最初はただ様子がおかしいから心配していた程度だった。だけど色々と相談を受けるようになって、頼りにされることで自分が気力を取り戻していくのを感じた。昼休みになると準備室に君がやって来る。それがいつの間にか楽しみになっていた。この気持ちはなんだろう、と何度も考えてみたよ。そのときには結論は出せなかった。

今から思えば、おそらく恋とは少し違っていたんだ。だけど、同等に、あるいはそれ以上に深く君を必要としていた。卒業式の日のことは、これでもう明日から君が校内にいないのかと思ったら、どうすればいいのか分からなくなって、ものすごくあせったんだ」

「奥さんとやり直すんですか」

私の問いに、彼は短く、だけどはっきりと頷《うなず》いた。

「向こうへ行って話したときには、まだ考えさせてほしいと言われた。だけど今朝、妻から直接電話がかかってきて、両親もようやく納得してくれた、僕のところへ戻ると」

「そうですか」

「君にとっては皮肉なことかも知れないけれど」

そう前振りをしてから、葉山先生はゆっくりとした口調で
「君をこれほど大事に思うようになってようやく、もう一度、妻を大切にできるんじゃないかと思ったんだ」
良かったなあ、と思う自分が不思議だった。すでに焼けるように熱いまぶたの奥には涙が溜《た》まっていて悲しくないと言えば嘘になるのに。それでも心の底から良かったと思った。そんなことを考えていたら両耳が寒さに痺れてきて、白い息を吐きながら両手を耳にあてがっていると
「そろそろ戻ろう」
葉山先生が言い、私は強く相槌を打った。

柚子ちゃんのお通夜には大勢の参列者がやって来て、その大半は、まだ制服のブレザーのポケットからたくさんの携帯ストラップを垂らしているような高校生たちだった。当然だが、故人が若ければ参列者も若いのだ。白黒の垂れ幕の前でまだ死から遠い年齢に思える子たちが泣いているのは、あまりにそぐわない光景で違和感があった。

「自分よりも年下の子のお葬式なんて、生まれて初めて出た」

志緒が遺影を見上げて呟《つぶや》いた。写真の柚子ちゃんは幼い表情をしていて、実物の半分の魅力すら伝えていない写真だと思った。私は写真に向かって手を合わせた。

御焼香を済ませて葬儀場を出たとき、入れ替わりに新堂君と伊織君が現れた。外に残っ

ていた高校生たちが新堂君のほうを見た。二人が付き合っていたとかいないとか、囁《ささや》き合う声が聞こえてきた。

彼らはそういう一切を無視して葬儀場へ入っていった。

私と志緒は軽く埃《ほこり》を払ってから路上のガードレールに腰掛けた。黒いスーツのスカートが少し持ち上がってお互いの膝《ひざ》が見えた。葬儀場のすぐそばに駅が見え、高架線の向こうに夕日が沈んでいく。コートの前を合わせ、ボタンを二つほど止めた。参列者の中から小野君が現れ、一瞬だけこちらを見て、私と志緒に交互に軽く会釈してから、振り返らず駅のほうへ歩いていった。私は目を伏せて心の中だけでその姿を見送った。志緒は体を前後させて長い髪を揺らしながら、ぼうっと地面に落ちた自分の影を見ていた。

「山田と工藤じゃないか」

ふと顔を上げると、見覚えのある男性が立っていた。

「三浦先生」

志緒が素っ気ない口調で呟いてから、軽く会釈した。私も一応は会釈を返してから、彼の姿をあらためてよく見た。大柄で筋肉質な体を包んだ喪服が窮屈そうだった。

「ひさしぶりだな。そうか、塚本はおまえたちの部活の後輩だったか」

頬骨の張った顔を粗野な手つきで擦《こす》りながら、三浦先生は言った。

はい、と私は相槌だけ打った。

彼は志緒のほうを見ながら、そうかそうか、と意味もなく呟いた。

「今回のことは本当に、残念だったな」

その言葉に志緒は渋々といった感じで言葉を返した。

「そうですね。私たち柚子ちゃんとは九月までは一緒に稽古《けいこ》をしていたので、まだ実感がなくて、とても悲しいです」

話しているうちに志緒の目つきがきつくなり、まるで怒っているかのように頬が紅潮し始めた。

三浦先生は少し打ち解けてきたような口調になり
「まあな、おまけに今回は事情が事情だから。ほかの生徒にはもちろん公表していないけど、高校のほうにも警察が来たりして、噂なんかで広まってるみたいだしな」

彼の体が完全に志緒のほうを向いていたので、私は黙ったまま相槌《あいづち》だけ打って、二人の話を聞いていた。

「そうですね、だけど本当に、彼女が亡くなる前に誰かが気付いていれば良かった。葉山先生が心配して何度も彼女に様子を聞いたりしていたんですが、簡単に口に出して言えることじゃないし、さすがに男の先生ですからね」

「だけどあの人のまわりにも、本当にそういう大変な生徒が集まるな。本人が呼んでるんじゃないかと思うぐらいだよ」

そう言ったときだけ三浦先生の視線がこちらに動いたので、私は思わずむっとして
「柚子ちゃんのことを、そんなふうに言わないでください。それから、集まる、てもしか

して私のことを指しているんですか」

そう尋ねると、彼は少しだけ黙った後に
「俺は工藤から嫌われてたみたいだからねえ。まあ、葉山先生は優しいから」

あなたは、と私は思わず言った。

「バスケットボールのときに私が二人一組になる相手がいなくて一人で困っていたら、わざとみんなの前で、ぐずぐずするなって怒鳴りつけたじゃないですか」

彼はわずかに乾燥して白っぽくなった鼻の頭を掻《か》きながら
「そんなことがあったか、悪いけどあんまり覚えていないんだよ。だけど、それはべつにわざとじゃなくて、知らなかったから」

「嘘です、だってその後にほかの女の子たちが遠くから笑っていたことに対してはなにも言わなかったじゃないですか。制服で見学していた女の子がわざわざ一緒にやろうって言ってくれて」

「工藤、おまえ、今は大学でどうだか知らないけど、あんまり甘えた考え方をしていると社会に出てから困るぞ。協調性のなさはある程度、本人の責任でもあるんだ。俺を責めるのは筋違いだろう。それよりもどうして自分がそういう目に遭ったのか、自覚を持って考えるべきじゃないのか」

悔しさで頭の中がぼうっとして、言葉を失った。そのとき、志緒がふっと立ち上がって葬儀場のほうへ駆けていってしまった。

黒いパンプスから伸びた細い足首を横目で追いながら

「たしかに私にも責任はあったと思います。自分から積極的に飛び込んでいってまで仲良くはしたくない、そういう雰囲気は漂っていたかも知れません。だけど、それでも三浦先生のおっしゃっていることには同意できません。私はべつに誰かに対して、失礼なり、ひどいことをしたわけじゃない。もちろん、傷つけてもいない。私に社会性がないから悪いというのなら、ほかの女の子たちも同様に責められるべきです」

「そうやって他人のせいにばかりしているから工藤は進歩がないんだよ」

しばし放心してしまった後、不覚にも涙が出てきた。あまりの悔しさに、今だけは止まってくれと願ったら、よけいに嗚咽《おえつ》まで漏れてきた。同情など絶対にしてほしくはないが三浦先生が顔色一つ変えないことがまた腹立たしい。それにしても、と私は手の甲で強く涙を拭《ぬぐ》いながら思った。卒業してから一年以上が経ったというのに、彼の中では未《いま》だ私は弱い立場なのだ。ようやく忘れていたところまで引きずり戻されて、とにかく涙を止めようとしていたとき、志緒が戻ってきて、私はびっくりした。

彼女はとなりに葉山先生を連れていた。

彼は、私たちの姿を見るとすぐに

「こんなことを言うのは失礼ですが、彼女たちをあまり刺激しないでください。大事な後輩を亡くしたばかりで、ショックを受けているんです」

まったく隙のない、有無を言わせぬ口調だった。言われた三浦先生は一瞬だけあっけに

取られたように葉山先生のほうを軽く見上げていたが、すぐに困惑したような顔つきになり
「俺はべつに、刺激するようなことを言ったつもりはないですよ」

その言葉に、先ほどの強さはどこへ流したのか、葉山先生はつとめて穏やかな口調になって
「そうですか、失礼なことを言ってすみません。ちょっと彼女たちに話があるので、いいですか」

「どうぞ。俺もほかの先生と話がありますから」

そう言って三浦先生は葬儀場のほうへ戻っていってしまった。

葉山先生はじっと私の顔を見ると、黒い背広の胸ポケットからポケットティッシュを取り出して、こちらに差し出した。

「君、泣く予定の場所に化粧をしてくるものじゃないよ。マスカラが落ちてる」

「柚子ちゃんに会えるのは最後だし、きちんとしておきたかったんです。それにしても、悔しい。柚子ちゃんのためじゃなくて、自分のためのムダな涙を流してしまって」

そう言って私はティッシュを一枚引っ張り出し、目頭を軽く押さえた。

「山田に、工藤が三浦先生にいじめられているから来てくれって言われたんだ」

「いじめられてるって」

となりの志緒が真顔で相槌を打ったので、私は少し温かい気持ちになった。

「葉山先生、やっぱり私はあの人が嫌いです」

そう言うと、葉山先生は軽く身を屈《かが》めてこちらに顔を近づけ
「大丈夫、僕も彼は好きじゃないから」

いつもの穏やかで不遜《ふそん》な口調で私にそう耳打ちした。

「そういえば葉山先生、どこにいたんですか」

さっき会場を見回したときには姿が見えなかったことを思い出して尋ねた。

「ちょっとトイレに。ちょうど出てきたところを山田が通ったんだ。タイミングが良かったな」

「そういえば、なんだか顔が青白いですよ。大丈夫ですか」

大丈夫だと彼は言った。それから二、三言だけ言葉を交わした後で葬儀場へ戻っていった。

どこかで食事でもして行こうと言って、私と志緒は駅までの道を戻り始めた。暗くなった空には一番星が見えた。人通りの多い駅前の商店街を抜け、適当な店を探して路地裏を歩きながら
「私が三浦先生のことを言ったら、詳しい事情を聞くのも抜きにしてすぐに来てくれたから、ちょっと感動しちゃった」

「うん」

ねえ、とにわかに志緒が呟《つぶや》いた。

「葉山先生って、本当は泉のことが好きなんじゃないの」

ふっと彼女のほうを見ると、彼女の背後に明るい夜の町が広がっていた。

「高校生のとき、私も泉がクラスで上手《うま》くいっていなかったことが気になってたの。だけど別のクラスだったし、部活以外で接点がなかったから、どうすることもできなくて、だけどそんなのは言い訳で、ただの自分の怠惰だったのかも知れないと思った。さっきの葉山先生を見ていたら。

それで思い出したんだけど、うちのクラスで高田《たかだ》君っていう心臓の弱い男の子がいたの。すごく頭が良かったんだけどちょっと変わった子で、私は席が近いときなんかにたまに話していたんだけど、やっぱりあんまり友達がいなかったみたいでね。

その子が病気のせいで走ることもできないのを知っていて、ほかの男子が彼の鞄《かばん》を奪って廊下へ走っていっちゃったことがあったときに、たまたまその様子を見ていた葉山先生がいきなりものすごい勢いで駆け出して追いかけていったんだ。あっという間に捕まえて鞄を取り返して、高田君に返してあげて。ああ、あの先生はこういうときに頭で考えていないんだと思った。ただ自分が間違ってると思ったことを放っておけなくて、行動するのが当然だと思っているんだって。傍観していただけだけど、嬉《うれ》しかったの」

うん、と私はなんだか自分が誉められたような気持ちで相槌を打った。

「そういう人だから、泉のことも、こうするのが当然だと思ってフォローしているんだと思っていたけど、さっきの姿を見たら、もしかしたらこの人にとって泉は特別なのかも知れないって感じた。三浦先生は仮にも葉山先生の同僚で、大人だし、私たちの言い分のほうが間違っている可能性だってあるのに、なんの疑いも迷いもなく、泉のほうをかばったでしょう。もし仮に泉のほうが悪かったとしても、もしかしたら葉山先生は、同じような言い方をしたんじゃないかと思ったの」

ごちゃごちゃとした路地裏には店が密集していてにぎやかだった。この界隈《かいわい》は夜になるほど明るいのだろう。夏まであんなに楽しく過ごしていたように見えた柚子ちゃんが亡くなって今、志緒と一緒にお通夜の帰り道を歩いている。なにもかもが嘘のようで、どうして同じ形で留《とど》めておけないのだろう。今度こそ悲しくて泣けてきた。となりを歩く志緒も無防備に泣いていた。

二人で散々飲んだ後、志緒が私の部屋に泊まりに来た。そうとうに酔っていたため、彼女はろくに化粧も落とさずに私のベッドで眠ってしまった。無理に起こしたほうが親切かとも思ったが、私もなんだか疲れてしまって、寝間着に着替えて床に布団《ふとん》を敷き、その中にもぐり込んだ。浅い眠りの中で部活の夢を見た。遠ざかりつつあるせいだろうか、よけいに浅瀬ではしゃいでいるようなまぶしさがあって、明け方頃に喉《のど》が渇いて目覚めると、乾いた寒い部屋の中や壁のほうを向いて眠る志緒の背中が淋《さび》しくて、一杯だけ水を飲んでから布団に戻り、今この眠りだけは夢など見ないよう祈りながら、強く目をつむった。

22

柚子のことが好きだったわけじゃないんです、と新堂君が漏らしたのは、彼が高校を卒業してから一度だけ大学のキャンパス内で顔を合わせたときだった。

彼は国立受験には失敗したものの、私と同じ大学の法学部には合格した。だけど半年も経たないうちに結局は中退してしまい、まったく連絡が取れなくなってしまった。その後はどこでどうしているのか分からない。

大学内がもっとも華やぐ春の新歓コンパの時期に、昼ごはんの約束をして待ち合わせたときの新堂君は一人だけ大人びた顔をして正門前に立っていた。クリーム色のパーカに包まれた小柄な体つきや肘《ひじ》から指先にかけて長いすらっとした腕にはまだ以前の少年らしい雰囲気をかすかに留めていたが、時折、地面に落としてはまた空中に戻される視線の印象や静かな横顔は、短い時間で彼が変わってしまったことを感じさせた。

私が声をかけると、新堂君はふっと顔を上げて、どうも、といつもの落ち着いた声で軽く会釈した。

一緒に大学のそばのカフェに入り、彼は半熟卵の載ったハンバーグランチを、私はシーフードのカレーを食べていた。私たちは大学のことを話し、食後にコーヒーを頼んだ後で彼は布製の黒いカバンからケントの箱を取り出して口にくわえて火をつけた。

「新堂君、煙草、吸うほうだったっけ」

そう尋ねると彼は長いまつげを揺らしながらまばたきして、短い煙を吐いた。

「以前はそうでもなかったんですけど、柚子がいなくなってから、時々」

私が次の言葉を選びかねていると、彼は苦いものを飲み込んだように眉《まゆ》を寄せて灰皿に煙草の灰を落とし

「俺、柚子のことが好きだったわけじゃないんです」

そんなことをいきなり言い出したので、私は彼の顔を見た。

「高校一年のときに同じクラスで親しくなって、たまたま親が高校時代の同級生だったことが後から分かって、家にもしょっちゅう遊びに行ったりするようになったけど、そういう感じじゃなかった。一度、柚子から付き合いたいって言われて断ったことがあるんです。そのとき俺にはほかに好きな女の子がいて」

「そっか。私は新堂君も柚子ちゃんのことが好きなのかと思ってたから」

「柚子のしっかりしすぎている感じとか、勉強でも人間関係でも要領が良くてソツのないところとか、友達にはいいけれど恋愛したいとは思えなかったんです。なのにまわりは俺たちが付き合っていると思い込んでいたから、よけいに距離を取りたかったのかも知れない。それにあいつって一見おとなしいけど内心はものすごく負けん気の強いところがあって、弱いところなんて絶対に見せないし、それが扱いにくいって思ったこともあった。

友達と喧嘩《けんか》していやがらせされたとか、肺炎になりかけたほどの高熱を出したとか、そ

ういうことがあっても俺が大丈夫かって聞くと、いつもけろっとした顔をして。高校三年の頃から様子がおかしいとは思っていたけど、どんなに訊《き》いても何一つ言わないから途中からイライラして、もう自分から尋ねるのをやめちゃったんです。あんな手紙をもらうほど信頼されていたなんて考えたこともなかった」

煙草を持つ手がかすかに震え、私は一瞬だけテーブルの下を見た。彼は右足のつま先だけを小刻みに動かし、やや神経質な動作で体を揺らしていた。

「手紙をもらった後もどうすればいいのか分からず、あいつの携帯電話にメールを送ったら返事がなくて、その時点で俺は動くべきだったのにひとまず明日でいいやって思った。俺は今でも毎晩のように考えるんです。あのときなんとかできたのは世界にたった一人しかいなくて、それが俺だったことを。工藤先輩」

「うん」

「あいつ、たぶん誰とも付き合ったことがなかったんだ」

私が黙ったまま新堂君の顔を見ていると、彼は強ばった表情を隠すように窓のほうを向いた。

傍《はた》からは、私と彼はまるで喧嘩をしているように見えただろう。短い前髪と額を日差しが照らして彼の輪郭をうっすらと消していた。

彼が今どこにいるのか知りたいが、大学を中退してしまった後で実家も出てしまったらしく、伊織君が彼のお母さんに居場所を尋ねても教えてくれなかったという。

無事に元気で過ごしていることを祈るだけだ。

柚子ちゃんのお葬式が終わって一週間ほど経った夜、夜の九時を過ぎた頃に電話が鳴ったとき、私は遅めの夕飯を終えて茶碗を洗っていたところだった。

濡《ぬ》れた手でつかんだ携帯電話の表示に葉山先生の名前を見たとき、一瞬、柚子ちゃんのときのことが思い出された。あわてて電話に出てから、どうしたのかと事情を聞いてさらに驚いた。

私はいそいでコートを羽織り、教えられた病院に向かった。

十時前に到着すると、病院はすでにひとけがなくて、ところどころ廊下の明かりが消えていた。緊張しながら看護師の女性から告げられた病室の前に立った。

ドアを引く手が寒さにかじかんで上手《うま》くノブが回せなかった。だいぶ手間取ってからドアを開くと、病室の中央に置かれたベッドに葉山先生が横たわっていた。白い部屋着のようなものを着ているが、前が少しはだけて鎖骨が見えていた。掛け布団の上に置かれた腕に点滴の針が刺さっていたので思わずどきっとした。

葉山先生はベッドの脇に立った医者と話していたが、表情には元気なときの大人らしからぬ無邪気さはなく、無防備に疲れをさらけ出していた。

それでも、やあ、と彼が笑顔をつくって会話の切れ目に私のほうを見たので
「やあ、じゃないです」

「いきなり呼び出してすまなかったね」

「のんきなことを言わないでください。ちょっと待ち合わせしてお茶を飲むのとは違うんですよ。柚子ちゃんのことがあったばかりで、あなたまで倒れて入院することになったなんて聞いて、本当にあわてたんだから」

メガネを掛けていない瞳《ひとみ》にはどこか力がなく、胸の奥に腹立たしさと愛《いと》しさが同時に込み上げてきて泣きたくなった。

「身内の方ですか」

もしかしたらまだ葉山先生よりも若いのかも知れない白衣姿の医師が私の顔を見た。違います、と首を横に振ってからふと、関係の説明に困って口ごもった。

けれど担当の医師は葉山先生が平気な顔をしていることを確認してから、それ以上はこちらに説明を求めずに彼の病状について丁寧に教えてくれた。頰の辺りには十代のうちにきれいに治らなかったのか、ニキビの跡が皮膚の表面に凹凸となってかすかに残っていた。気にしているのか癖なのか、時々、左手で自分の頰を撫《な》でる仕草をする。けれどそれ以外はまったく気になるところのない、落ち着いた口調と明快な説明に信頼できる雰囲気を感じさせた。

「過敏性大腸炎、ですか」

私はあまり親しみのないその病名を口にした。

「はい、おそらくそうでしょう。ただ色々と検査してみないことには病気の原因がなにか悪いウイルスによるものなのか、それとも違うことなのかは分かりません。ひとまず今夜はこのまま入院してもらったほうが良さそうですね」

私は葉山先生のほうを見た。彼はややうつろな目で話を聞いていた。

「点滴は外さず、トイレに行くときも一緒に持って行ってください。飲食は厳禁ですからお見舞いなど持ってきてもらっても、くれぐれも口にしないでください」

ほかにも注意しなければならないことを細かく告げてから、医師はいったん病室を出て行った。私はようやく息をついて、近くにあった丸い椅子を引き寄せて腰掛けた。

ぽつんと灯《とも》った天井の明かりは葉山先生の顔を青白く見せていた。あるいは本当に顔色が悪いのだろうか。判断しかね、目を細めてじっと凝視していると

「君以外に思いつかなかったんだ。すまない」

責められていると思ったのか、彼は掠《かす》れた声で呟《つぶや》いた。

「私はなにをすればいいんでしょうか」

「できれば鍵《かぎ》を渡すから、僕の部屋にある着替えやなんかを取って来てくれると嬉《うれ》しい」

それはかまいませんけど、と私は答えた。

「こんなときに助けてくれるような人はほかにいないんですか」

そう訊いてから、私ははっとした。彼はもう一人ではないのだ。だけど葉山先生は軽く首を横に振って

「一人だけどいたんだ。大学時代の友人で、妻のこともよく知っている。だけど今は仕事

で日本を離れているから。フリーのカメラマンでね、週刊誌なんかで仕事をするかたわら、自発的に戦場や難民キャンプなんかを訪ねていって写真を撮ったりもしている。おもしろい男だから、いつか君にも会わせてあげられたらいいと思っていたんだけど、当分、日本へは戻らないと言っていたからな」

「北海道の奥さんは」

「今はちょっとまだ微妙な時期だから、向こうには言わないでおこうと思って」

「だけど荷物ぐらいだったら、同僚の先生に頼むとか、できないんですか」

それはいやだ、と即答され、あきれて笑ってしまった。静かな病室に自分の笑い声が響くと、窓の外に広がる夜の気配がよりいっそう濃くなった。

「正直、あまり職場の人間は入れたくないんだ。よけいなことを詮索《せんさく》されたり自分から露呈することを恐れているうちに僕は本当のことを言うのがすっかり苦手になった」

この人のガチガチに固められたプライバシーはまるで南極の氷のようだと思った。こういう本音が無数に巨大な氷の下で眠っているのだ。

「分かりました。荷物は紙にリストアップしてもらえればすべて取りに行きます」

面倒だとは感じず、むしろ、こういうときにまっさきに必要とされるのはとても嬉しいことだった。

ありがとう、とまだ点滴の針が刺さった腕をこちらにすっと差し出してきた。おそるおそる手を握ると指先がぎょっとするほど冷たかった。コートのポケットの中に入れておいたカイロを取り出して渡した。

「下腹部のほうはまだ痛みますか」

彼の手のひらがカイロを握ったのを確認してから手を離そうとすると、腕の内側に流れる青白い脈が皮膚の下で静かに打っているのを親指の腹に感じた。それだけでなにか自分にとってかけがえのないものに触れたような気がして、しんとした気持ちになった。

「いや、だいぶ良くなった。それに」

「それに?」

「君が来てくれて安心した」

「いくらでも安心してください。これからは毎日来ます」

「本当に?」

この顔だ、と思った。少年のように無防備な喜び方、そして私は痛烈に実感する。この人からはなにも欲しくない。ただ与えるだけ、それでおそろしいくらいに満足なのだ。

葉山先生は私の手帳の切れ端に必要な物を書き出した。そして自分の財布からタクシー代を出して、私の手にメモと一緒に握らせた。

「気をつけて帰るんだよ」

病室を出るとき、彼はそう笑って手を振った。

私は軽く会釈してゆっくりとドアを閉めた。

首筋に暖かい朝の光を感じながらマンションのドアを開くと、まだ夜の闇が残る部屋が現れた。靴を脱いで上がり込む。床には洗濯物や本が散らばって雑然としていた。よほど忙しくしていたのだろう。踏まぬように避けて、メモに書かれた荷物を探した。

洋服はタンスからすぐに見つけ出すことができたが、それ以外の日用品は探すのにだいぶ手間取った。それらすべてを用意してきたボストンバッグの中に詰め、大学のカバンと一緒に肩に掛けるとそうとうな重さになった。

私は遮光カーテンに遮られて薄暗い寝室の真ん中から立ち上がり、台所のテーブルに残っていた食べかけのコンビニ弁当を捨て、部屋を出た。

病院は昨夜とはうってかわって人が受付に溢《あふ》れていた。広い待合室に置かれたソファーも満席の状態だった。私は葉山先生の待つ病室に向かった。ちょうど病室から白衣を着た看護師の女性が出て来たところだった。白衣には糊《のり》がよく利いていて皺《しわ》一つない。耳たぶのあたりで切り揃えられた黒髪には艶《つや》があり、横顔でもはっきりと分かる大きな瞳と高い鼻筋が印象的な美人だった。振り返ってすっかり見とれてしまってから病室に入ると

「おはよう。こんな朝早くからありがとう」

葉山先生はほほ笑んだ。ゆっくり眠れたのか、彼の目元に隈《くま》はなく、まぶたもすっきりとしていた。

「遅くなると不自由だと思って。それよりもこれで大丈夫か、確認してください」

そう告げて彼にボストンバッグの中身を一つ一つ取り出して見せた。葉山先生は律義にそのつど相槌《あいづち》を打っていたが、べっ甲のメガネが入ったケースを出したときだけはあせったように手を伸ばして
「助かった。これが一番、必要だったんだ。さっき君が病室に入ってきたときも一瞬、看護師の女性が戻ってきたのか区別がつかなかった」

そう言いながらメガネを掛けた。そうするといつもの葉山先生の顔になった。

「だけどさっきこの部屋から出てきた看護師の人、ものすごい美人でしたよ。見間違えないと思います」

「君だってきれいな顔をしているじゃないか」

「また、すぐにそういうことを言うんだから」

恥ずかしくなって言い返すと、彼は笑った。

「だけど僕は美人すぎる美人が苦手だから。君みたいに感じの良い顔をしているほうが好きだよ」

まぶしそうにカーテンの開いた窓のほうを振り返りながら葉山先生は優しい声で言った。

それは穏やかな日々だった。私は大学の帰りに病室へ寄り、ぎりぎりの時間まで彼のそばで本を読んだり授業のレポートをやったりしていた。たまに病室のドアの前まで来たときに彼の生徒がお見舞いに来ていると、ぐるりと病院の中を散歩してから戻ったりした。

複数の人間がいる空間では葉山先生は私に見せる顔と微妙に異なり、それに対して居心地の悪さを覚えるようになってしまった。だから極力、居合わせることは避けた。

一度、葉山先生が、彼のお母さんに電話をかけているところを見た。

病室に訪ねて行ったらベッドが空だったので、うろうろと病院内を捜していたら、廊下の公衆電話で話をしている後ろ姿を見つけた。大丈夫、来週には退院するから心配ない、そう告げて彼は受話器を置いた。

こちらを振り返った葉山先生に
「どこかに電話していたんですか」

私が話しかけると、なんだか悲しそうな目をして、うん、と頷《うなず》いた。

「母にかけてた。こちらに来たほうがいいかって訊《き》かれたから、大丈夫だって言って断った」

「来てもらったほうが良かったんじゃないですか。なにかと不自由でしょう」

「母はもうなにも言わなかったけれど、結果的に僕は妻を選んだのだから、距離を置いていたほうが良いんだ」

彼の言葉に私は納得して
「そうですね」

すると彼は点滴の外れたばかりの腕で握った小銭を手のひらの中で軽くいじってから
「君には最後まで迷惑をかけてしまうな」

その一言だけでもう途方に暮れたようにしんみりした気持ちになり、そんなことないです、と私は言った。それから二人で病室に戻った。

入院してから一週間ほどが過ぎ、そろそろ退院できる日が近くなってきた夜、面会時間の終了まであと一時間を切ったとき、私はベッドに上半身だけ突っ伏して眠ってしまった。気が付いて顔を上げたら本を読んでいた葉山先生と目が合った。

「私、どれくらい眠っていましたか」

「三十分ぐらいかな。疲れているようだったし、時間ぎりぎりになるまで寝かせておこうと思ったんだけど」

「そんなに眠っていましたか。一瞬みたいに感じたけど」

彼は軽く笑ってから読みかけの文庫本を閉じ、サイドテーブルの上にそっと置いた。すでに腕からは点滴の針は抜けていた。

君に話があるんだ、と葉山先生がふいに切り出した。

「なんですか」

「妻が戻ってくることもあって、入院する少し前、やっぱり高校に異動を申し出たんだ。来年の春には違う高校に移ると思う」

一瞬、ものすごいショックに襲われてめまいがしたが、それはすぐに引いて、納得するような気持ちに包み込まれた。そういう言葉にも、すでにもう慣れている自分がいた。

「そうですか。そうするんじゃないかと思っていました」

と私は嘘をついた。

「君には本当に世話になったから、なにかお礼がしたいんだ。僕にできることだったらなんでもするから、言ってほしいんだけど」

べつになにもいらないと笑うと、葉山先生はじっと考え込んでから
「どこかへ行きたいとか、欲しいものがあるとか、なにかないかな」

それなら、とふと言葉がこぼれた。

「それなら退院した日に葉山先生の部屋に泊めてもらえたら、夏に初めて行ったときのように、そうしたら今度こそ本当にお別れを」

口に出したら急に現実に引き戻されたような気がして、最後まで言葉を続けられなかった。葉山先生がゆっくりとこちらを見た。

窓の外で強い風の音がする。帰りはだいぶ冷え込むだろう。来るときには大きな雲に隠されていた月も、きっとこの強風で、今頃ははっきりと夜空に浮かび上がっているはずだ。目の前の葉山先生は心の底から困ったような顔をしていた。彼のそういう表情はとても珍しく、私は首を横に振って
「嘘です。忘れてください」

「君は」

「そんな顔をしないで、大丈夫ですから」

「君はいつもそうやって大丈夫じゃないのに大丈夫だって言うんだ」

次の瞬間、葉山先生がベッドから身を乗り出して私の体を強く抱き寄せた。ほとんど触れたこともないのになぜか懐かしさを覚え、両腕を彼の背中に伸ばして、今、摑《つか》まなければすぐに去ってしまうものに必死で強く抱き着いた。暖房のきいた病室で少し汗をかいた髪の匂いも瘦《や》せた首筋も厚い胸もすべてが狂おしいほど愛《いと》しくて頭の中が変になりそうだった。

「僕は君が好きだ」

絞り出すような声で彼は言った。

「私も好きです。どうしようもないほど、あなたが好きです」

今さらなにを言っているのだろう。もうずっと、私は胸の中でそう言い続けてきた。自分よりもずっと高い体温の心地よさに溺《おぼ》れそうになっていたとき、耳元ではっきりと声がした。

「本当は、ずっと君のそばにいてあげたかった」

私はふたたび彼の体を強く抱き寄せ
「それが聞けただけでも十分です」

そう告げて、ゆっくりと腕を離した。

病室の時計がもうすぐ八時を迎えようとしていた。

明日も来ると告げて病室を出た途端、体の力が抜けて、深く息を吐いた。もう廊下の遠くのほうは明かりが消えている。出口に向かって私は歩き始めた。

退院した午後、ボストンバッグを手に葉山先生の家に二人で戻った。荷物を玄関に置くと、彼は体中の疲れをほどくようにゆっくりと息を吐いたり吸ったりした。そして両腕をあげて軽く背筋を伸ばした。

「結局、あれだけ検査をして、病気の原因はよく分かりませんでしたね」

私の言葉に彼は苦笑した。

「本当に。揚げ句にストレスだって言われたけど、そんなことを言ったらどんな病気の原因だってストレスじゃないか」

頷きながら私はジャケットを脱いでハンガーに掛けた。

カーテンの閉じられた部屋の中はしばしの不在の間にすっかり人の匂いを失い、その日は朝から寒かったために、フローリングの床は靴下を履いていても冷たかった。

それでもカーテンの隙間からかすかに漏れてくる一筋の光はまぶしく、呼んでいるようだった。彼が暖房のスイッチを入れ、ボストンバッグから荷物を出してそれぞれの場所にしまい、洗濯機の中に汚れた物を投げ込んでいる間も、ただ一つの気配が私と彼の間に横たわって微動だにしなかった。私は部屋の真ん中に立ち尽くしていた。

葉山先生がこちらを振り返り、コーヒーでも飲むかと尋ねてきた。いいえ、とだけ私は答えた。

「お茶がいい？」

いりません、と言った。彼の口調にはまだ考えあぐねている様子がうかがえた。

「やっぱり帰りましょうか」

返事がなかったので、私は床に置いた自分のカバンを摑もうと軽く膝《ひざ》を折った。大きな影が近づいてきて、見上げると同時に、目線が同じ位置まですっと下りてきた。

葉山先生は床に片膝をつき、初めてキスをする少年のように浅く、唇を重ねた。そんなつたなさが彼の体にまだ存在していたことが不思議で、うっすらと目を開けると今度は急に十年も二十年も時を早送りしたような口づけをくり返した。彼の着ている黒いニットを摑んですぐに脱がそうとすると、脇腹に爪が軽く食い込んで一瞬だけ引っ掻《か》いたような感触を覚えた。

心配になって中断し、その部分をそっと撫でると
「心配いらないよ」

低く掠《かす》れた声で呟《つぶや》き、素早く眼鏡を外してから、彼は自分で黒いニットを脱いだ。狭い服の襟《えり》刳《ぐ》りから頭を抜くとき、髪が同じ方向に引っ張られ、隠れていたうなじがあらわになった。向き合っているときには頑丈さを感じたが、裏側に潜んでいた日の当たらない肌の色につかの間、心を奪われた。

彼がうつむいていた顔を横に向けて袖《そで》から腕を引き抜き、こちらに向き直ると、淡い光と闇の中ではっきりと初めて出会う男性の姿が浮かび上がった。葉山先生の体はなにかに

抵抗しているような体だった。腕を伝う筋肉の曲線や太い腰回りの作りはとても荒く、その隙だらけの荒さが逆に体中の節々から欲望をこぼしているようで、胸が苦しくなった。

彼は慣れた手つきで私の着ていたカーディガンを脱がすというよりは剝《は》がすように取り払って、シャツの上からなにかを確かめるように体に触れた。彼の指が動くたびにシャツに浮かぶ皺《しわ》が横へ縦へとゆっくり移動し、それは次第に地図のように思えてきた。触れられた部分すべてを覚えておくための地図、息を殺していると、そんなやせ我慢を追い出すように手の動きが激しくなった。

首筋をひんやりと柔らかく湿った舌が撫《な》で、一緒に浴びせかけられる吐息が耳まで届くと自分の鼓動がつかの間、破裂したように高く打って頭の裏まで届いた。

葉山先生に寝室まで導かれ、一人では広すぎて二人では狭いと内心で思っていたセミダブルのベッドに横たわった。そのベッドの上で彼と抱き合って、初めてこの広さがぴったりだと感じた。彼はすぐには服を脱がせなかった。脱ぐまでは洋服も体の一部で、それがよじれたり捲《めく》れたり形状を変える様子を楽しんでいるようにも見えた。

右手はつねに髪を撫でたり口づけをするために顔を引き寄せる紳士的な役割を担っていたが、一方で左手はまだ私の体の底に隠れているものを引きずり出そうとしていた。

一本一本が精巧にできた器具のような指に残酷なほど冷静に引っ掻き回されるたび、顔をしかめてはそむけ、言葉にならない言葉で答え、やがて下着もすべて脱がされ部屋の鏡にさらされたのはまったく見覚えのない自分だった。

持て余すほどの欲情はいま生まれたのではなくて眠っていただけだと知り、砂地から水辺へ駆けるように落ちていく。彼はまだ余裕のある表情の中に時折、軽蔑《けいべつ》しているような眼差《まなざ》しを見せた。そうすることで私のとりたてて秀でたところのない体に意味を与えた。

この人はセックスという役割を演じているのだ、没頭しているのは私だけで彼はまだ対岸にいる、そう思った瞬間に湧き上がる哀しみを追い越してさらに強い快感にさらわれた。それは一人きりの孤独な欲情だった。

その空しさを埋めるために私の肩を押さえ付ける彼の腕を強く摑むとにわかに窓の外で子供の、お母さん、という呼び声が聞こえた。私は目を閉じ、窓の外に広がっている世界、乾いた白い日差しや枯れかけた木の葉が映す最後の光の反射、寒さに体をぎゅっと縮めながら通りを歩いて行く人々の小さな鼓動、そういうすべてを鮮明にまぶたの裏にイメージした。それはすべてが秒速単位で失われてまた生まれていく世界だった。

なにを考えているのかと葉山先生が顔を覗《のぞ》き込んだ。

なにも、と私は答えた。

「ただ、なんだか自分がものすごく幼い子供になったような気がしたんです」

「僕は君の前ではいつもそうだった。そんな自分がみっともないと、内心で情けなく思っていた」

「そうでしょうか。あなたは本当は楽しんでいたんじゃないですか」

彼は黙ったまま少しだけ笑い、それから目を閉じて長い口づけをした。

彼の体がいったん離れてから今度は私が体を起こした。シーツの上に両方の膝をつくとベッドがかすかにきしむ。代わりに横たわった彼の胸元に触れてみた。そこは想像していたよりもずっと体温が高くてかすかに汗ばんでいた。それに皮膚の弾力を無効にするほどの固さがあった。

ゆっくり表面をなぞって痛みから解放されたばかりの腹部にそっと触れると、今度は乾いた土地から水を含んだ地面に踏み込んだような感触があった。指先が皮膚にのめり込むと、彼は困ったように笑い、そうすると一瞬だけ筋肉が硬直して指がはね除《の》けられた。私はベルトの部分に手を掛け、腰から足首まで覆い隠していたズボンを取り除いた。それから傷痕《きずあと》のような細長い臍《へそ》をなぞった。

指を滑らせて両足の間までたどり着くと、葉山先生の顔がふいに真顔に引き戻されて、それから徐々に苦しさを持て余したような表情と共に呼吸が浅くなった。目を閉じてその部分に唇をつけたり口に含んだりすると、いっそう呼吸は乱れた。とうとう低くうめくような声が漏れたと思ったとき、彼は勢いよく体を起こして覆いかぶさってきた。

その重みに押し潰《つぶ》されてもまだ足りなかった。胸を合わせて二つの体が擦《こす》れる、触れた肌の体温はかすかに彼のほうが高く、ずっしりと重量感のある足をからませ葉山先生は深く息を吐きながら入ってきた。

先ほどまでの荒々しさがふいに静まり、今度は風のない日の波のような振動がゆっくりと伝わってきた。ぼうっと足の先は痺《しび》れている、すでにほとんどの感覚が死滅してしまって、感じているのはごく狭い、わずかな部分だけだ。それでもそのわずかな部分から全身に広がる海を感じる。彼の額から滴った汗が私の頰に落ち、唇の隙間に流れ込んできた。苦いほどの塩気を飲み込んで、ゆっくり見上げると、葉山先生は削ぎ落とされたような顔をしていた。軽く唇を嚙《か》み、眉《まゆ》を寄せ、早く解放されたいという表情を見せていた。

もっと好きに動いて、そう頼むと、彼は素早く首を横に振って

「まだ、だめだ。もっと僕の知らない君を見てからだ」

彼は私の腎臓《じんぞう》、肝臓、胃腸や心臓、そういった体に抱いたすべてが一つになってしまえばいいとでもいうふうに強く体を合わせてきた。見上げていた白い天井から視界が一転して、枕に顔が押し付けられた。強い前歯に背中のあらゆる部分を嚙まれると、そこにも神経は通っていることを思い出す。胸や腹よりはずっと強いはずの場所、だけど簡単に負けてしまう。

私はふいに怖くなる、私はもう彼のことを愛していないのではないかと疑ってしまう。欲望の強さで愛情すら霞《かす》んでいく、この先もう誰と寝ても同じように満たされることはないのではないか。それとも今日この午後がすべてとなって、その余力で残りの一生を、セックスを持ちこたえていくのではないか。目を閉じると痛いほど目頭が熱くなったが涙は流れなかった。私はふたたび前に向き直った。

葉山先生は私の左肩に顔を埋《うず》め、強く抱き合ったまま、私は泣いているのにも似た声をあげ、ある瞬間を境に腕から崩れるように彼は力を抜いた。その重みを両腕で受け止めた。

やがて沈黙が訪れた。呆然《ぼうぜん》として淡い闇に差し込む光のほうを見た。窓の外で車の行き交うエンジン音や話し声が、また部屋の中にゆっくりと戻ってきた。それでも立ち上がることができずにベッドに崩れたままでいた。

葉山先生の体からは強い汗の匂いがして、首筋に鼻を近づけると、彼は軽く上半身を起こして私の髪を指でそっとつかみ、すぐに離した。

それから急に泣き出しそうな顔になって
「これしかなかったのか、僕が君にあげられるものは。ほかになにもないのか」

必死で模索するように私の目を覗き込んだ。そんなところを探してもなにも見つからないのに、もうずいぶん長いこと、私の目は彼しか映していない。

「あなたはひどい人です」

私は叫んだ。

「これなら二度と立てないぐらい、壊されたほうがマシです。お願いだから私を壊して、帰れないところまで連れていって見捨てて、あなたにはそうする義務がある」

「無理だ、僕にはできない」

「それならもう二度と私の前に姿を見せないでください。そしてどこか遠く離れた場所で幸せになって。自分だけ幸せになって憎らしいと、あなたのことなんかどうでもいいと思わせて」

分かった、と彼は言った。

「約束する。僕は君のまったく知らない場所で幸せになる。だから君も約束してくれ。僕が去った後も無事でいることを。塚本のように一人で苦しんだまま、いきなりこの世からいなくなることだけは絶対にしないでくれ。そのために僕のことを嫌っても軽蔑してもかまわない、だから、約束してほしいんだ」

約束はできないと私は言った。

「だけどきっと私はそうすると思います。今日のこともいつか思い出さなくなる、そしてまた、ほかの誰かをこの人しかいないと信じて好きになる。あなたに対してそう思ったように」

夕暮れが訪れるまで、私たちはベッドの中で起きたり眠ったりをくり返していた。何度か他愛ない夢を見た後で、薄目を開けると、真っ赤な夕日が床を切りつけるようにまっすぐに差し込んでいた。

寝返りを打つとそこには葉山先生の姿はなく、彼の頭の形に枕が歪《ゆが》んでいるだけだった。がらんとした部屋の中で、時の流れにさらわれていくのを感じた。雨の廊下で出会ったあの日からきっと、私は同じ場所にいた。前進したり後退していたと思っていただけで、本当はずっと立ち尽くしていた。今度こそ私はどこへでも行ける。ちっとも嬉《うれ》しくなかった。この場にいたいと叫び出したかった。それでもベッドから立ち上がり、床に広がっていた服を着た。

やがて、壁に寄りかかって、ぼうっと宙を仰いでいたら、葉山先生が戻ってきた。どこへ行っていたのかと尋ねたら、電話料金の支払いに行っていたのだという答えに私はなんだか泣きたいような気持ちで笑った。

彼は台所でコーヒーを淹《い》れて、私に手渡してくれた。それから自分もすぐとなりに腰を下ろした。言葉もなく、ただカップから立ちのぼる湯気ごしに窓から差し込む夕暮れがゆっくりと引いていくのを見ていた。葉山先生に簡単な言葉をかけることすら恐ろしく、私はじっと身を潜めるように前を向いて、熱い液体をすすっていた。

「夕食はどうしようか」

私が、なんでもいいから外へは出たくない、と答えると、彼はデリバリーのピザを注文してくれた。

すぐにやって来たピザを食卓に置いて、ソファーに腰掛けた。お茶を飲みながらピザを食べたけれど、胸が詰まってあまり美味《おい》しいとは感じなかった。葉山先生はすぐ横に並んで、やはり似たような速度でピザを食べていた。

「葉山先生、『エル・スール』、見ましょうよ」

私が提案すると、彼は少し明るい顔になって

「そうだな。一緒に見よう」

そして素早くＤＶＤをデッキにセットしてテレビの画面をつけた。記憶の中でかすかに残っていた、スペインの田舎道が映し出される。私たちはすぐに映画に夢中になった。

映画の中で語られるのは静かなスペイン語だった。私は葉山先生の肩に寄りかかり、それはいつか見た幸福な夢の風景そのものだった。

「このまま眠りたいです」

と映画の途中で私は呟《つぶや》いた。

「いいよ。それなら僕も、今夜はこのソファーで眠るよ」

そう言って彼は私の肩を抱いた。

「明日、目が覚めたらすぐに帰ります。長居するとつらくなるから」

分かった、と彼は頷《うなず》いた。

「このまま眠りに連れ去られてしまいたい。どこへも行きたくありません」

だけど映画もあと一時間程度で終わる。これから新しく始められるもの、それはもうここにはなにもない。

夜明けの光で目覚めると、まだ外は少し薄暗かった。いつの間にか毛布と布団が掛けられていて、すぐとなりでは身を小さくして無理な体勢のまま葉山先生が静かな寝息をたてていた。すっと閉じた唇に軽く触れるだけのキスをして、私は起き上がった。窓のカーテンに触れると、急に強い朝日がまぶたに降りそそいできた。それでもまだ大半は眠っている住宅街のほうを見ていると、後ろから物音がして振り返った。

「おはよう」

おはようございます、と私たちはお互いに朝のあいさつをした。

まだ起きぬけの顔をしたまま、葉山先生は寝室のほうへ向かった。そして、なにかを片手に握って戻ってきた。指の隙間から細い金色の鎖が垂れている。

「これを君に」

そう言って差し出されたものは、古いアンティークの懐中時計だった。

「これは？」

「子供の頃、出て行く父に母が、息子になにか一つぐらい高価な物を残していけ、そう言って父から譲り受けたものだよ」

そう説明しながら私の手に懐中時計を握らせた。持ってみると小さいわりにしっかりと重たく、全体が艶《つや》のある金色をしている。閉じた蓋《ふた》のところには植物の蔓《つる》や葉をモチーフにした装飾がびっしりと施されていて、その蓋を開けると、白い文字盤の上で細長い針が時を刻んでいた。

「もらえません。大切なものでしょう」

彼は首を横に振って
「いいんだ。きっとこれから、僕は変わっていく。君のおかげだ。だからもう、これは必要ないから君にあげたいんだ」

それに今日はクリスマスだしね、と付け加えたので
「そういえば、そうでしたね。バタバタしていて、すっかり忘れていました」

それから葉山先生は使い方を丁寧に説明してくれた。

「汚れてきたら、金属なんかを磨くクロスで拭《ふ》けばきれいになるから」

「分かりました」

ありがとうございます、そうお礼を言ってから私は懐中時計をしまうため、部屋の隅に置いた自分のカバンのほうへ歩いた。

カバンを開きかけたとき
「そういえば、私も葉山先生に渡したいものがあったんです」

思い出して底のほうからドイツのお土産を取り出した。

彼は受け取ってすぐに包装紙を丁寧に剝《は》がした。中からは向こうの文房具屋で購入した深緑色の万年筆が出てきた。

「君こそ、高そうなものを買ってきたな」

「色々と迷ったんですけど、なんとなく葉山先生の雰囲気に合っている気がして。もっとも外国製の万年筆はあまり日本語を書くには向かないみたいですけどね」

「ありがとう。大切にするよ」

そして私たちは残っていたピザを温めて簡単に朝食を済ませた。そして身支度をしてから、今日までは学校のほうも休みをもらっているという葉山先生と一緒に家を出た。

駅まで着くと、葉山先生は改札のところで定期を取り出して、ホームまで送っていくと言った。私たちは二人で並んで白い息を吐きながら階段を下りた。まだ青白い光がひとけのない寒々しいホームを満たしていた。

電車を待っている間、葉山先生が煙草を取り出して火をつけた。彼が煙草を吸っているところを見るのは初めてで、私はその横顔を見上げながら、おそらくこれが最後になることを悔やんだ。薄い唇に煙草をくわえて目を細めた横顔は今まで見たどの表情よりも魅力的に思え、その横顔をこれから先もずっと見ることのできる彼の奥さんに初めて痛烈に嫉《しっ》妬《と》を覚えた。

私の視線に気付いた葉山先生は、なにか誤解したのか、自分の吸いかけの煙草を指に挟んでこちらに差し出した。私はなにも言わずにそれを受け取った。吸い口は軽く濡れていて、喉《のど》に流れ込んできた大量の煙にむせ返りそうになりながらも、昇りかけた太陽のほうを見ながら息を深く吸った。反対側のホームには制服姿で紺色の鞄《かばん》を肩に掛けた女の子が立っていた。黒くて長い髪を垂らしてまだ鳴る気配のない踏切のほうを見ている。あんなふうに私も、毎朝、高校へ通っていたことを思い出した。

私は葉山先生に煙草を返し、彼はぎりぎりのところまでその煙草を吸い終えるとホームの灰皿にそっと捨てた。

電車がやって来ると、私は軽く会釈した。葉山先生は以前のように片手を差し出したりはしなかった。ただ息を潜めるようにじっと黙り込んでいた。だから、今度はこちらのほうから手を出した。それでも微動だにしようとしなかった。目の前のドアが開いて私は電車に乗った。色々とありがとうございました、と呟いたら返事はなかった。やがてドアは閉まり、あっという間に彼の姿は遠ざかった。

電車がとなりの駅に着いたとき、ふたたび抑え切れない淋《さび》しさが込み上げてきて、電車を降りてしまった。もう一度さっきの駅に戻りたいと思った。おそらくもう二度と降りることはないであろう駅に。時が流れてからふたたびそうするにはつらすぎる。今のうちに焼き付けておきたいと思い、反対側の電車に乗った。

電車がまた先ほどの駅に戻ると、さっき葉山先生といた場所とは反対側のホームに電車は到着した。ドアが開いて電車を降りたとき、息が詰まりそうになった。

すっかり明るくなった空と白い光の中で、私は離れた反対側のホームに葉山先生が立っているのを見た。

彼は軽くうつむいていたが、ふと私の姿に気付いて驚いたように顔を上げた。

夏に別れたとき、戻ったときにはもういなかった。その彼が、今度はいた。あのときの私のように、どこへも行けないように、そこに立ち尽くしていた。

大きく手を振ると、彼も真顔で手を振り返してきた。大きく揺れる腕に、さらに大きく手を振り返した。ホームはようやく混み始めたばかりで、電車を待つ人々が不思議そうに、あるいは無関心を装いながらこちらを見ていた。

やがて手を振るのをやめた葉山先生はゆっくりと階段に向かって歩き始めた。私はじっとその姿を見送っていた。さようなら、と心の中で唱えながら、いつまでもそこにいた。

葉山先生は振り返らなかったが、彼の気持ちがまだそこにあることは手に取るように感じ取れた。

やがて視界を遮るように快速電車が一気に滑り込んできて、彼の姿は完全に消えた。

それが、私が葉山先生に会った、本当に最後のときだった。

23

大学を卒業した後、私はなんとか希望していた会社に就職することができた。

志緒とは社会人になってから疎遠になり、次第に連絡を取らなくなった。最後に短いメールが来たのは半年ぐらい前になるだろうか。こちらからも短い返事をしたら、それに対する返信はなかった。ひさしぶり、また会おう、そういう言葉が実現可能なことではなく大人同士の社交辞令になり始めたのは仕方のないことかも知れない。それでも留学から戻ってきた黒川と別れたという話は聞かないので今でも二人は仲良くしているのだろう。

伊織君は調理師専門学校に通い、本当に芝居の役柄で演じたシェフを目指してがんばっている。彼からはたまに連絡が来る。ひとなつこい性格は文面でも変わらず健在で、バイト先の厨房《ちゅうぼう》がきびしくて痩《や》せたという報告と共に送られてくるメールの写真はたしかに以前よりも輪郭がすっきりしていて驚かされる。

葉山先生は最後に会った翌年の春、都内の違う高校へ異動になった。

大学に在学中は、やはり彼のことが頭から離れず、誰に対しても恋愛感情を抱くことはできなかった。

彼からもらった懐中時計を見ては、夜中に部屋を飛び出して延々と自転車を漕《こ》ぎ、高校まで走ったりすることもあった。深い夜の中、誰もいない真っ暗な校舎を見てもため息が漏れるだけで、なにが変わるわけでもなかったが、行き場のない感情を解消する手段としてずいぶん長いことそうしていた。

しかし、就職してからはさすがに体力的にも時間的にも余裕がなくなり、いつしかすべてが思い出に変わり始めた。それでも懐中時計はスーツの胸ポケットに入れていつでも持っていた。残業中、ひとけのなくなった職場で仕事をしながら時計を取り出すと、時間の流れの速さを感じずにはいられなかった。

そんなとき、職場で一緒に残業していた少し年上の男性が、私の手にした懐中時計を不思議そうに横目で見て
「珍しいなあ。今時、懐中時計なんて」

もらい物なんです、と私は答えた。

「細工なんかずいぶん凝ってて、きれいだね」

そう言って笑った彼の、目尻の下がり方や物腰の柔らかさになんだか穏やかな気持ちになって、私もほほ笑みながら相槌《あいづち》を打った。

「もしかして好きな人からもらったの？」

いきなり彼からそう訊《き》かれ、私は驚いた。

「どうしてですか？」

「くれたのがよほどの相手じゃないと、腕時計のほうが楽だから。見たところ、最近の見かけだけ懐中時計の恰好《かっこう》をしたのじゃなくて、きちんとぜんまいを巻くやつだし」

「詳しいんですね」

「俺ね、祖父が骨董品《こっとうひん》屋をやってたんだよ。いや、壺《つぼ》とかにはまったく興味ないんだけど時計はガキの頃からけっこう好きで。ちょっと見せてもらってもいいかな」

　ぎい、と椅子をきしませながら身を乗り出して来たので、私は彼に時計を渡した。

「ふうん、ああすごいな、これってたぶんまわりは十八金だ。おそらく今、売ったらけっこういい値段が付くよ」

「そうなんですか。けっこう高価な物だとは聞いていたんですけど。私はまったく詳しくないし、手放す気もないからきちんと鑑定してもらったことはなくて」

「懐中時計の中でも、蓋《ふた》付きは古い物が多いんだよ。まだ文字盤のガラスとかが弱かった頃に作られてる場合が多いから。ううん、ちょっとどこの国の物かは分からないけど、少なくとも日本じゃなくて外国製だな。もしかしたら、ヨーロッパのほうの物かも知れないね。そのほうが希少価値が高いんだよ。裏側とか開けてみるともっとちゃんと分かるんだけど」

　そう言って熱心に引っ繰り返したり蓋を開け閉めしてから、はい、と言って彼は時計をこちらに戻した。

「これをタダでくれたなんて良い人だな」

「昔、好きだった人なんです」

そう漏らすと
「昔って、工藤さん、まだ若いのに」

彼は両腕を天井に向かって伸ばしながら笑った。それからやりかけの作業をいったんストップして、コーヒーでもどうですか、と誘われた。

それぞれの机でコーヒーを飲みながら、彼が話を聞きたがったので、なんだか急に喋《しゃべ》りたい気分になり、私はずいぶんと長い時間をかけて葉山先生のことを語った。

話を聞き終えた彼は、そうかあ、となんだか一仕事終えた後のような表情を浮かべて
「そんなふうに深く誰かを愛したことがあるなんて、俺には経験がないからうらやましいよ」

「愛していたとか、そんなに大袈裟《おおげさ》なものじゃないです。最初に会ったときなんか高校生だったし、まだ子供だったからよけいに、この人しかいないっていう思い込みが強かったんですよ」

「そうかな。年齢に関係なく愛したりはすると思うけど。工藤さん、きっとそれ、子供だったから愛とは違うとかじゃなくて、子供だったから、愛してるってことに気付かなかったんだよ」

ふっと私の顔が強ばったことに気付いた彼は、表情をゆっくりと真顔に戻して

「ごめん。なんだか俺、よけいなことを言ったようだね」

いいえ、と私は首を横に振った。

「そんなことはないです。こちらこそ、延々と聞いてもらっちゃって、ありがとうございます」

「いや、そんなこと。また、いつでも聞かせてくださいよ」

ふたたび笑顔に戻ってから、さあがんばるぞ、と彼は明るい声を出した。そしてさっと椅子を動かして自分のデスクに向き直った。そのまっすぐに伸びた背筋を見て、気持ちの良い人だなあ、と心の中で思った。

それからしばらく経って、初めて彼と仕事の後に二人で食事をした。まだお互いのことをよく知らないわりに、二人きりで話していても気詰まりだったり退屈することはなく、楽しい時間を過ごすことができた。そんなふうに男の人に対して感じたのは本当にひさしぶりだったので、新しい風に吹かれたような気がした。その後もお互いに誘い合って色々な場所へ出掛け、そのうちに付き合うようになり、一年後には結婚を決めた。

休みの日に二人で暮らす新居を探してまわったり、相手の両親に会って身内のように親しみを込めて扱われること、なによりこれからずっと一緒に生活していく相手に出会えたこと、毎日そんな嬉《うれ》しさを感じながら、瑞々《みずみず》しさと懐かしさが混在した希望を抱いていたとき、私は偶然、ある人に出会った。

その夜、私は映画の試写会の後に同僚から、カメラマンとその連れの男性を紹介された。彼らを交えて四人で食事をすることになり、近くのイタリア料理の店に入ったときのことだった。

前菜が運ばれてきてから、私がもうすぐ結婚するのだと告げると初対面の彼らまでが祝福の言葉をくれた。それから話題はそれぞれのプライベートなことになった。

その中で私がふと高校時代のことを口にしたとき、向かいの席でローストした鳥肉の骨を丁寧に取っていたカメラマンが顔を上げ
「僕の友人も以前、その高校で教員をしていたんです。あなたは彼を知っているかも知れませんね」

相槌を打ちかけ、急によみがえってきた記憶に呆然《ぼうぜん》とした。

「もしかして葉山先生のことですか」

ああ、と彼はすっきりとした一重のまぶたを見開いて、驚いたように
「そうです。葉山貴司は僕の大学時代の同級生なんです。しかし、よく分かりましたね」

「葉山先生は私が所属していた部活の顧問だったんです。それで、前に一度、彼からあなたの話を直接、聞いたことがあったのを思い出して」

となりの席の同僚がうかがうように私たちを交互に見ていた。

そのカメラマンは共通の話題を持つ人間にだけ注がれる、親密さを含んだ口調で私に
「彼とは親しかったんですか」

どうしてそう思うんですか、と私は聞き返した。

「いや、めったに進んで自分のことを話さない男ですからねえ」

私は相槌を打ち、しばらく葉山先生との思い出を彼と語り合った。彼の連れの男性とこちらの同僚はすでに違う話を始めていた。

そのカメラマンは私と葉山先生が他の生徒よりも親しい仲であったことを認めたようだった。そして終始、和やかな表情を見せていたが、ふいに、目を細めて
「もしかしてあなた、彼と付き合っていませんでしたか」

そう言われたので私はびっくりして首を横に振った。

「そうかあ、じゃあ一方通行だったのか。いい年してあいつもなにやってんだか」

「あの、それは一体どういう意味でしょうか」

「いやね、僕、さっきもあなたにごあいさつしたとき、どこかで顔を見たような気がしたんですよ。ずっとなんだろうって考えていてね、いまやっと思い出したぞ」

私が眉《まゆ》を寄せると、彼は膝《ひざ》に載せた白いナプキンで唇の端を軽く拭《ぬぐ》った。それから目尻《めじり》や口元に現れる皺《しわ》を打ち消すような若々しくてひとなつこい笑顔で、もうあなたが卒業してからだいぶ経つし時効ですよね、と言った。

「二年ぐらい前だったかな。僕は長いこと外国をまわっていたんですけど、ちょうど日本に戻ってきてすぐの頃に、たまたま町中でばったり会ったんですよ。向こうは奥さんを連れていてね。わけあって彼とその奥さんはしばらく離れて暮らしていたんでね、ひさしぶ

りに三人で食事でもしようっていう話になったんですよ。それで飯を食ってる最中に奥さんが席を外したとき、彼がとなりの席の女の子をやけにじっと見てるから、なにやってるんだってからかったら『いや、教え子にものすごく似ていたから別人だって分かっていたけど見ていた』て言うんですよ。だけど、その言い方も妙だよなあって思ってね。別人だって分かっているなら見ることもないでしょう」

そうですね、と答えた私の声はかすかに掠《かす》れていた。

「変に思って問いただしたら、奥さんには絶対に内緒だって言って定期入れから写真なんて取り出してきましてね。卒業式の写真かなにかだったんですけど、彼のとなりに立ってた女の子がたしか、あなたに顔の感じが似ていた気がするんですよね。彼と二人でそういう写真、撮りませんでした?」

「……撮りました」

ほうらやっぱりな、と彼は笑ったが、私の顔は凍りついてしまって表情一つ変えることができなかった。ずいぶん長いこと眠らせていた懐かしい痛みが胸に突き上げてきた。

「彼はあなたのことが好きだったみたいですよ。いや、写真なんか持ち歩かれてあなたにしてみたら気持ち悪いなんて思うかも知れないけど。だいぶ前のことだし、もともと子供みたいに純粋なところがある男だから、許してやってください。おそらくもう顔を合わせる機会もないだろうしね。だけどこんなところでご本人にお会いするなんて、妙な縁が」

食前酒とワインがそうさせたのか、それまでとても明るい口調で喋っていたカメラマンはそこで言葉を切った。彼はそれ以上、話を続けることができなかった。

同僚と、一緒に話していた男性も黙った。彼らは慎重に眉を寄せ、遠くのほうから異様なものを見ているような目をしていた。となりのテーブルの女性客もふいに会話を止めてこちらに好奇心と戸惑いを込めた視線を投げてきた。

真っ白なクロスに涙が染み込んで、右手に握った銀のフォークの、光る刃が小刻みに震えていた。

これからもずっと同じ痛みをくり返し、その苦しさと引き換えに帰ることができるのだろう。あの薄暗かった雨の廊下に。そして私はふたたび彼に出会うのだ。何度でも。

周囲の人々が不安げに見守る中、途方もない幸福感にも似た熱い衝動に揺さぶられながら、私は落ちる涙を拭うこともできずに空中を見つめていた。

引用文献

小川未玲「お勝手の姫」「せりふの時代vol.8 '98夏号」小学館

参考文献

かめおかゆみこ『演劇やろうよ!』青弓社
岡野宏文『高校生のための上演作品ガイド』白水社
川和孝『日本語の発声レッスン改訂新版・一般編』新水社
志村直愛・建築から学ぶ会『東京建築散歩24コース』山川出版社
植田実『集合住宅物語』みすず書房

本書は平成十七年二月、小社より刊行された単行本を文庫化したものです。

ナラタージュ

島《しま》本《もと》理《り》生《お》

平成20年 2月25日　初版発行
令和3年 5月20日　34版発行

発行者●堀内大示

発行●株式会社KADOKAWA
〒102-8177　東京都千代田区富士見2-13-3
電話　0570-002-301（ナビダイヤル）

角川文庫 15030

印刷所●株式会社KADOKAWA
製本所●株式会社KADOKAWA

表紙画●和田三造

ISBN978-4-04-388501-5　C0193

◆◇◇

角川文庫発刊に際して

角川源義

第二次世界大戦の敗北は、軍事力の敗北であった以上に、私たちの若い文化力の敗退であった。私たちの文化が戦争に対して如何に無力であり、単なるあだ花に過ぎなかったかを、私たちは身を以て体験し痛感した。西洋近代文化の摂取にとって、明治以後八十年の歳月は決して短かすぎたとは言えない。にもかかわらず、近代文化の伝統を確立し、自由な批判と柔軟な良識に富む文化層として自らを形成することに私たちは失敗して来た。そしてこれは、各層への文化の普及滲透を任務とする出版人の責任でもあった。

一九四五年以来、私たちは再び振出しに戻り、第一歩から踏み出すことを余儀なくされた。これは大きな不幸ではあるが、反面、これまでの混沌・未熟・歪曲の中にあった我が国の文化に秩序と確たる基礎を齎らすためには絶好の機会でもある。角川書店は、このような祖国の文化的危機にあたり、微力をも顧みず再建の礎石たるべき抱負と決意とをもって出発したが、ここに創立以来の念願を果すべく角川文庫を発刊する。これまで刊行されたあらゆる全集叢書文庫類の長所と短所とを検討し、古今東西の不朽の典籍を、良心的編集のもとに、廉価に、そして書架にふさわしい美本として、多くのひとびとに提供しようとする。しかし私たちは徒らに百科全書的な知識のジレッタントを作ることを目的とせず、あくまで祖国の文化に秩序と再建への道を示し、この文庫を角川書店の栄ある事業として、今後永久に継続発展せしめ、学芸と教養との殿堂として大成せんことを期したい。多くの読書子の愛情ある忠言と支持とによって、この希望と抱負とを完遂せしめられんことを願う。

一九四九年五月三日